Y0-CDB-807

Della stessa autrice

Fine dell'estate
Palomino
Una perfetta sconosciuta
Stagione di passione
Una volta nella vita
Un amore così raro
Due mondi due amori
Incontri
La tenuta
Ritratto di famiglia
Svolte
Promessa d'amore
Menzogne
Ora e per sempre
L'anello
Giramondo
Amarsi
Amare ancora
Cose belle
Il cerchio della vita
Il caleidoscopio
Zoya
Star
Daddy-Babbo
Messaggio dal Vietnam
Batte il cuore
Nessun amore più grande
Gioielli
Le sorprese del destino
Scomparso
Il regalo
Scontro fatale
Cielo aperto
Fulmini
La promessa
Cinque giorni a Parigi
Brilla una stella
Perfidia
Silenzio e onore
Il ranch
Un dono speciale
Il fantasma
La lunga strada verso casa
Immagine allo specchio
Dolceamaro
Forze irresistibili
Le nozze
La casa di Hope Street
Il viaggio
Granny Dan-La ballerina dello zar
Aquila solitaria
Atto di fede
Un uomo quasi perfetto
Il bacio
Il Cottage
Tramonto a Saint-Tropez
Una preghiera esaudita
Un angelo che torna
*Appuntamento al buio**
*Un porto sicuro**
*La casa**
*Il miracolo**
La stagione delle emozioni (Scomparso, Forze irresistibili, Il bacio)
*Sua Altezza Reale**
*Sorelle**
*Ricominciare**
*Una grazia infinita**
*Una volta ancora**
*Irresistibile**
*Gli inganni del cuore**
*Una donna libera**
*Le luci del Sud**

* Di questi libri è disponibile la versione ebook

DANIELLE STEEL

AQUILA SOLITARIA

Traduzione di Grazia Maria Griffini
Lone Eagle

I edizione Sperling Paperback settembre 2004

ISBN 978-88-8274-748-0
86-I-12

VIII EDIZIONE

I personaggi di questo romanzo sono immaginari e ogni rassomiglianza con persone realmente esistenti o esistite è puramente casuale.

Ai miei amati figli
Beatrix, Trevor, Todd,
Nick, Samantha, Victoria,
Vanessa, Maxx e Zara.
Voi siete le persone
più meravigliose sulla Terra,
le migliori che io conosca,
e vi amo con tutto il mio cuore.

Mamma

un migliaio di anni,
un migliaio di paure,
un migliaio di lacrime
abbiamo versato
l'uno per l'altro,
come falene
alla fiamma,
un gioco mortale,
bambini smarriti
in cerca
della loro mamma,
e quando i cuori cantano,
la musica porta
una magia
come nessun'altra,
il freddo inverno,
non una mano da stringere,
l'estate
breve
e assolata,
e la mattina,
stretta
a te,
momenti preziosi,
teneri, amorosi,
divertenti,
ballavamo,
ridevamo,
volavamo,
crescevamo,
osavamo,
volevamo bene
più di quanto qualunque anima
potesse capire

o accettare,
la luce così splendente,
l'accordo così perfetto,
per cento
preziose
stagioni,
la falena,
la fiamma,
la danza
le stesse,
poi ali spezzate
e cose
tenute come un tesoro
in pezzi
intorno a noi,
il sogno
l'unico
per il quale mi struggo,
qui o là,
le nostre anime
messe a nudo,
fra un milione di anni,
il mio cuore
ti terrà
sempre
con sé.

Prologo

Dicembre 1974

LA telefonata arrivò quando meno se l'aspettava, in un pomeriggio nevoso di dicembre, quasi trentaquattro anni dopo che si erano conosciuti. Trentaquattro anni. Anni straordinari. Kate aveva passato due terzi esatti della sua vita con lui. Adesso aveva cinquantun anni, e Joe sessantatré. E, nonostante tutto quello che aveva realizzato, Joe le pareva ancora giovane, e lo era nell'aspetto. C'era qualcosa di vibrante in lui, un'energia, una forza trascinante. Possedeva intuito, lungimiranza ed entusiasmo come nessun altro. Lei se n'era accorta dal momento in cui l'aveva incontrato, aveva subito capito che era diverso, importante, speciale e molto, molto raro.

Joe le era entrato nel sangue e poi, con il passare del tempo nell'anima.

Negli anni c'erano stati contrasti e momenti di assoluta pace, vette e abissi, albe e tramonti. Per lei Joe era stato l'Everest: il massimo, il luogo che aveva sempre desiderato raggiungere. Era stato il suo sogno, il Paradiso e l'Inferno, e di tanto in tanto il Purgatorio. Lui era un genio, un uomo dalle scelte estreme.

Avevano dato significato, colore e profondità l'uno all'altra, ma a volte tutto ciò era stato difficile da raggiungere. La tranquillità, la disponibilità, la capacità di accettarsi e l'amore erano giunti con l'età e con il tempo.

La loro relazione era stata una grossa sfida per entrambi, aveva incarnato le rispettive peggiori paure, e alla fine erano riusciti ad adattarsi come due tessere di un mosaico.

Nei tanti anni che avevano passato insieme avevano scoperto qualcosa che soltanto pochissime persone riescono a fare. Era stato tumultuoso ed esaltante e, a tratti, assordante, ma entrambi avevano capito che era infinitamente raro. Era stata una danza piena di magia della quale nessuno dei due aveva trovato facile imparare i passi.

Joe era differente dalle altre persone, vedeva quello che altri non riuscivano a vedere e non aveva quasi bisogno di vivere fra gli uomini: anzi, era più felice quando stava per conto proprio. E intorno a sé aveva creato un universo straordinario. Era un sognatore, eppure aveva creato un'industria, un impero. Aveva aiutato il mondo a espandersi, e così facendo aveva allargato gli orizzonti al di là dell'immaginabile. Era sempre stato mosso dall'impulso di costruire, di far crollare le barriere per procedere costantemente oltre.

Joe era in California quando la telefonata arrivò. Si trovava là da settimane e sarebbe dovuto rientrare nel giro di due giorni. Kate non era preoccupata, ormai non succedeva più. Lui andava e veniva, come le stagioni o il sole. Ovunque si trovasse, sapeva che non era mai lontano da lei. Ciò che Joe più amava, all'infuori di Kate, erano i suoi aerei: erano, ed erano sempre stati, una parte integrante del suo essere. Ne aveva bisogno, aveva bisogno di ciò che significavano per lui, sotto certi aspetti addirittura più di quanto avesse bisogno di lei. Kate lo sapeva, e lo accettava. Era giunta ad amare i suoi aeroplani come amava la sua anima e i suoi occhi; anche questo faceva parte di quel favoloso mosaico che era Joe.

Kate stava scrivendo nel diario, godendosi il silenzio della casa mentre sul mondo, fuori, si stendeva una coltre bianca. Era già buio quando il telefono squillò, alle sei, e lei trasalì, meravigliata che fosse così tardi. Quando guardò l'orologio sorrise, sapendo che a chiamarla era Joe. Lei sembrava sempre quella di un tempo, mentre si scostava dalla fronte una ciocca di capelli rosso scuro e allungava una mano verso il ricevitore. Sapeva che sarebbe stata accolta dal tono caldo e profondo di quella voce familiare, la voce di lui, ansioso di raccontare come aveva trascorso la giornata.

«Pronto?» disse, notando che la neve continuava a cadere sempre più fitta. Era un giorno invernale perfetto, da regno delle fate, e preparava un Natale incantevole ai suoi figli, che presto sarebbero tornati a casa. Entrambi avevano un lavoro, una vita propria e persone alle quali volevano bene. Adesso il suo mondo girava quasi interamente intorno a Joe.

«Signora Allbright?» Non era lui. Per un attimo rimase delusa, ma certo da un momento all'altro avrebbe telefonato. Ci fu una strana, lunga pausa, quasi come se la voce vagamente familiare all'altra estremità del filo si aspettasse che lei sapesse il motivo di quella chiamata. Era un nuovo assistente, e Kate gli aveva già parlato altre volte. «Sto telefonando dall'ufficio del signor Allbright», continuò, poi tacque di nuovo e, senza sapere il perché, lei provò la strana sensazione che fosse stato Joe a fargli fare la telefonata: le parve quasi di avvertirne la presenza lì, in piedi vicino a lei, eppure non riusciva a immaginare il motivo per cui fosse stato quell'uomo a chiamare. «Io... Mi dispiace. C'è stato un incidente.» Kate si sentì gelare, come se all'improvviso si fosse ritrovata completamente nuda nella neve.

Lo capì ancora prima che lui pronunciasse quelle parole. Un incidente... C'era stato un incidente... Un incidente... Era una litania che per tanto tempo si era aspettata di sentire e poi aveva dimenticato, perché Joe aveva avuto così tante vite incantate! Era stato indistruttibile, infallibile, invincibile, immortale. Quando si erano conosciuti le aveva raccontato di avere cento vite e di averne usate solo novantanove. Sembrava che ce ne fosse sempre un'altra.

«Oggi pomeriggio è andato ad Albuquerque», riprese la voce, e d'un tratto Kate ebbe l'impressione di sentire, nella stanza dove si trovava, una cosa soltanto: il *tic-tac* dell'orologio. Con il fiato mozzo, si rese conto che era lo stesso suono che aveva sentito più di quarant'anni prima quando la mamma era andata a dirle di suo padre. Era il suono di un tempo scaduto, la sensazione di precipitare attraverso lo spazio in un abisso senza fondo, e sapeva che non ce l'avrebbe mai fatta a rivivere quell'esperienza. No, Joe non avrebbe permesso che le accadesse. «Stava provando un nuovo modello», continuò la voce, che di colpo le parve quella di un ragazzo. Perché non c'era Joe in linea? Per la prima volta da anni si sentì stringere dagli artigli del terrore. «C'è stata un'esplosione», mormorò lui così piano che quasi non riuscì a udirlo. Quella parola la colpì come una bomba.

«No... io... non è possibile che ci sia stata... non può essere...» Aveva la voce strozzata; le parole le morirono in gola e rimase impietrita. Aveva già capito il resto, non c'era più bisogno di spiegarglielo. Sapeva che cos'era successo, e sentiva che le mura di quel suo mondo sicuro, protetto, le stavano crollando addosso. «Non mi dica altro.» Per un lungo momento rimasero entrambi in silenzio, ammutoliti dall'orrore, mentre gli occhi di Kate si colmavano di lacrime. Lui si era offerto volontariamente di chiamarla. Nessun altro aveva trovato il coraggio di farlo.

«Si sono schiantati nel deserto», aggiunse soltanto, mentre lei chiudeva gli occhi e lo ascoltava seduta, immobile. No, era impossibile! Joe non le avrebbe mai fatto una cosa simile. Eppure lei aveva sempre saputo che sarebbe potuto accadere. Ma nessuno dei due lo aveva realmente creduto possibile. Lui era troppo giovane perché gli capitasse, e lei lo era troppo per diventare la sua vedova. Eppure, nella vita di Joe c'erano state molte altre donne come Kate, mogli di piloti che avevano perduto il proprio uomo durante il collaudo dei suoi aerei. Lui era sempre andato a trovarle. E adesso le stava telefonando questo ragazzo, questo bambino, ma com'era possibile che capisse che cos'era stato Joe per lei, e lei per Joe? Come poteva sapere chi era stato lui veramente? Lui conosceva solo il fondatore di un impero, la leggenda che era stato. Quanto, quanto di più c'era che lui non avrebbe mai scoperto. Kate aveva passato metà dell'esistenza a imparare chi era l'uomo che aveva accanto.

«Qualcuno è andato a controllare i rottami dell'aereo?» domandò con la voce scossa da un tremito incontrollabile. Se lo avessero fatto, lo avrebbero sicuramente ritrovato, e lui si sarebbe divertito a prenderli in giro, togliendosi la polvere di dosso, poi le avrebbe telefonato per raccontarle che cos'era successo. Niente poteva toccare Joe.

Il ragazzo all'altro capo della linea non aveva alcuna voglia di spiegarle che c'era stata un'esplosione in aria, talmente violenta da illuminare il cielo come l'eruzione di un vulcano. Un altro pilota che volava molto più in alto di lui aveva detto che sembrava come a Hiroshima. Non rimaneva niente di Joe, salvo il suo nome.

«Siamo sicuri, signora Allbright... Non so dirle quanto mi dispiace. C'è qualcosa che posso fare? C'è qualcuno con lei?»

Lei rimase muta per un attimo, incapace di formulare una frase. Voleva rispondere soltanto che c'era Joe lì con lei, e ci sarebbe rimasto per sempre. Niente e nessuno avrebbero mai potuto portarglielo via.

«Più tardi le telefoneranno dall'ufficio, per quanto riguarda le... ehm... disposizioni», riprese la voce in tono imbarazzato. Kate riuscì soltanto ad annuire: riagganciò senza aggiungere una parola. Non c'era altro che dovesse o potesse dire. Rimase con lo sguardo fisso sulla neve che cadeva. Era come se Joe fosse lì, in piedi davanti a lei, lo rivedeva sull'onda dei ricordi come le era apparso una sera di tanti anni prima, quando si erano conosciuti.

Sentiva il panico assalirla, e sapeva di dover essere forte per lui, di dover essere la persona che era diventata grazie a lui. Joe se lo sarebbe aspettato. Non poteva permettersi di precipitare di nuovo nel buio, o di cedere al terrore che era riuscita a guarire soltanto con l'amore per il marito. Chiuse gli occhi e pronunciò il suo nome, piano, in quella stanza familiare dove avevano vissuto insieme.

«Joe... non andartene... ho bisogno di te...» bisbigliò, mentre le lacrime le bagnavano le guance.

«Sono qui, Kate. Non vado in nessun posto. Lo sai.» La voce era forte e pacata, e così reale che lei capì di averla sentita davvero. Joe non l'avrebbe lasciata. Stava facendo quello che doveva fare, nel luogo in cui doveva essere e dove voleva essere, lassù in un punto imprecisato dei suoi cieli. Lui era così, esattamente com'era stato in tutti gli anni in cui lo aveva amato. Potente. Invincibile. E libero.

Niente avrebbe potuto cambiare quella verità, nessuna esplosione avrebbe potuto strapparglielo. Joe era ben più grande, troppo grande per morire. A lei era toccato concedergli di nuovo la libertà, perché facesse ciò cui era destinato. Sarebbe stato il suo atto di coraggio finale, e anche quello di Joe.

Vivere senza di lui era inimmaginabile. Mentre continuava a fissare il buio della notte, le parve di vederlo allontanarsi lentamente. Poi si voltò e le sorrise. Era lo stesso di sempre, l'uomo che aveva amato per così tanto tempo. Proprio lui.

La casa si riempì di un silenzio assoluto e Kate rimase seduta a lungo, sino a notte fonda, pensando a lui. Fuori la neve continuava a scendere, e la sua mente tornava alla sera in cui si erano conosciuti: lei aveva diciassette anni e Joe era giovane, forte e affascinante. Era stato un momento indimenticabile, che aveva cambiato la sua vita, e la danza era cominciata.

1

KATE Jamison vide per la prima volta Joe nel dicembre 1940, tre giorni prima di Natale, a un ballo delle debuttanti. Con il padre e la madre, era andata per una settimana a New York da Boston per fare acquisti, andare a trovare gli amici e partecipare a quel ballo. Kate era amica della sorella minore della festeggiata. Di solito le diciassettenni non erano invitate, ma già da tempo lei era così adorabile e sembrava così adulta per la sua età che i padroni di casa avevano deciso senza difficoltà di farla partecipare.

L'amica di Kate ne era stata felice, e così anche lei. Non era mai stata a un ricevimento così bello e la casa, quando entrò al braccio di suo padre, era già affollata di persone straordinarie: importanti personaggi politici, matrone dell'alta società e bei giovanotti in numero tale da rimpolpare un esercito. Erano presenti molte celebrità della vita mondana di New York, e altre arrivate da Boston e Filadelfia. Erano più di settecento gli invitati che conversavano negli eleganti saloni, nella stupenda sala da ballo tutta specchi e nei giardini, dov'erano stati allestiti vari padiglioni. I camerieri in livrea erano centinaia, e c'erano anche due orchestre: una suonava all'interno e l'altra sotto un grande tendone esterno. Una parata di donne bellissime e di uomini affascinanti, tutti in frac, nonché gioielli e abiti da sera eccezionali. La festeggiata era molto graziosa e portava un vestito disegnato appositamente per lei da Schiaparelli. Era il momento che aspettava da tutta la vita: la presentazione ufficiale in società. Sembrava una bambola di porcellana, in piedi accanto ai genitori a ricevere gli ospiti che si avvicinavano in una lunga fila; a mano a mano che entravano, il nome di ciascuno veniva annunciato ad alta voce.

Quando, seguendo gli altri invitati, anche i Jamison arrivarono a salutare i padroni di casa, Kate baciò l'amica e la ringraziò per averle permesso di essere presente alla festa. Era il primo ballo del genere al quale partecipava. Per un attimo le due ragazze sembrarono due ballerine di un quadro di Degas, tanto era squisito il contrasto che creavano una accanto all'altra. La debuttante era minuta e bionda, con la figura dalle curve dolcemente arrotondate, mentre la bellezza di Kate aveva qualcosa di singolare. Era alta e snella, con i capelli di un color rosso ramato che le scendevano soffici fino alle spalle, aveva una pelle d'avorio, grandi occhi azzurro scuro e un corpo perfetto. E mentre la prima appariva serena e perfettamente padrona della situazione, Kate sembrava emanare un'aura di elettricità e di energia. Ogni volta che i genitori le presentavano qualcuno, lei lo fissava dritto negli occhi e lo abbagliava con il suo sorriso. C'era qualcosa nel suo aspetto, nella sua espressione, nella curva delle labbra, che faceva pensare che stesse per dire qualcosa di spiritoso, di importante, qualcosa che avrebbe fatto piacere ascoltare e ricordare. Tutto in Kate sembrava la promessa di un'emozione, come se la sua giovinezza fosse piena di una tale esuberanza da farle sentire la necessità di dividerla con gli altri.

Aveva, e aveva sempre avuto, un che di incantevole e ipnotico, come se provenisse da un luogo differente e fosse destinata a qualcosa di grande. In lei non c'era niente di banale: la si notava subito in mezzo alla folla, non solo per la bellezza ma anche per lo spirito e il fascino. A casa era una sbarazzina sempre pronta a ideare mille progetti uno più divertente e rischioso dell'altro e, da figlia unica qual era, aveva sempre saputo divertire suo padre e sua madre. Era nata che loro non erano più giovani, dopo vent'anni di matrimonio, e quando era ancora piccolina il papà ripeteva spesso che la loro lunga attesa era stata ampiamente ricompensata, mentre la mamma si affrettava ad annuire. La adoravano. Nei primissimi anni di vita era stata al centro della loro esistenza.

Kate aveva avuto un'infanzia facile e libera e non aveva conosciuto altro che agiatezza e benessere. Il padre, John Barrett, il rampollo di un'illustre famiglia di Boston, aveva sposato Elizabeth Palmer, il cui patrimonio era ancora più cospicuo. La loro unione aveva riempito di gioia immensa i rispettivi genitori. John aveva sempre goduto di grande notorietà nell'ambiente bancario per le ponderate valutazioni e gli investimenti oculati. Poi, nel 1929, era arrivato il crollo della Borsa, che aveva travolto lui e migliaia di altre persone come un maremoto, portando con sé distruzione, angoscia e rovina. Fortunatamente la famiglia di Elizabeth non aveva ritenuto opportuno lasciare che la coppia scegliesse la comunione dei beni. Non avevano avuto figli per molto tempo, e i genitori di lei avevano continuato a occuparsi di gran parte dei suoi investimenti, così, per un miracolo, era uscita relativamente indenne dalla crisi.

John Barrett aveva perso tutti i suoi averi e solo una minima parte di quelli della moglie, che aveva fatto il possibile per rassicurarlo e aiutarlo a rimettersi in piedi. Ma lui era stato duramente colpito da una disgrazia che scuoteva tutto il suo mondo: qualche mese dopo il crollo di Wall Street, tre dei suoi più importanti clienti e migliori amici si erano sparati, e nei due anni successivi John si era abbandonato alla disperazione. Per tutto quel tempo Kate non lo aveva quasi più visto: rintanato al piano di sopra, in camera da letto, di rado vedeva qualcuno e usciva ancora meno. Entro due mesi dal disastro finanziario la banca fondata dalla sua famiglia, da lui diretta per quasi vent'anni, aveva chiuso i battenti e John era diventato inaccessibile, un recluso, isolato da tutto e da tutti. L'unica cosa che riusciva a rasserenarlo un poco era la vista della figlia, che allora aveva soltanto sei anni ed entrava nella sua stanza per portargli una caramella o un disegno fatto per lui. Come se avesse intuito che il padre era come smarrito in un labirinto, la bambina cercava istintivamente di attirarlo fuori di lì, ma invano. A un certo punto anche lei si trovò la porta sbarrata e, dopo un po', la mamma le impedì di salire: non voleva che vedesse il padre ubriaco, con i vestiti sporchi e in disordine, spettinato e non rasato, che spesso trascorreva le giornate dormendo. Era una visione che l'avrebbe sconvolta, e che aveva spezzato il cuore di Elizabeth.

John Barrett si tolse la vita nel settembre 1931, quando era ormai l'unico sopravvissuto della sua famiglia di origine. Si lasciava dietro solo la vedova e una figlia. Il patrimonio di Elizabeth era ancora intatto, e lei era una delle poche fortunate la cui vita era rimasta relativamente inalterata dopo il crollo della Borsa, finché aveva perso il marito.

Kate ricordava ancora il momento in cui la madre gliel'aveva detto: era nella stanza dei giochi e beveva una tazza di cioccolata calda, tenendo in braccio la sua bambola preferita. Appena aveva visto entrare la mamma aveva compreso che doveva essere successo qualcosa di terribile. All'improvviso non era riuscita a vedere altro che gli occhi della madre e a sentire soltanto il ticchettio dell'orologio a muro, di colpo fattosi troppo forte. Elizabeth, senza una lacrima, le aveva spiegato con calma, semplicemente, che il papà era andato in cielo a vivere con Dio, dove sarebbe stato felice. A Kate sembrò che il mondo le crollasse addosso: mentre la cioccolata le colava sulle mani non riusciva quasi a respirare, e aveva lasciato cadere la bambola. Sentì che la sua vita non sarebbe più stata la stessa.

Aveva partecipato con aria solenne al funerale del padre, ma non aveva sentito una sola parola. Ricordava soltanto che papà le aveva lasciate perché era troppo triste. In seguito le era tornato alla mente, in modo confuso, ciò che altri avevano detto... il cuore spezzato... non si era mai più ripreso... si era ucciso con un colpo di pistola... aveva perduto non uno solo ma parecchi patrimoni... una buona cosa che non fosse stato lui a maneggiare i soldi di Elizabeth... Dopo, almeno esteriormente, niente era cambiato per lei e la madre: avevano continuato a vivere nella stessa casa e a vedere la stessa gente. Kate aveva ripreso a frequentare la scuola, e a pochi giorni dalla morte del padre aveva cominciato la terza elementare.

Ma per mesi, da quel giorno, si era sentita come inebetita. L'uomo in cui aveva riposto tanta fiducia, al quale aveva voluto tanto bene e che era sempre stato un punto di riferimento, il padre che la adorava in modo così evidente, se n'era andato senza un avvertimento né una spiegazione, per un motivo che lei non riusciva a immaginare. Tutto quello che sapeva e poteva capire era che lui non c'era più, e che la sua esistenza sarebbe cambiata nei suoi aspetti più profondi e davvero importanti. Una parte fondamentale del suo mondo era scomparsa. Quanto alla mamma, nei primi tempi era talmente disperata da sembrare praticamente sparita dalla vita di Kate, che così aveva avuto la sensazione di avere perso entrambi i genitori.

Elizabeth aveva preso le disposizioni necessarie sulle proprietà del marito con un loro carissimo amico, il banchiere Clarke Jamison, il cui capitale e i cui investimenti si erano salvati dal disastro. Era un uomo calmo, gentile e rassicurante; sua moglie era morta anni prima di tubercolosi, senza avere avuto figli, e lui non si era più risposato. Ma nove mesi dopo che Elizabeth era rimasta vedova le aveva chiesto di diventare sua moglie. Il matrimonio era stato celebrato a quattordici mesi dalla scomparsa di John con una piccola cerimonia privata: erano presenti solo loro due, il sacerdote e Kate, che aveva assistito compunta. Allora aveva nove anni.

Con il passare del tempo la decisione di sua madre si era rivelata saggia. Anche se non lo avrebbe mai ammesso apertamente, più che altro per rispetto nei confronti del defunto marito, Elizabeth aveva scoperto di essere addirittura più felice di prima. Erano una coppia ben assortita, avevano gli stessi interessi, e Clarke si dimostrò non solo un buon marito, ma anche un padre meraviglioso per Kate: la adorava, e il sentimento era pienamente ricambiato. Lei era il suo tesoro, la creatura che doveva proteggere, e anche se non parlavano mai del papà della piccola, Clarke aveva dedicato gli anni successivi a cercare di sostituirlo degnamente. Gli piacevano l'allegria e lo spirito sbarazzino che a poco a poco riaffioravano nel carattere di Kate. Quando la bambina compì dieci anni, dopo averne discusso con Elizabeth e con lei, aveva deciso di adottarla. All'inizio Kate si era preoccupata che questo potesse significare una mancanza di rispetto nei confronti del papà perduto, poi, però, la mattina dell'adozione aveva confessato che era quello che più desiderava al mondo. Suo padre era uscito in silenzio dalla sua vita quando lei aveva sei anni, mentre Clarke poteva offrirle la stabilità emotiva di cui ora aveva bisogno. Non le negava mai niente ed era sempre presente per lei.

A poco a poco tutti gli amici di Kate avevano dimenticato che Clarke non era il suo vero padre e, gradualmente, era successo altrettanto anche a lei. A volte, in rari e solenni momenti di quiete, pensava al suo vero papà, ma le sembrava così lontano nello spazio e nel tempo che quasi non se lo ricordava più, e quando si concedeva quelle riflessioni rammentava soltanto il senso di terrore e di abbandono provato al momento della sua morte. Ma era raro che si lasciasse andare a quei pensieri, anzi, non le capitava quasi mai. L'accesso a quella parte di lei era sbarrato, e preferiva che lo rimanesse.

Del resto, non era nella sua natura indugiare sul passato o crogiolarsi nella tristezza. Era il genere di persona sempre tesa verso la gioia, e ovunque andasse contagiava anche gli altri. Il suono della sua risata e il lampo birichino che aveva negli occhi riempivano Clarke di felicità. Del fatto che lui l'avesse adottata non parlavano mai: era un capitolo chiuso, e Kate sarebbe rimasta turbata se qualcuno avesse affrontato l'argomento. Ormai era suo padre nel cuore e nell'anima, non solo nella mente, e lui la sentiva veramente sua figlia.

Clarke Jamison era un banchiere molto stimato a Boston, proveniva da una famiglia in vista e aveva studiato ad Harvard. Non si era mai pentito di avere sposato Elizabeth e adottato la piccola: in ogni aspetto importante per lui – per loro – la sua vita poteva considerarsi un successo, e sicuramente lo era anche agli occhi del mondo.

La mamma di Kate era una donna felice. Aveva tutto quello che desiderava: un marito che amava e una bambina che adorava. Tutte le sue speranze si concentravano sulla figlia; per lei voleva quanto di meglio ci fosse. E, nonostante la personalità energica ed esuberante, la ragazzina aveva un comportamento impeccabile e un equilibrio stupefacente. Da quando si erano sposati, Elizabeth e Clarke l'avevano trattata come un'adulta, facendola partecipare intensamente alla loro vita e portandola sempre con loro nei numerosi viaggi all'estero. Non se ne separavano mai.

A diciassette anni, Kate era andata in Europa con i suoi ogni estate, e l'anno precedente era stata a Singapore e a Hong Kong. Aveva visto molto più di gran parte delle sue coetanee, e mentre si aggirava con passo sciolto ed elegante fra gli invitati rivelava una padronanza di sé e una compostezza incredibili per una ragazza della sua età. Chiunque intuiva immediatamente che non era soltanto serena, ma si sentiva anche bene con se stessa. Niente la scoraggiava o la impauriva: per lei la vita era eccitante, e lo faceva capire.

L'abito che indossava quella sera era stato ordinato per lei a Parigi a primavera ed era completamente diverso da quelli delle altre ragazze, per lo più di colori pastello o accesi. Naturalmente, per rispetto verso la festeggiata, nessuna era in bianco. Tutte erano incantevoli, ma Kate faceva colpo per la sua innata eleganza. Lei emanava un'aura di quieta raffinatezza. Il suo vestito non era guarnito da gale, pizzi o trine e non aveva la gonna ampia e lunga; di satin azzurro ghiaccio, era tagliato in sbieco, aveva le spalline sottilissime e sembrava incresparsi su di lei con morbide onde, quasi come una seconda pelle, mettendone in risalto la figura perfetta. Gli orecchini di acquamarina e brillanti, che erano della madre e prima ancora erano appartenuti alla nonna, irradiavano un vivido scintillio fra le ciocche dei lunghi capelli. Il trucco era quasi inesistente, soltanto un po' di cipria, la pelle aveva la tonalità e la morbidezza di una rosa bianca, le labbra erano di un bel rosso vivo e attiravano lo sguardo perché Kate non faceva che ridere e sorridere.

Mentre lasciavano la fila degli invitati dopo avere salutato i padroni di casa, suo padre le raccontò qualcosa di buffo e lei rise con lui, tenendogli sotto il braccio una mano esile ed elegante fasciata da un guanto bianco. La mamma veniva subito dietro di loro, ma si fermava continuamente a scambiare qualche parola con gli amici. A un certo punto Kate, adocchiata la ragazza che l'aveva invitata alla festa intenta a chiacchierare con altri giovani, abbandonò il papà per unirsi a loro. Prima, però, si accordarono per ritrovarsi più tardi nella sala da ballo e Clarke Jamison, orgoglioso, rimase un momento a osservare la figlia. Kate non se ne accorse, ma tutte le teste si voltarono a guardarla. Era una creatura meravigliosa. Dopo pochi istanti Clarke notò che tutti nel gruppo parlavano e ridevano e i ragazzi sembravano incantati da lei. Ovunque lei fosse, qualunque cosa facesse: tutti le volevano bene ed erano immediatamente catturati da lei.

Quello che la madre desiderava per Kate era che trovasse l'uomo giusto e si sposasse nel giro di qualche anno. Elizabeth era stata ed era felice, e desiderava un'identica sorte per la figlia, ma Clarke voleva assolutamente che prima la ragazza studiasse. Era stato facile convincerla: lei era troppo brillante e intelligente per non capire che avrebbe potuto trarre vantaggio dalla sua istruzione. Anche se il padre non si aspettava che lavorasse, secondo lui Kate doveva avere ogni vantaggio possibile, ed era convinto che proseguire gli studi le sarebbe stato di grande utilità. Così durante l'inverno lei aveva presentato domanda di iscrizione in alcune università e l'anno seguente, appena compiuti diciotto anni, ne avrebbe frequentata una fra Wellesley, Radcliffe, Vassar, Barnard e poche altre, che però la attiravano meno; dal momento che suo padre aveva studiato ad Harvard, avrebbe preferito Radcliffe. Clarke era orgoglioso di lei sotto ogni punto di vista.

Con gli altri ragazzi, Kate si spostò dal salone di ricevimento a quello da ballo. Chiacchierò con le amiche e fu presentata a decine di giovani, parecchi dei quali cominciarono a seguirla senza mollarla un istante; trovavano divertenti le sue battute e frizzante la sua conversazione. Una volta iniziate le danze, non riuscì più a finire un ballo con lo stesso ragazzo con il quale lo aveva cominciato: c'era sempre qualcuno che li interrompeva per sostituire il suo partner. Era una serata stupenda e lei si stava divertendo moltissimo. Come sempre, l'attenzione che suscitava non le faceva certo montare la testa: era divertita, ma sempre controllata.

Quando lo vide per la prima volta, Kate era in piedi davanti al buffet e chiacchierava con una conoscente che aveva cominciato a frequentare Wellesley proprio quell'anno e le stava descrivendo l'ambiente e le abitudini. Lei la ascoltava con attenzione, ma poi, alzando la testa, si ritrovò a fissarlo. Non avrebbe saputo spiegarsi il perché, ma in lui c'era qualcosa che la ipnotizzava. Era piuttosto alto, aveva le spalle larghe, i capelli biondo-rossicci e i lineamenti fini. Ed era anche parecchio più vecchio dei ragazzi con i quali aveva ballato e che la corteggiavano. Pensò che fosse già vicino alla trentina, e intanto smise di seguire la conversazione per osservare affascinata Joe Allbright che si serviva due pezzi di agnello. Era in frac come gli altri invitati ed era decisamente bello, eppure sembrava sentirsi a disagio: tutto nel suo atteggiamento induceva a pensare che avrebbe preferito trovarsi altrove. Mentre lo seguiva con gli occhi e lo vedeva procedere lungo il tavolo del buffet le parve goffo, come un gigantesco uccello al quale fossero state improvvisamente tagliate le ali e che desiderava soltanto volare via.

Finalmente si trovò a pochi centimetri da lei, con un piatto mezzo pieno fra le mani, e si accorse di essere osservato. Dall'alto della sua imponente statura, incrociò lo sguardo di Kate con aria grave. Per un minuto si immobilizzò, poi lei gli sorrise e lui si dimenticò quasi il piatto che stringeva fra le dita. Non aveva mai visto una donna così bella e intensa: era come fissare una luce abbagliante da una distanza ravvicinata. Ben presto dovette distogliere lo sguardo, ma non si spostò; non riusciva assolutamente a muoversi, come se avesse messo le radici, e dopo un attimo i suoi occhi erano di nuovo su di lei.

«Si direbbe una cena modesta per una persona della sua corporatura», gli disse Kate sorridendo. Non era timida, e questo gli piacque. Già da bambino gli riusciva difficile parlare con la gente, e da adulto era diventato un uomo di poche parole.

«Ho cenato prima di venire qui», le spiegò. Si era tenuto alla larga dal tavolo dove veniva servito il caviale, aveva evitato la grande varietà di ostriche fatte arrivare appositamente e si era accontentato di due pezzetti di agnello, un panino imburrato e qualche gamberetto. Gli bastava. Intanto Kate si era accorta che era molto magro; il frac non gli calzava a pennello come avrebbe dovuto, così sospettò – e non sbagliava – che fosse stato noleggiato per l'occasione. Era un capo di abbigliamento di cui non aveva mai avuto bisogno, e non pensava nemmeno di indossarlo un'altra volta, perciò l'aveva chiesto in prestito a un amico. Aveva fatto del suo meglio per rinunciare a quell'invito, sostenendo proprio di non avere l'abito adatto, poi, quando lo aveva recuperato, si era sentito in dovere di presentarsi al ricevimento. Ma, a eccezione del breve incontro con quella ragazza, non era per niente soddisfatto della sua decisione.

«Non mi sembra molto contento di essere qui», riprese Kate a voce così bassa che solo lui la sentì. Parlò con aria comprensiva e un sorriso gentile, e lui scoppiò a ridere, ammirando la sua bellezza.

«Come ha fatto a indovinarlo?»

«Ha l'aria di uno che vorrebbe nascondere il piatto da qualche parte e squagliarsela. Detesta i ricevimenti?» gli domandò, continuando a chiacchierare disinvolta. La ragazza della Wellesley, distratta dall'arrivo di qualcun altro, se n'era andata. Adesso erano soli in mezzo a centinaia di persone: pareva che ne avessero dimenticato la presenza.

«Sì, infatti. O almeno credo di detestarli. Non sono mai stato a un ricevimento come questo.» Non poteva negare di esserne rimasto impressionato.

«Nemmeno io», rispose lei con franchezza. Nel suo caso, però, non era per scelta o per mancanza di occasioni, ma piuttosto per una questione di età. D'altra parte, era impossibile che Joe lo sapesse: Kate sembrava così tranquilla e matura che le avrebbe certamente dato più di vent'anni, o forse anche un'età più vicina alla propria. «È carino, non trova?» aggiunse lei volgendo lo sguardo intorno e poi riportandolo su di lui. Joe sorrise: sì, niente male, anche se fino a quel momento non era stato così.

Da quando era arrivato non aveva fatto che pensare all'incredibile quantità di invitati che affollavano quei saloni, al caldo che faceva, alle innumerevoli altre cose che avrebbe preferito fare. Ma ora, osservando quella ragazza, scoprì di non essere più sicuro che quella festa fosse una perdita di tempo.

«Carino, sì», ammise. Kate notò che aveva gli occhi quasi dello stesso colore dei suoi, di un blu zaffiro. «E lo sei anche tu», aggiunse all'improvviso. C'era qualcosa di così diretto in quel complimento e nel suo sguardo che per lei ebbe molto più significato di tutte le frasi eleganti dei ragazzi che le avevano fatto la corte. Eppure, per quanto fossero chiaramente almeno di dieci anni più giovani, erano tutti molto più disinvolti di lui. «I tuoi occhi sono bellissimi», riprese Joe affascinato, continuando a darle del tu. Erano occhi limpidi, sinceri, pieni di vita e coraggiosi. Sembrava che Kate non avesse paura di niente: ecco qualcosa che avevano in comune, benché in modi molto diversi.

Quella serata era una delle poche cose che lo avevano

spaventato: avrebbe preferito rischiare la vita, cosa che faceva spesso, piuttosto che trovarsi ad affrontare un gruppo di persone come quello. Si trovava lì da meno di un'ora, ma aspettava soltanto che il suo amico lo raggiungesse e gli dicesse che potevano andarsene.

«Grazie. Io sono Kate Jamison.»

Lui, prendendo il piatto con l'altra mano, allungò la destra. «Joe Allbright. Vuoi qualcosa da mangiare?» Era semplice e diretto, diceva solo quello che gli sembrava necessario. Lo stile fiorito non era mai stato il suo genere. Kate non aveva ancora preso il piatto per servirsi al buffet, e quando annuì lui gliene porse uno. Lei scelse soltanto un po' di verdura e un pezzetto di pollo; non aveva fame, quella festa era troppo emozionante. In silenzio, Joe le prese il piatto dalle mani e si avviarono insieme verso un tavolo dove altri erano già seduti e stavano cenando. Trovarono due posti e si sedettero.

Mentre afferrava la forchetta, Joe Allbright la guardò, domandandosi perché mai quella ragazza avesse attaccato discorso con lui. Indipendentemente dalla ragione, quell'incontro aveva decisamente migliorato la sua serata. E anche quella di Kate.

«Conosci molta gente qui?» le chiese senza guardare la folla, fissandola negli occhi. Lei gli sorrise, giocherellando con il cibo che aveva nel piatto.

«Qualcuno. I miei genitori ne conoscono ben più di me», gli spiegò, meravigliata di sentirsi stranamente a disagio. Era una cosa insolita, eppure le sembrava che ogni sua parola avesse un'importanza particolare, come se lui tendesse l'orecchio per cogliere ogni inflessione nella sua voce. Stare in sua compagnia non le dava quella disinvoltura, quella sensazione di frivolezza che provava con gli altri ragazzi: in Joe c'era qualcosa di sorprendentemente intenso, era come se tutti gli artifici fossero stati eliminati e ci si trovasse di fronte alla realtà messa a nudo.

«Ci sono anche i tuoi genitori stasera?» domandò lui interessato, mangiando un gamberetto.

«Sì, sono da qualche parte. Sono ore che non li vedo.» E sapeva che avrebbe continuato a non vederli ancora per un bel po'. Di solito sua madre si sistemava in un angolo con le amiche e passava così la serata, senza fare neanche un ballo, e il marito le rimaneva sempre vicino. «Siamo venuti da Boston per il ricevimento», aggiunse per prolungare la conversazione.

Joe annuì. «È lì che abitate?» chiese, lanciandole un'occhiata cauta. C'era qualcosa in lei che lo affascinava. Non capiva se fosse il modo di parlare o come lo osservava. Sembrava pacata, intelligente e interessata, ma Joe non si sentiva a suo agio con le persone che stavano troppo attente a quello che diceva. E poi, Kate era bellissima.

«Sì. Tu sei di New York?» replicò lei, rinunciando a mangiare il pollo. Preferiva chiacchierare con lui.

«Non sono newyorkese di nascita, vengo dal Minnesota e vivo qui da un anno. Ma ho vissuto in tanti altri posti: nel New Jersey, a Chicago, ho passato due anni in Germania e dopo Capodanno mi sposterò in California. Vado ovunque ci sia una pista d'atterraggio.» Sembrava aspettarsi che Kate capisse tutto questo, e lei lo guardò con accresciuto interesse.

«Sai pilotare un aereo?»

Lui sembrò divertito dalla domanda, e quando le rispose era visibilmente più rilassato.

«Puoi scommetterci! Sei mai stata su un aereo, Kate?» Era la prima volta che pronunciava il suo nome, e lei lo trovò bello, come se fosse qualcosa di privato, oltre a essere contenta che se lo ricordasse. Sembrava il tipo capace di dimenticare molto facilmente i nomi, e così anche tutto ciò che non suscitava il suo interesse. Ma, prima ancora che si presentassero, Joe era rimasto incantato da lei e l'aveva osservata attentamente.

«L'anno scorso siamo stati in California, e di lì abbiamo preso la nave per Hong Kong. Di solito noi viaggiamo in treno, o per mare.»

«Pare che tu abbia girato parecchio. Che cosa ti ha portata a Hong Kong?»

«Ci sono andata in vacanza con i miei genitori. Abbiamo visitato Hong Kong e Singapore, ma prima ci eravamo limitati all'Europa.» Elizabeth aveva voluto a tutti i costi che la figlia imparasse bene l'italiano e il francese e avesse un'infarinatura di tedesco; come suo padre, era certa che le sarebbe stato utile. Clarke la immaginava sposata con un diplomatico, un giorno. Kate sarebbe stata la moglie perfetta per un ambasciatore e lui, quasi inconsapevolmente, la stava preparando a quel destino. «Sei pilota?» gli domandò sgranando gli occhi e tradendo così la sua giovane età. Lui sorrise di nuovo.

«Sì, precisamente.»

«Per una compagnia aerea?» Lo giudicava un tipo misterioso e interessante; lo osservò mentre, assumendo un atteggiamento più disinvolto, distendeva le lunghe gambe e si lasciava andare contro la spalliera della sedia. Era diverso da tutti gli uomini che aveva conosciuto, e Kate era curiosa di sapere qualcosa di più sul suo conto. Non aveva le belle maniere, ormai scontate, dei ragazzi che frequentava, eppure dava l'impressione di essere un uomo navigato. E, nonostante la timidezza che rivelava, non le sfuggì la profonda sensazione di sicurezza e di fiducia in se stesso che emanava, come se sapesse di poter risolvere qualsiasi problema ovunque e in ogni circostanza. Sotto sotto, c'era in lui un qualcosa di raffinato. Kate non ebbe la minima difficoltà a immaginarlo mentre pilotava un aereo, e questo le sembrò molto romantico e segno di grande forza.

«No, non sono un pilota di linea», le spiegò. «Progetto e collaudo gli aerei, ne studio le capacità di resistenza e i limiti di velocità.» In realtà ciò che faceva era molto più complicato, ma gli parve che quella fosse una spiegazione sufficiente.

«Hai mai incontrato Charles Lindbergh?» continuò Kate interessata. Joe evitò di risponderle che il frac che aveva addosso era suo e che era venuto al ricevimento con lui, benché il suo maestro e mentore fosse stato riluttante quanto lui a partecipare. Sua moglie era dovuta rimanere a casa, perché uno dei loro bambini era ammalato. Appena arrivati alla festa, Joe aveva perso di vista Charles, e sospettava che fosse andato a rintanarsi chissà dove; anche lui detestava le feste e la folla, ma aveva promesso ad Anne di partecipare a quel ricevimento e, visto che lei non ci sarebbe stata, aveva invitato Joe per avere un sostegno morale.

«Certamente. Abbiamo anche lavorato insieme. E abbiamo fatto alcuni voli in Germania.» Era proprio Charles Lindbergh il motivo per cui Joe si trovava a New York, ed era stato sempre lui a trovargli un lavoro in California. Si erano conosciuti anni prima, su una pista d'atterraggio nell'Illinois, quando la fama di Lindbergh aveva toccato il culmine, mentre Joe era soltanto un ragazzo. Ma ora negli ambienti dell'aviazione era famoso quasi come il suo maestro, anche se lo era molto meno presso il grosso pubblico. Negli ultimi anni aveva battuto una serie di record e alcuni appassionati di volo erano convinti che fosse addirittura un pilota migliore di Lindbergh; una volta lo aveva dichiarato lo stesso Charles, e quello era stato – e continuava a essere – il momento più importante della vita di Joe. I due uomini nutrivano una grande ammirazione reciproca, ed erano diventati amici.

«Dev'essere una persona davvero interessante... E ho sentito dire che anche sua moglie è molto carina. Che cosa orrenda quella che è successa al loro bambino.»

«Ne hanno tanti altri», ribatté lui, ansioso di superare un momento che avrebbe potuto portare con sé una certa commozione, ma Kate trasalì. A suo giudizio non era questo il punto. E non riusciva nemmeno a immaginare il dolore che quella vicenda doveva avere provocato; quando era successo lei aveva nove anni, però ricordava benissimo che sua madre era scoppiata a piangere alla notizia e poi gliel'aveva spiegata. Le era sembrato un fatto terrificante, e provava ancora la stessa sensazione. Una tale tragedia faceva passare in secondo piano perfino i grandi risultati che Lindbergh aveva ottenuto in seguito, e Kate trovava interessante che Joe conoscesse bene e frequentasse quella famiglia.

«Lui dev'essere un uomo straordinario», si limitò a osservare, e Joe annuì. Era impossibile aggiungere qualcosa all'adulazione che il mondo riversava su Lindbergh e che, per quanto lo riguardava, meritava in pieno. «Che ne pensi della guerra in Europa?» gli domandò poi, e lui diventò pensieroso. Entrambi sapevano che circa due mesi prima il Congresso aveva votato a favore della leva obbligatoria e che non sarebbe più stato possibile ignorare le conseguenze di quella decisione.

«È pericolosa. Secondo me, se non finisce presto sfuggirà di mano a tutti. E credo che prima ancora di accorgercene ci entreremo anche noi.» Ad agosto era cominciato il blitz sull'Inghilterra con incursioni notturne, mentre a giugno la RAF aveva cominciato a bombardare la Germania. Lui era stato in Gran Bretagna a offrire la sua consulenza sulla velocità e l'efficienza degli aerei inglesi e aveva capito che l'aviazione sarebbe stata di importanza vitale nel conflitto. C'erano già stati migliaia di morti fra i civili.

Kate, però, si mostrò subito in disaccordo con lui, e questo lo incuriosì. Indubbiamente era una donna che ragionava con la propria testa e dotata di una forte personalità.

«Il presidente Roosevelt dice che ne rimarremo fuori», ribatté lei in tono fermo. Come suo padre e sua madre, ne era convinta.

«E tu lo pensi davvero, dopo che è passata la legge sulla leva? Non devi credere a tutto quello che leggi. Secondo me, prima o poi non ci rimarrà altra scelta.» Aveva pensato di partire volontario e di entrare nella RAF, ma il lavoro che stava facendo con Charles era molto più importante per il futuro dell'aviazione americana, specialmente se gli Stati Uniti avessero rinunciato alla non belligeranza. Era certo che fosse vitale rimanere in patria e, quando ne avevano discusso, Lindbergh si era trovato d'accordo con lui. Ecco perché Joe era in partenza per la California. Charles aveva paura che l'Inghilterra non ce l'avrebbe fatta a reggere contro i tedeschi e, per quanto si dichiarasse accanitamente contrario a un'eventuale partecipazione del suo Paese, con Joe voleva fare tutto il possibile per preparare l'America a offrire il proprio aiuto, se fosse entrata in guerra.

«Spero che tu stia sbagliando», mormorò Kate. In caso contrario, tutti i bei ragazzi che erano lì quella sera avrebbero rischiato la vita. E il mondo intero, così come loro lo conoscevano, sarebbe stato esposto a un gravissimo pericolo e a profondi cambiamenti. «Sei davvero convinto che entreremo in guerra?» insistette preoccupata, dimenticando per un attimo l'ambiente in cui si trovavano per riflettere su questioni molto più gravi. In Europa, ormai, la situazione era allarmante.

«Sì, è quello che credo, Kate.» Lei scoprì che le piaceva moltissimo il modo in cui Joe la guardava quando pronunciava il suo nome, come tante altre cose di lui.

«Spero che tu stia sbagliando», ripeté a voce bassa.

«Anch'io.»

Poi Kate fece qualcosa che non si era mai azzardata a fare prima. Ma stava bene con lui. «Ti piacerebbe andare nel salone a ballare?» D'un tratto le sembrava di avere trovato un amico; invece Joe parve a disagio di fronte alla sua proposta e per un attimo abbassò lo sguardo sul piatto, prima di rialzarlo su di lei.

«Non so ballare», rispose imbarazzato, ma, con suo grande sollievo, Kate non gli rise in faccia, anche se non gli nascose di essere sorpresa.

«Davvero? Ti insegno io. È facile, basta trascinarsi in giro strisciando i piedi e avere l'aria di chi si sta divertendo molto.»

«Meglio di no. Ti pesterei.» Abbassò gli occhi e vide che lei portava un paio di delicate scarpine da sera di satin azzurro pallido. «Dovrei lasciarti tornare dai tuoi amici.» Erano anni che non chiacchierava così a lungo con qualcuno, e sicuramente non con una ragazza della sua età, per quanto ancora non immaginasse che lei aveva soltanto diciassette anni.

«Ti sto annoiando?» gli domandò Kate andando per le spicce, lanciandogli uno sguardo preoccupato. Le era sembrato che Joe volesse liberarsi della sua presenza e si chiese se per caso lo avesse offeso invitandolo a ballare.

«Accidenti, no davvero!» le rispose con una risata, poi assunse un'aria ancora più imbarazzata per il modo in cui si era espresso. Era molto più abituato agli hangar dei campi d'aviazione che alle sale da ballo ma, tutto considerato, doveva ammettere che si stava divertendo, e nessuno se ne sarebbe potuto stupire più di lui. «Sei tutt'altro che noiosa. Ho solo pensato che forse avresti preferito un cavaliere che sappia ballare sul serio.» Ecco un'altra cosa in comune con Charles: anche lui non ballava.

«Stasera ho già fatto anche troppi balli.» Era quasi mezzanotte, e fino a poco prima Kate non si era mai fermata. «Cosa fai nel tempo libero?»

«Volo», replicò Joe con un sorriso timido. Era piacevole stare con lei, e parlare di aeroplani era ciò che sapeva fare meglio. «E tu?»

«A me piace leggere, viaggiare e giocare a tennis. D'inverno vado a sciare. Gioco a golf con mio padre, ma non sono molto brava. Da piccola adoravo pattinare. Avrei voluto giocare a hockey, ma la mamma quando l'ha saputo ha avuto una crisi isterica e non me l'ha permesso.»

«È stato intelligente da parte sua, perché un bel giorno ti saresti ritrovata senza più un dente in bocca.» Dal sorriso abbagliante di Kate, si vedeva chiaramente che non aveva mai giocato a hockey. «Guidi?» le domandò, lasciandosi andare di nuovo contro la spalliera della sedia. Per un attimo, un attimo di pura pazzia, si era chiesto se le sarebbe piaciuto imparare a pilotare un aereo. Kate sorrise.

«Ho preso la patente l'anno scorso, quando ho compiuto sedici anni, ma a mio padre non piace che usi la macchina. Mi ha fatto fare un po' di pratica a Cape Cod d'estate. Lì non c'è traffico, ed è più facile.» Joe annuì, ma sembrava sconcertato da quello che aveva appena sentito.

«Quanti anni hai?» Si era convinto che fosse sui venticinque.

«Diciassette. Ne avrò diciotto fra pochi mesi. Quanti credevi che ne avessi?» Era lusingata che lui fosse rimasto tanto sorpreso.

«Non lo so... magari ventitré... venticinque. Non dovrebbero far andare in giro le ragazzine della tua età con addosso un vestito come il tuo, perché rischiano di confondere qualche povero vecchio come me.»

Ma Joe non sembrava affatto vecchio, soprattutto quando aveva quell'espressione impacciata, un po' da adolescente, il che capitava spesso. Di tanto in tanto pareva a disagio e volgeva lo sguardo da un'altra parte, poi però si riprendeva e tornava a fissarla negli occhi. A Kate piaceva quella timidezza: era un contrasto interessante con la sua esperienza e abilità di aviatore, e suggeriva un'umiltà di carattere.

«E tu quanti anni hai?»

«Ventinove, quasi trenta. Ho cominciato a volare quando ne avevo sedici. Mi stavo domandando se ti piacerebbe fare un giretto su un aereo con me, una volta o l'altra. Ma ho il sospetto che i tuoi genitori non gradirebbero.»

«La mamma no. Invece papà lo troverebbe divertente. Parla in continuazione di Lindbergh.»

«Magari un giorno potrei insegnarti a pilotare.» I suoi occhi avevano un'espressione sognante. Non aveva mai insegnato a una ragazza a volare, benché conoscesse numerose donne pilota; Amelia Earhart era stata una cara amica per lui, fino alla sua scomparsa avvenuta tre anni prima. E aveva volato parecchie volte con Edna Gardner Whyte, un'amica di Charles che considerava abile quasi quanto il suo maestro; sette anni prima aveva vinto la sua prima gara, un volo solitario, e adesso stava addestrando i piloti militari. Edna provava un grandissimo affetto per Joe.

«Non vieni mai a Boston?» gli chiese speranzosa Kate, che all'improvviso sembrava di nuovo una ragazzina. Lui sorrise.

«Ogni tanto. Ho alcuni amici a Cape Cod e l'anno scorso sono stato loro ospite, ma nei prossimi mesi sarò in California. Potrei provare a telefonarti al mio ritorno. Forse a tuo padre piacerebbe venire con noi.»

«Ne sarebbe entusiasta», rispose lei con calore. Le parve una splendida idea. Cominciò a pensare al modo in cui convincere la mamma. D'altra parte, chissà se Joe l'avrebbe chiamata davvero: con ogni probabilità, no.

«Vai a scuola?» riprese lui con un'espressione curiosa, e

Kate annuì. Lui aveva interrotto gli studi a vent'anni per dedicarsi agli aerei.

«In autunno andrò al college», disse lei piano.

«Sai già dove?»

«Sto aspettando una risposta. Io voglio andare a Radcliffe. Mio padre ha frequentato Harvard, e se potessi mi iscriverei lì anch'io. Ma Radcliffe è abbastanza vicino. La mamma preferirebbe Vassar, dov'è stata lei. Ho fatto domanda anche lì, ma non mi piace allo stesso modo. In ogni caso, credo che preferirei rimanere a Boston. O magari andare al Barnard, qui a New York. Mi piace New York, e a te?» I suoi occhi sgranati lo colpirono.

«Non ne sono del tutto sicuro. Io sono un ragazzo di provincia.» Lei non fu d'accordo. Certo, forse era originario di una piccola città, ma qualcosa nel suo atteggiamento faceva pensare che si fosse ormai buttato alle spalle lo stile di vita provinciale. Era diventato parte di un mondo più vasto, e ancora non se n'era accorto. Ma lei sì.

Stavano chiacchierando sui pregi di Boston e New York quando il padre di Kate, girellando per il salone, capitò dalle loro parti e lei glielo presentò.

«Ho paura di avere monopolizzato sua figlia», disse Joe ansioso. Temeva che Clarke Jamison fosse infastidito da quel prolungato colloquio, considerata la giovanissima età della ragazza. Ormai erano lì seduti a chiacchierare da quasi due ore.

«Non mi sento di rimproverarla per questo», rispose Clarke in tono amabile. «È un'ottima compagnia. Mi stavo domandando dove fosse finita, ma vedo che è in buone mani.» L'impressione che si era fatto di Joe era di un uomo intelligente ed educato; quando poi venne a sapere come si chiamava, rimase sorpreso. Sapeva da quanto aveva letto sui giornali che era un asso dell'aviazione, un personaggio di spicco, e non poté fare a meno di domandarsi come gli fosse capitato di fare la conoscenza di Kate e se sua figlia si rendesse conto di chi era il suo interlocutore. Dopo Charles Lindbergh, era senza dubbio uno dei migliori, e aveva vinto numerose gare a bordo del famoso P-51 Mustang di Dutch Kindelberger.

«Joe si è offerto di farci fare un giro in aereo con lui un giorno o l'altro. Credi che alla mamma verrà una crisi di panico?»

«Penso proprio di sì», ribatté suo padre con una risata, «ma forse riesco a convincerla che non possiamo rifiutarci.» Poi, rivolgendosi a Joe: «La sua offerta è veramente molto gentile, signor Allbright. Sono un suo grande ammiratore; recentemente ha battuto un record favoloso.»

Joe era imbarazzato, però gli fece piacere che Jamison fosse al corrente delle sue imprese. A differenza di Charles, appena gli era possibile si sottraeva alle luci della ribalta, anche se dopo le sue ultime prodezze la cosa stava diventando ardua.

«È stato uno splendido volo. Ho cercato di convincere Charles a venire, ma era impegnato a Washington con il Comitato nazionale per l'aeronautica.» Clarke annuì, visibilmente colpito. Seguì un'animata discussione sugli sviluppi della guerra in Europa. Intanto anche la madre di Kate li aveva raggiunti: si stava facendo tardi e aveva voglia di tornare a casa. Il signor Jamison la presentò a Joe, intimidito ma molto cortese. Ormai la famiglia era pronta ad andarsene. Senza un attimo di esitazione, mentre si avviavano lentamente alla porta, Clarke porse a Joe il suo biglietto da visita. «Ci telefoni se dovesse venire a Boston», lo invitò in tono cordiale, e lui lo ringraziò. «Vedremo se sarà possibile accettare la sua offerta. Nel peggiore dei casi, la accetterò io.» Fece l'occhiolino a Joe, che scoppiò a ridere. Kate sorrise: a quanto pareva, a suo padre piaceva moltissimo quel ragazzo. Joe strinse la mano a Clarke e spiegò che sarebbe andato a cercare Charles. Poi, dopo avere augurato la buona notte alla signora Jamison, si rivolse a Kate.

«È stato un piacere cenare con te», disse fissandola con i suoi occhi penetranti. «Spero di rivederti.» Non sembrava una frase di circostanza, e lei sorrise. Fra tutte le persone che aveva incontrato quella sera, Joe era l'unico che l'avesse colpita, profondamente.

«Buona fortuna in California», gli mormorò, domandandosi se le loro strade si sarebbero mai più incrociate. Lui aveva il suo mondo, la sua passione, un successo considerevole, ed era decisamente improbabile che volesse corteggiare una ragazzina di diciassette anni.

«Grazie, Kate», le rispose. «Spero che tu riesca a entrare a Radcliffe. Anzi, sono sicuro che ce la farai. Potranno considerarsi fortunati di averti, che tuo padre abbia studiato ad Harvard o no.» Le strinse la mano, e questa volta toccò a Kate abbassare gli occhi sotto l'intensità del suo sguardo. Era come se Joe la stesse fissando per imprimersi la sua immagine nella mente. Era una strana sensazione, e in quel momento Kate si sentì attratta irresistibilmente verso di lui.

«Grazie», sussurrò lei. Infine, abbozzando un inchino un po' impacciato nella sua direzione, Joe girò sui tacchi e si dileguò nella folla in cerca di Charles.

«È un uomo sorprendente», osservò Clarke ammirato mentre si avviavano al guardaroba per recuperare i cappotti. «Ma voi due lo sapete chi è?» Quindi informò la moglie e la figlia delle imprese eccezionali compiute da Joe e di tutti i record che aveva battuto negli ultimi anni.

Una volta in macchina, Kate si mise a guardare dal finestrino pensando alle ore che aveva appena trascorso. I primati di Joe non significavano niente per lei, anche se lo ammirava per tutte quelle prodezze e si rendeva conto di quanto fosse importante e famoso nel suo ambiente. In realtà ciò che l'aveva colpita di lui era la personalità: la sua forza, la sua gentilezza e persino la sua goffaggine l'avevano toccata come mai nessun altro era riuscito a fare. In quel momento capì senza ombra di dubbio che Joe si era portato via una parte di lei, e quello che la angustiava era non sapere se l'avrebbe mai più rivisto.

2

DOPO lo splendido ballo di Natale, Kate non ebbe più notizie di Joe Allbright, come aveva sospettato. Leggeva tutto ciò che lo riguardava e si faceva un punto d'onore di cercare informazioni sui giornali e nei documentari cinematografici, quando lui vinceva qualche gara. In California aveva battuto parecchi record e ottenuto un entusiasmante consenso per l'ultimo aereo progettato con la collaborazione di Dutch Kindelberger e John Leland Atwood. Adesso Kate si rendeva conto che il modo di pilotare di Joe aveva qualcosa di leggendario, ma lui era lontano, chiuso in un mondo distante, e si era indubbiamente dimenticato della sua esistenza. Per il resto della vita avrebbe continuato a leggere sue notizie e a ricordare le ore che aveva passato con lui una sera, quando era ancora una ragazzina.

Ad aprile Kate fu accettata a Radcliffe, con grande felicità dei suoi genitori e sua. In Europa la guerra per gli alleati non stava andando bene e in casa se ne parlava sempre. Clarke continuava a sostenere che Roosevelt non avrebbe coinvolto gli Stati Uniti nel conflitto, ma i bollettini erano inquietanti, e due ragazzi che lei conosceva erano andati in Inghilterra per arruolarsi nella RAF. L'Asse aveva lanciato una controffensiva nell'Africa del Nord e il generale Rommel stava vincendo una battaglia dopo l'altra con gli Afrika Korps. La Germania aveva invaso la Iugoslavia e la Grecia, e l'Italia aveva dichiarato guerra alla Iugoslavia, mentre a Londra le incursioni della Luftwaffe mietevano ogni giorno migliaia di vittime.

Vista la situazione, anche quell'estate i Jamison non si recarono in Europa e, per il secondo anno, rimasero a Cape Cod, dove avevano una casa che a Kate era sempre piaciuta. In quel periodo, poi, si sentiva particolarmente emozionata perché stava per entrare al college. Sua madre era felice che non dovesse andare troppo lontano: Cambridge era praticamente al di là del fiume, e lei e la figlia riuscirono a preparare tutti i bagagli della ragazza prima della partenza per Cape Cod, dove contavano di rimanere fino al Labor Day, il primo lunedì di settembre. Quanto a Clarke, le avrebbe raggiunte per il fine settimana, come sempre.

Fu un'estate di tennis, di feste e di passeggiate sulla spiaggia con gli amici. Tutti i giorni Kate faceva lunghe nuotate; conobbe un ragazzo molto carino che sarebbe andato a studiare a Dartmouth e un altro che avrebbe frequentato il primo anno a Yale. Erano un gruppo di persone giovani e sane, dotate di un'intelligenza brillante e di solidi principi. Molti di loro praticavano ogni genere di sport, dal golf al croquet, al volano sulla spiaggia, e spesso capitava che i ragazzi giocassero a una specie di rugby semplificato mentre le ragazze assistevano alla partita. Furono giorni piacevoli, con l'unica ombra cupa delle notizie in arrivo dall'Europa.

I tedeschi avevano occupato Creta e si stava combattendo duramente nell'Africa del Nord e in Medio Oriente. Gli inglesi e gli italiani si sfidavano con violente battaglie aeree nel cielo di Malta. Poi, verso la fine di giugno, i tedeschi invasero la Russia, cogliendola completamente di sorpresa, e un mese più tardi il Giappone penetrò in Indocina.

Quando Kate non pensava alla guerra, pensava all'inizio dei corsi a Radcliffe: ormai mancavano pochi giorni, e lei si sentiva più emozionata di quanto dimostrasse. Molte compagne delle superiori avevano smesso di studiare, quindi lei costituiva più un'eccezione che la regola. Due sue amiche si erano sposate dopo il diploma e altre tre avevano annunciato il fidanzamento. A diciotto anni, le sembrava di essere già una vecchia zitella, mentre molte delle sue coetanee ben presto sarebbero diventate mamme. Ma lei si era trovava d'accordo con il padre e aveva ribadito di voler frequentare l'università, anche se non aveva ancora deciso in quale disciplina laurearsi.

Se il mondo fosse stato diverso, le sarebbe piaciuto iscriversi a legge. Ma sarebbe stato un sacrificio troppo grande: se avesse scelto la professione di avvocato, con ogni probabilità non sarebbe mai riuscita a sposarsi. L'ambiente legale non era adatto a una donna. Kate aveva intenzione di dedicarsi piuttosto alla letteratura o alla storia, dando esami complementari di italiano o francese. In mancanza di meglio, un giorno avrebbe sempre potuto insegnare. D'altra parte, non c'erano altre carriere che avessero un'attrattiva particolare per lei, e i suoi genitori partivano dal presupposto che, ultimati gli studi, si sarebbe sposata. L'università sarebbe stata solo qualcosa di interessante che l'avrebbe tenuta occupata mentre aspettava l'uomo giusto.

Nei mesi successivi il nome di Joe saltò fuori nei loro discorsi un paio di volte, non come quello di un eventuale marito per Kate ma per qualcosa di nuovo o importante che aveva realizzato. Ora che l'aveva conosciuto, Clarke manifestava un interesse ancora maggiore verso tutto ciò che lo riguardava, e in questo modo spesso lo ricordava anche alla figlia, che era ben lontana dall'averlo dimenticato. Ma, non avendolo più sentito né visto, ormai per lei era una persona molto interessante che aveva conosciuto e il cui fascino cominciava a impallidire. Gli impegni, gli amici e l'università erano molto più reali.

Nel fine settimana del Labor Day, Kate e i suoi genitori andarono a una festa alla quale partecipavano ogni anno, generalmente dopo il ritorno dalle vacanze in Europa. Si trattava di un barbecue organizzato dai loro vicini a Cape Cod, al quale confluivano tutti gli abitanti della zona – vecchi, bambini, famiglie intere – e i padroni di casa accendevano un enorme falò sulla spiaggia. Lei si trovava con un gruppetto di amici ad arrostire hot dog e *marshmallows*, quando, facendo un passo indietro per scostarsi dal fuoco, urtò qualcuno. Si voltò per chiedere scusa e, alzando lo sguardo verso la sua vittima, rimase sbalordita: era Joe Allbright. Appena lo vide, lo fissò con gli occhi sgranati senza riuscire a pronunciare una sola parola, continuando a tenere stretto in mano il bastoncino sul quale erano infilati i *marshmallows* ormai in fiamme. Lui rise.

«Faresti meglio a stare attenta, prima di dare fuoco a qualcuno.»

«Che ci fai qui?»

«Sto aspettando uno di quei dolci», le rispose. «I tuoi mi sembrano un po' troppo cotti.» Ormai erano carbonizzati, mentre Kate continuava a guardarlo, incapace di convincersi che fosse proprio lui. Joe sembrava felice di vederla. Aveva l'aspetto di un ragazzino, con i pantaloni color cachi e un maglione. Anche lui era a piedi nudi.

«Quando sei tornato dalla California?» gli domandò, sentendo che il suo rapporto con lui riprendeva esattamente da dove si era interrotto, come se fossero vecchi amici. Improvvisamente entrambi sembravano essersi dimenticati di tutte le persone che avevano intorno.

«Non sono tornato.» Le sorrise, evidentemente felice di

rivederla. «Sono sempre là, e credo che ci rimarrò per il resto dell'anno. Sono venuto qui soltanto per pochi giorni. Avevo intenzione di telefonare martedì a tuo padre per vedere se si poteva combinare qualcosa a proposito della mia famosa proposta. Hai già iniziato l'università?»

«Comincio la prossima settimana.» Kate aveva difficoltà a concentrarsi e a trovare le parole. Joe era bellissimo, abbronzato, con i capelli ancora più biondi di prima, e adesso vedeva le sue spalle forti e robuste, che al ballo erano nascoste dal frac preso in prestito. Le sembrava anche più affascinante di quanto ricordasse, e all'improvviso si sentì impacciata come non le capitava praticamente mai. Lui continuava a ricordarle un gigantesco uccello calato sulla terra, con quelle braccia così lunghe e quel modo di strusciare i piedi avanti e indietro quando era un po' nervoso. Questa volta, però, le sembrava molto più disteso e a suo agio. Joe aveva pensato spesso a Kate, e quello in cui si trovavano in quel momento era per lui un ambiente molto più facile da affrontare. Mentre chiacchieravano, Kate continuava a tenere stretto in mano il bastoncino carbonizzato. Con gentilezza, lui glielo tolse di mano e lo lanciò nel fuoco.

«Hai già mangiato?» le chiese, assumendo il controllo della situazione.

«Solo qualche dolcetto», gli rispose con un sorriso timido. Lui le era così vicino che con la mano sfiorò inavvertitamente quella della ragazza.

«Prima di cena? Vergognati. Che ne dici di un hot dog?» Lei annuì e Joe prese un altro bastoncino, scelse due hot dog da un vassoio e ce li infilò, poi li allungò sulle fiamme. «Allora, che cos'hai fatto da quando ci siamo visti a Natale?» le domandò con interesse.

«Mi sono diplomata e mi sono iscritta a Radcliffe. Niente di speciale.» Lei, invece, sapeva tutto di Joe, o quanto meno delle sue imprese.

«Brava. Lo sapevo che ce l'avresti fatta. Sono fiero di te.» Lei arrossì, ma per fortuna era già buio.

Lui le sembrò molto più sicuro di sé rispetto a otto mesi prima. O forse era solo perché si conoscevano già. Ma Kate non sapeva che Joe aveva pensato a lei tanto frequentemente da considerarla ormai un'amica; era infatti sua abitudine rivedere con la mente scene, situazioni e persone come un film, finché gli diventavano familiari.

«E con la guida come va?» le domandò continuando a sorridere.

«Papà dice che come autista sono una frana, invece io mi considero abbastanza brava. Sono meglio della mamma, lei fracassa la macchina in continuazione.»

«Forse, allora, sei pronta per le lezioni di volo. Dovremo pensarci quando tornerò qui. Entro la fine dell'anno sarò di nuovo nel New Jersey per consultarmi con Charles Lindbergh su un progetto, ma prima devo concludere quello che sto facendo in California.»

Kate non avrebbe saputo spiegarsi il perché, ma l'idea che lui avesse intenzione di tornare sulla costa orientale la elettrizzava. Si rendeva conto di comportarsi come una sciocca, perché non c'era ragione di pensare che Joe avrebbe voluto rivederla: aveva trent'anni ed era pienamente realizzato, mentre lei era solo una ragazzina.

«Quando cominci la scuola, Kate?» le chiese, come se fosse la sua sorellina. Anche lui, invece, era figlio unico: ecco qualcosa che avevano in comune. I suoi genitori erano morti quando era molto piccolo; era stato cresciuto dai cugini della madre, e non aveva alcun problema ad ammettere che non gli erano mai piaciuti, come intuiva di non essere mai stato simpatico a loro.

«Questa settimana. Mi trasferirò a Radcliffe martedì.»

«Dev'essere emozionante», osservò lui, porgendole un hot dog.

«Non quanto quello che fai tu. Ho seguito le tue prodezze sui giornali.»

Joe sorrise, lusingato che Kate si fosse ricordata di lui.

«Sai, mio padre è uno dei tuoi fan più appassionati.»

Andarono a sedersi su un tronco d'albero abbattuto. Kate mangiò un gelato, sgocciolandoselo addosso mentre lui, comodamente seduto a sorseggiare un caffè, la guardava. Era così bella, giovane, piena di vita, come un purosangue che galoppava facendo ondeggiare la criniera color rame. Joe non aveva mai immaginato che un giorno avrebbe conosciuto una come lei. Le donne che gli era capitato di incontrare erano molto più scialbe, mentre questa ragazza era una stella splendente, e lui non riusciva a staccarle gli occhi di dosso per paura di perderla di vista.

«Hai voglia di camminare un po'?» si decise finalmente a chiederle appena si fu ripulita. Kate annuì.

Si avviarono a passo lento lungo la spiaggia. Sull'acqua splendeva una luna quasi piena che illuminava tutto, mentre loro camminavano a fianco a fianco in silenzio, con estrema naturalezza.

Joe guardò prima il cielo, poi lei, e sorrise. «Adoro volare nelle notti come questa. Penso che piacerebbe anche a te. È come essere vicini a Dio, c'è una pace infinita.» La stava rendendo partecipe di quello che per lui contava di più. Gli era capitato di pensare a Kate un paio di volte durante un volo notturno, e aveva immaginato quanto sarebbe stato bello averla lassù con lui. Ma subito si era detto di essere pazzo: lei era solo una ragazzina e, se mai gli fosse capitato di rivederla, probabilmente non si sarebbe nemmeno ricordata della sua esistenza. Invece era successo il contrario, e ora si sentivano come vecchi amici. Questo incontro era un dono del destino, anche perché, diversamente da quanto aveva affermato, non era per niente sicuro che avrebbe trovato il coraggio di telefonare a suo padre. Averla incontrata lì, quella sera, gli aveva risolto il problema.

«Che cosa ti ha fatto innamorare degli aerei?» gli domandò Kate rallentando il passo. Era una serata splendida e calda, e la sabbia sotto i loro piedi sembrava di seta.

«Non lo so... mi sono sempre piaciuti, fin da bambino. Magari avevo voglia di scappare, oppure di salire tanto in alto al di sopra del mondo che nessuno avrebbe potuto toccarmi.»

«Da che cosa scappavi?» gli domandò lei a bassa voce.

«Dalla gente. Dalle brutte cose che mi erano successe e dalla tristezza che mi facevano venire.» A casa dei cugini della madre si era sempre sentito un intruso, così appena compiuti sedici anni se n'era andato. Se avesse potuto lo avrebbe fatto anche prima. «Mi è sempre piaciuto stare solo. E amo le macchine, i motori e i particolari della meccanica. Volare è qualcosa di magico, perché di colpo tutte le varie parti cominciano a muoversi all'unisono, e prima che tu te ne accorga eccoti in Paradiso, lassù nel cielo.»

«Lo fai sembrare meraviglioso», disse lei mentre si fermavano e si sedevano sulla sabbia. Avevano fatto una lunga camminata ed erano stanchi.

«È meraviglioso, Kate. È proprio quello che ho sempre voluto essere e fare. Non riesco a credere che mi paghino per questo.»

«Ovviamente succede perché sei molto bravo.»

Lui chinò la testa per un attimo, e lei rimase commossa da ciò che vedeva e sentiva in lui.

«Un giorno mi piacerebbe farti volare con me. Non ti farò paura, lo prometto.»

«Tu non mi metti paura», ribatté lei tranquillamente. Joe le era seduto vicinissimo, e questo spaventava lui più di quanto spaventasse lei. Temeva soprattutto i sentimenti che provava: era stregato, attratto da lei come una calamita. Eppure aveva dodici anni più di Kate, che proveniva da una famiglia facoltosa e influente e adesso era in procinto di iniziare una nuova vita all'università. Lui non apparteneva al suo mondo, e lo sapeva. Lei, però, non somigliava a nessun'altra donna che aveva conosciuto, neanche fra le coetanee. Negli anni aveva avuto molte storie con ragazze che frequentavano le piste di atterraggio, oppure incontrate tramite altri piloti, di solito le loro sorelle, ma si era accorto di non avere niente in comune con nessuna. C'era stata una persona soltanto della quale si era innamorato, ma lei aveva sposato un altro perché, così gli aveva detto, lui la trascurava, non aveva mai tempo da trascorrere in sua compagnia. Invece, non riusciva a immaginare che Kate potesse sentirsi sola, lei, così indipendente e piena di vita. Ecco quello che lo aveva catturato. A soli diciotto anni era un'adulta: da quanto gli pareva di capire, non c'erano pezzi mancanti in lei, non aveva carenze che lui dovesse colmare. Lei era semplicemente quella che era, già avviata sulla propria strada, come una cometa, e Joe si scopriva a desiderare una cosa soltanto: catturarla mentre gli sfrecciava di fianco.

Kate gli raccontò che avrebbe voluto frequentare la facoltà di giurisprudenza ma era stata costretta a rinunciare al suo sogno perché non la giudicava una carriera adatta a una donna.

«Questa è una sciocchezza», ribatté lui. «Se è quello che vuoi, perché non lo fai?»

«I miei genitori si oppongono. Desiderano che vada all'università, però poi si aspettano che mi sposi.» Sembrava delusa. Era una scelta che le pareva tanto noiosa.

«E perché non puoi fare entrambe le cose, diventare avvocato e sposarti?» A lui sembrava una soluzione sensata, invece Kate si limitò a scuotere la testa facendo ondeggiare intorno a sé i capelli soffici e morbidi come una cortina rosso cupo. La capigliatura aggiungeva un tocco in più alla sua innata sensualità, alla quale Joe cercava di resistere con tutte le sue forze. Fortunatamente ci stava riuscendo, e lei non si era accorta del turbamento che provocava in lui; per lei era soltanto un uomo che si stava comportando con gentilezza, in modo amichevole.

«Riesci a immaginare qualcuno che permetta alla moglie di fare l'avvocato? Chiunque fosse quello che potrei eventualmente sposare, mi vorrebbe a casa, con i bambini.» Così era la vita, lo sapevano entrambi.

«C'è già un ragazzo che vuoi sposare?» le chiese Joe con un interesse tutt'altro che superficiale. Forse dopo Natale aveva conosciuto qualcuno, oppure lo conosceva già prima; in fondo, lui non sapeva quasi niente della sua vita.

«No», rispose lei con semplicità, «non c'è.»

«E allora perché angosciarsi? Perché non fai quello che vuoi finché troverai l'uomo giusto? È un po' come preoccuparsi per un lavoro che non hai ancora. Magari studiando giurisprudenza potresti incontrare un tipo che ti piace.» Poi si voltò verso di lei per farle una domanda. Erano seduti con le gambe allungate, che quasi si sfioravano, ma Joe non tentò di prenderle una mano o di metterle un braccio intorno alle spalle. «Sposarsi è così importante?» Per quanto lo riguardava, l'idea non lo aveva mai sfiorato. E lei aveva di fronte una vita intera per pensare al matrimonio e ai figli. Era strano sentirla parlarne come se si trattasse di una carriera verso la quale si era già indirizzata, invece che come dello sbocco naturale di un sentimento per qualcuno. Si chiese se fosse così che i suoi genitori vedevano il futuro di Kate. Certo, non era insolito, ma lei ne parlava con schiettezza, mentre la maggior parte delle donne si comportava in modo diverso.

«Suppongo che il matrimonio sia importante», replicò

Kate con aria assorta, «e tutti dicono che lo è. Presumo che anche per me sarà così, un giorno. Ma non ho fretta, e sono contenta di andare all'università. Per quattro anni non dovrò pensarci, e a quel punto chissà cosa succederà.»

«Potresti scappare e farti assumere da un circo», gli consigliò Joe fingendosi serio. Lei rise, poi si sdraiò sulla sabbia appoggiando la testa su un braccio ripiegato dietro la nuca. Mentre la guardava alla luce della luna, Joe rifletté che non aveva mai visto una ragazza così bella, e si sforzò di ricordare a se stesso la loro differenza di età. A dire il vero, in quel momento e in quella posizione Kate non sembrava affatto una bambina, ma una donna fatta. Per riacquistare l'autocontrollo, volse lo sguardo dall'altra parte. Kate non immaginava neanche lontanamente quello che gli stava passando per la testa.

«Credo che mi piacerebbe lavorare in un circo», disse. «Quando ero piccola i costumi mi sembravano magnifici. E i cavalli. Ho sempre amato i cavalli. I leoni e le tigri mi facevano paura.»

«Facevano paura anche a me. Sono andato al circo una volta sola, a Minneapolis. Mi pareva che ci fosse troppo baccano, e odiavo i pagliacci, non li trovavo per niente divertenti.» Era così tipico di lui che Kate non poté fare a meno di sorridere. Lo immaginava senza fatica come doveva essere stato, un bambino serio, sopraffatto da tutta quell'animazione e quel subbuglio. I clown erano sempre sembrati banali anche a lei, preferiva una comicità più raffinata, come Joe. Per quanto fossero molto diversi, avevano parecchie cose in comune. E sempre, appena sotto la pelle, quell'irresistibile attrazione magnetica.

«Non mi sono mai piaciuti gli odori del circo, però credo sarebbe affascinante vivere con tutte quelle persone. Troverei sempre qualcuno con cui chiacchierare.» Lui rise e si girò a guardarla. Gli sembrava proprio nel suo carattere che provasse simpatia per la gente; la disinvoltura con cui affrontava e trattava il prossimo era una delle sue molte qualità, un dono che lui non aveva mai avuto e che ammirava.

«Non riesco a pensare a niente di peggio. Ecco perché adoro volare. Finché rimango in aria non sono costretto a parlare con nessuno. A terra c'è sempre qualcuno che deve dirmi qualcosa, oppure sono io che devo rispondere. È estenuante.» Nei suoi occhi era apparsa un'espressione addolorata. A volte per lui una conversazione diventava addirittura penosa. Spesso si domandava se quella fosse una caratteristica peculiare di tutti i piloti. Aveva fatto parecchi voli lunghi con Charles e non avevano mai aperto bocca, eppure non si erano sentiti né impacciati né a disagio. Avevano parlato, finalmente, una volta atterrati, dopo avere aperto lo sportello della cabina di pilotaggio. Per entrambi era stato un volo perfetto. Ma non riusciva a immaginare Kate seduta in silenzio per otto ore. «Trovo che la gente ti esaurisca in modo incredibile. Tutti si aspettano talmente tanto da te! Non capiscono quello che dici, prendono le tue parole e le interpretano come vogliono. Chissà perché, riescono sempre a complicare le cose invece di semplificarle.» Questo commento permise a Kate di scoprire un lato interessante di lui.

«È così che ti piacciono le cose, Joe?» gli domandò con gentilezza. «Tranquille e semplici?» Lui annuì: detestava le complicazioni. Sapeva che molta gente approfittava delle situazioni e delle persone per avere successo, ma non lui.

«Anche a me piace la semplicità», osservò Kate. «Sulla tranquillità non sono altrettanto sicura. Mi piace chiacchierare, mi piacciono le persone e la musica, in certi casi anche il rumore. Da piccola, qualche volta ho odiato la casa dei miei genitori perché c'era un tale silenzio... Loro avevano già una certa età, erano molto pacati, e io non avevo nessuno con cui scambiare una parola. E poi, era come se si aspettassero sempre che mi comportassi come un'adulta in miniatura. Io volevo essere una bambina, sporcarmi, fare rumore, rompere le cose e arruffarmi i capelli. A casa nostra non c'era mai niente che fosse sudicio o in disordine, era tutto così perfetto! Ed è molto impegnativo cercare di mantenersi sempre all'altezza di una situazione del genere.»

Lui non riusciva neanche a immaginarlo. Dai cugini aveva vissuto nel caos, perché tutto era costantemente sottosopra, la casa piena di sporcizia, i bambini trascurati. Da piccoli non facevano che frignare; una volta cresciuti litigavano, discutevano, parlavano sempre a voce alta. Non era mai stato felice: lo criticavano in continuazione, gli rimproveravano i continui errori, ripetevano che era un fastidio per loro e minacciavano di spedirlo a vivere da altri parenti. Così Joe non si era affezionato a nessuno, sempre assillato dalla paura che lo mandassero chissà dove, e gli era parso che non avesse senso tentare di capirli e di amarli. Era sempre stato così, lui, anche in seguito, con gli altri uomini e perfino con le donne, soprattutto con le donne. Era molto più sereno quando stava solo.

«Tu hai la vita che tutti pensano di desiderare. Il guaio è che non sanno nemmeno come sarebbe, se ce l'avessero! Sotto certi aspetti credo che potrebbe diventare opprimente.» Kate gli aveva dipinto un quadro di rigore morale e di perfezionismo. D'altra parte, era stato anche un ambiente sano e sicuro, fatto di persone che le volevano bene, e lei lo capiva. Allo stesso tempo era impaziente e piena di aspettative all'idea di poter stare per conto proprio, lontana dai genitori. Adesso si sentiva pronta. «Cosa faresti se avessi dei bambini? Sarebbe diverso?» La domanda era interessante, e la fece riflettere.

«Credo che li amerei moltissimo e li lascerei essere così come sono, non come li vorrei. Non mi piacerebbe che fossero come me. Vorrei che fossero se stessi, e basta. E darei loro la possibilità di fare quello che vogliono, molto più di quanto sia successo a me. Come te: se volessero diventare piloti, glielo permetterei. Non mi preoccuperei della pericolosità, per non dire pazzia, della scelta, non direi che non è quella giusta e che dovrebbero fare ciò che io mi aspetto. Secondo me, i genitori non dovrebbero avere il diritto di comportarsi in questo modo, di imporre ai figli determinati schemi di vita semplicemente perché è capitato così anche a loro.» Era chiaro che Kate anelava alla libertà. Era quello che anche Joe aveva desiderato per tutta la vita. Non esistevano catene tanto forti da tenerlo prigioniero, perché le avrebbe spezzate; non solo voleva la libertà, ma ne aveva bisogno per vivere. Non vi avrebbe mai rinunciato, per niente e per nessuno.

«Forse per me è stato più facile, dal momento che non avevo un padre e una madre.» E così le raccontò che i suoi genitori erano morti in un incidente stradale quando lui aveva sei mesi, e lui era stato mandato a vivere con i cugini.

«Sono stati carini con te?» gli domandò, rattristata per lui. Non le sembrava una storia lieta, e infatti non lo era.

«Veramente no. Si servivano di me per sbrigare tutti i lavori domestici e per fare da bambinaia ai loro figli. Io, in fondo, non ero altro che una bocca da sfamare. E quando è arrivata la Depressione, sono stati ben contenti di vedermi prendere la porta e andarmene, ho reso tutto più semplice. Del resto, avevano sempre avuto pochi soldi.» Kate, invece, era cresciuta in modo totalmente diverso e non riusciva a immaginare come doveva essere stata la vita di Joe. Volare, per lui, significava essere libero. Lei non aveva mai provato niente del genere, né tanto meno l'aveva desiderato. Tutto quello che aveva sempre desiderato era una maggiore flessibilità nei suoi confronti, un più ampio spazio per le proprie scelte.

«Ti piacerebbe avere dei bambini, un giorno?» gli domandò, chiedendosi come una famiglia potesse trovare posto nell'esistenza che ormai si era costruito, o se per lui non avesse importanza. Era abbastanza adulto da avere dedicato almeno un pensiero a un'eventualità del genere.

«Non lo so. Non ci ho mai riflettuto molto, anzi, forse mai. Credo di no, non sarei un granché come genitore. Sarei sempre assente, troppo occupato a volare, e i figli hanno bisogno di un padre. Probabilmente sarei più felice senza, altrimenti credo che continuerei a pensare a quello che non sto facendo oppure non ho fatto per loro, e mi sentirei in colpa.»

«Non hai voglia di sposarti?» Kate era colpita dalla sua onestà. Era una caratteristica che avevano in comune: parlavano liberamente, confessandosi ciò che avevano nella mente e nel cuore, senza temere ciò che gli altri avrebbero potuto pensare di loro. A lui era capitato raramente di aprirsi così, di essere tanto schietto, ma non aveva niente da nascondere né di cui scusarsi, non si era lasciato alle spalle vite spezzate, non aveva mai fatto male a nessuno, almeno per quanto ne sapesse.

«Non ho mai conosciuto una donna capace di adattarsi a quello che stavo facendo, di adeguarsi alle mie esigenze senza sentirsi infelice. Secondo me, volare è un genere di vita da solitari. Non so come faccia Charles, che è tuttora sposato ed è a casa di rado. Credo che Anne abbia il suo bel da fare con i figli. È straordinaria.» E aveva sofferto in modo così atroce! Kate si commuoveva sempre pensando a lei. «Forse, se trovassi una persona che le somiglia...» aggiunse Joe con un sorriso, «ma è alquanto improbabile, ce ne dev'essere una su un milione. Non so, non credo di essere tagliato per il matrimonio. Nella vita devi fare quello che vuoi ed essere te stesso, non puoi costringerti a essere quello che sai di non poter essere, perché non funziona. È così che si feriscono gli altri, e molto. Non farei una cosa del genere a nessuno, men che meno a me stesso.»

Mentre lo ascoltava, Kate cominciò a pensare che si sarebbe dovuta iscrivere alla facoltà di giurisprudenza. Ma temeva che suo padre e sua madre sarebbero rimasti sconvolti. Joe era solo, viveva in un mondo tutto suo, da sempre, senza nessuno cui dover rispondere all'infuori di se stesso. Lei, invece, portava sulle spalle il peso di tutte le speranze e i sogni dei genitori, e non avrebbe mai fatto niente per addolorarli o deluderli. Le mancava il coraggio, soprattutto dopo quello che il suo vero padre aveva fatto a lei e alla mamma.

Rimasero ancora seduti sulla spiaggia per un po', a godersi la compagnia reciproca, sereni e rilassati, ripensando a quello che si erano detti. Avevano chiacchierato sinceramente, senza artifici e finzioni e, per quanto diversi, provavano un'attrazione reciproca fortissima, scoprendo di essere come le due facce di una medaglia.

Joe fu il primo a parlare, mentre si voltava di nuovo a guardarla, tranquillamente sdraiata sulla sabbia a contemplare la luna. Non aveva avuto il coraggio di sdraiarsi al suo fianco, perché aveva paura di quello che avrebbe provato: meglio tenere una certa distanza fra loro. Ma l'attrazione di Kate era forte come quella della marea, e lui la sentiva. «Forse sarebbe meglio tornare indietro. Non voglio che i tuoi si preoccupino, o mandino la polizia a cercarci. Crederanno che tu sia stata rapita.»

Lei annuì e si tirò su lentamente. Non aveva detto a nessuno dove andava, né con chi, ma sapeva che parecchie persone l'avevano vista allontanarsi. Non aveva dato spiegazioni agli amici e aveva preferito non avvertire i genitori, temendo che suo padre volesse accompagnarli, non tanto per sfiducia nei confronti di Joe, ma perché lo trovava molto simpatico.

Lui le diede la mano e la aiutò ad alzarsi, poi tornarono indietro in silenzio verso il falò che riuscivano a intravedere in fondo alla spiaggia. Kate si meravigliò accorgendosi che si erano spinti così lontano, ma con lui al fianco non se n'era nemmeno resa conto. A metà strada gli fece scivolare una mano sotto il braccio, e Joe lo strinse a sé, sorridendole. Kate sarebbe stata un'ottima amica, ma lui, suo malgrado, sentiva di volere di più, anche se non avrebbe permesso che succedesse niente del genere. Non era nella condizione di farlo. Non solo, ma ai suoi occhi quella ragazza meritava più di quanto lui avesse da offrirle.

Impiegarono quasi mezz'ora per tornare, e si stupirono che nessuno avesse notato la loro assenza.

«Comincio a pensare che non ci fosse tutta questa fretta di tornare indietro», disse Kate sorridendogli mentre lui le versava una tazza di caffè e si riempiva un bicchiere di vino. Gli capitava raramente di bere, perché era sempre in volo, ma quella notte sapeva che sarebbe rimasto a terra. Come sapeva che non avrebbe potuto tenerla ancora a lungo lontano dalla festa. E temeva di perdere il controllo. Quello che provava per Kate era troppo intenso, al punto di confonderlo, così fu quasi un sollievo quando suo padre e sua madre vennero a cercarla per tornare a casa. Clarke Jamison fu contentissimo di vederlo.

«Che bella sorpresa, signor Allbright. Quando è arrivato dalla California?»

«Ieri.» Joe strinse cordialmente la mano ai genitori della ragazza. «Mi fermerò solo pochi giorni. Ma avevo intenzione di farmi vivo con lei.»

«Mi farebbe piacere. Non ho ancora perso la speranza di quel giretto in aereo. Magari la prossima volta che sarà da queste parti.»

«È una promessa», gli assicurò Joe, pensando che erano persone simpatiche. Lasciarono che la figlia rimanesse sola con lui ancora qualche minuto per salutarlo, poi andarono a ringraziare gli organizzatori della festa, che erano vecchi amici. Fu a quel punto che Joe si girò verso Kate con una strana espressione: voleva domandarle una cosa cui pensava da tutta la sera. Non era sicuro che fosse un comportamento corretto, né che lei avrebbe avuto il tempo, una volta cominciato a frequentare Radcliffe. Ma aveva deciso di provare, dopo essersi detto e ripetuto, forse illudendosi, che nessuno dei due avrebbe corso alcun rischio. Soprattutto, non voleva darle un'impressione sbagliata, né trovarsi di fronte a una tentazione alla quale non avrebbe potuto resistere. Pensava con sollievo alla distanza fisica che ci sarebbe stata fra loro. «Kate», cominciò, ridiventando di colpo timido. Lei se ne accorse. «Che ne dici di scrivermi ogni tanto? Mi farebbe molto piacere ricevere tue notizie.»

«Veramente?» domandò lei, non nascondendo la meraviglia. Dopo tutto quello che aveva detto riguardo al fatto di non volersi sposare, e tanto meno avere figli, sapeva che non le stava sicuramente facendo la corte. Anzi, ormai era quasi sicura che volesse soltanto la sua amicizia. Da un lato questo le dava un senso di sicurezza; dall'altro, invece, si sentiva delusa. Provava una fortissima attrazione per lui, che però non aveva dato il minimo segno di ricambiare. D'altra parte, dopo avergli parlato, Kate aveva intuito che era un maestro nel nascondere quello che provava.

«Mi piacerebbe sapere che cosa stai facendo», rispose lui con un certo distacco, nel tentativo di dissimulare il turbamento. Era abbastanza uomo di mondo per capire che non doveva rivelarlo, tanto meno a lei. «Ti racconterò i miei voli di collaudo in California, se non lo ritieni troppo noioso.»

«Ne sarei felice.» Immaginando il tono di quelle lettere, Kate pensò che avrebbe potuto passarle anche a suo padre. E a lui avrebbe fatto un enorme piacere.

Joe scarabocchiò il suo indirizzo su un pezzo di carta e glielo diede. «Come scrittore non sono un granché, ma farò del mio meglio. Vorrei non perdere i contatti, e sentire come ti vanno gli studi.» Si augurava di darle l'impressione, dal tono di voce, di non essere niente di più di un vecchio amico, o di uno zio. Era stato molto onesto con lei, o almeno così Kate pensava. Se si fosse lasciato andare, avrebbe corso il rischio di smarrirsi, e lui non voleva assolutamente che succedesse. Se invece fosse riuscito a incanalare quei sentimenti nell'amicizia, nessuno dei due ne avrebbe sofferto; comunque, Joe non voleva perderla.

«Tu hai il biglietto da visita di mio padre con il nostro indirizzo. Quando lo saprò, ti manderò quello di Radcliffe.»

«Scrivimi appena lo sai.» Ciò significava che avrebbe potuto ricevere sue notizie molto presto, già dal momento in cui sarebbe arrivato in California: proprio quello che voleva. Non l'aveva ancora lasciata e già provava un desiderio spasmodico di stare di nuovo con lei.

«Ti auguro un buon viaggio di ritorno», lo salutò Kate esitando per un attimo, mentre i loro sguardi si incontravano senza riuscire a separarsi, dicendosi più di quanto avrebbero potuto esprimere mille discorsi. In ogni caso, lui non avrebbe mai trovato le parole giuste.

Pochi minuti dopo lei si incamminò verso le dune per raggiungere i genitori, scomparendo a tratti alla vista di Joe, che continuava a osservarla. Una volta arrivata in cima si fermò e lo salutò con la mano. Lui ricambiò quel gesto. L'ultima immagine che Kate ebbe di lui fu quella di un uomo alto, con gli occhi fissi nei propri con un'espressione molto seria. Quando non la vide più, Joe riprese a passeggiare sulla sabbia, solo.

3

Le prime settimane di Kate a Radcliffe furono frenetiche: doveva comprare i libri, frequentare i corsi, presentarsi ai professori, consultarsi con un tutor per mettere a punto il piano di studi e conoscere un intero pensionato universitario colmo di ragazze. Era un grande cambiamento: si sarebbe dovuta adattare a una situazione totalmente nuova, ma nel giro di pochi giorni si rese conto che ne era felice. Rinunciò addirittura ad andare a casa nei fine settimana, il che rattristò molto sua madre. Se non altro, cercava di telefonare regolarmente ai genitori.

Dopo una ventina di giorni si decise finalmente a scrivere a Joe. Non che le fosse mancato il tempo, ma aveva preferito aspettare di avere qualcosa di interessante da raccontargli; così quando, una domenica pomeriggio, sedette alla scrivania, aveva argomenti in abbondanza. Gli descrisse le sue compagne, i docenti, le lezioni, i pasti. Non era mai stata tanto felice quanto lo era a Radcliffe. Era il suo primo assaggio di libertà, e le piaceva da impazzire.

Non gli parlò dei ragazzi di Harvard che aveva conosciuto la settimana prima, non le sembrava il caso, e non era una novità di cui volesse metterlo a parte. Ce n'era uno del secondo anno, Andy Scott, che le piaceva moltissimo, ma non quanto Joe, che era diventato il suo punto di riferimento per la perfezione maschile. Non c'era nessuno alto, bello, forte, interessante, educato e capace di scatenare in lei così tante emozioni. Era difficile trovare qualcuno che potesse stargli alla pari. Però considerava divertente la sua compagnia, anche perché era il capitano della squadra di nuoto di Harvard, cosa che aveva fatto una grande impressione alle matricole come lei. Spiegò tutto quello che stava facendo e gli disse di essere molto felice.

Quando Joe ricevette la lettera gli parve eccitante, esuberante e piena di vita, proprio com'era lei. Si accinse subito a risponderle, parlandole dei nuovi progetti che stava elaborando, del suo ultimo successo riguardo a un problema apparentemente insolubile e dei collaudi che stava eseguendo. Evitò di nominare il ragazzo morto il giorno prima durante un volo di prova sul Nevada, perché avrebbe dovuto pilotare lui quell'aereo, ma si era fatto sostituire per partecipare a una riunione. Era toccato a Joe telefonare alla moglie di quel giovane, ed era ancora molto triste per l'accaduto. Ma fece di tutto perché la sua lettera fosse di tono leggero, piena di notizie e vibrante di tutta l'eccitazione che riuscì a tradurre in parole. Quando la rilesse, però, gli sembrò piatta e noiosa rispetto a quella di Kate. Gliela spedì ugualmente, e subito cominciò a domandarsi quanto tempo avrebbe dovuto aspettare la risposta.

Kate la lesse dieci giorni esatti dopo e durante il fine settimana gli rispose, rinunciando a un appuntamento con Andy Scott. Tutte le sue compagne pensarono che fosse impazzita; in realtà, il cuore di Kate era già legato all'aviatore che viveva in California. Non rivelò a nessuna chi fosse, limitandosi ad affermare che era un amico, e si scusò con Andy sostenendo di avere mal di testa. Però niente nella sua lettera lasciava capire che provasse qualcosa di diverso da un semplice sentimento di amicizia nei confronti di Joe: non si tradì neanche con una parola, impegnandosi invece a dipingergli con frasi spiritose e intelligenti il ritratto di alcune persone che aveva conosciuto.

Scorrendo quelle righe Joe, seduto alla scrivania, scoppiò in una serie di risate. La descrizione che Kate gli faceva della vita universitaria era molto divertente, perché lei possedeva la singolare abilità di cogliere e mettere per iscritto i lati più buffi di ogni situazione.

La corrispondenza continuò per tutto l'autunno, facendosi più seria a mano a mano che la guerra in Europa diventava sempre più drammatica. Si scambiarono opinioni e preoccupazioni, e Kate gli dimostrò di rispettare il suo punto di vista. Joe continuava a essere convinto che gli Stati Uniti sarebbero entrati in guerra da un momento all'altro e stava pensando di tornare in Inghilterra per una serie di consultazioni con la RAF. Le raccontò che Charles era andato a Washington per un incontro con Henry Ford, il quale condivideva le sue idee sul conflitto. Tentò anche di divertirla, come Kate sapeva fare con tanta abilità con lui. Joe cominciava a trascorrere le giornate in attesa delle sue lettere, ansioso di averle fra le mani.

Due mesi dopo, il martedì che precedeva il lungo fine settimana della festa del Ringraziamento, Kate ricevette una telefonata al pensionato universitario e pensò subito che fossero i suoi genitori. Sarebbe tornata a casa il giorno seguente, e con ogni probabilità la mamma voleva sapere l'ora dell'arrivo. Avrebbero avuto ospiti, quindi in casa c'era un gran daffare. Il giorno prima Kate era andata a bere un caffè con Andy, che le disse che sarebbe andato dai suoi a New York per la festività e le avrebbe telefonato. Negli ultimi due mesi erano usciti a cena un paio di volte, ma niente di più.

«Pronto?» disse, aspettandosi di sentire la voce della

madre, e rimase sbalordita udendo invece quella di Joe. La ragazza che aveva preso la telefonata aveva parlato con la centralinista, ma non l'aveva avvertita che si trattava di un'interurbana e che non veniva dai suoi genitori. Era la prima volta che lui la chiamava. «Che sorpresa!» esclamò, arrossendo di colpo. Per fortuna non poteva vederla. «Buona festa del Ringraziamento, Joe.»

«Anche a te. Come va la scuola?» Poi le parlò subito di un aneddoto spassoso che lei gli aveva raccontato, e risero entrambi. Kate si meravigliò di sentirsi così nervosa. Qualcosa, nella loro corrispondenza, li aveva fatti diventare più vulnerabili, involontariamente più aperti l'uno con l'altra, e adesso le pareva strano parlargli.

«Benissimo. Domani andrò a casa. Anzi, a dire il vero credevo che fosse mia madre a chiamarmi. Rimarrò dai miei tutto il fine settimana.» Glielo aveva già scritto, ma ripeterlo servì a colmare l'improvviso silenzio calato fra loro.

«Lo so.» All'altra estremità del filo, anche Joe era teso come lei. Gli sembrava di essere tornato ragazzino, nonostante si sforzasse di mostrarsi sicuro di sé. «Ti telefono per sapere se avresti piacere di uscire a cena.» Rimase con il fiato sospeso ad aspettare la risposta.

«A cena?» D'un tratto lei parve stranamente disorientata. «Dove?... Quando?... Torni dalla California?» gli domandò con il fiato corto per l'emozione.

«In effetti sono già qui, è stato un viaggio deciso di punto in bianco. Charles è in città e io avevo bisogno di parlargli, così stasera sono con lui a New York, ma potrei venire da te nel fine settimana.» A dire il vero avrebbe potuto aspettare il ritorno del suo maestro per chiedergli quei consigli, ma aveva cercato una scusa per andare all'Est, e quella gli era sembrata la più conveniente. Si era ripetuto che non significava niente, che andava soltanto a rivedere un'amica, e se lei avesse avuto troppi impegni per combinare un incontro se ne sarebbe tornato dritto dritto in California. Aveva preferito non farle quella proposta prima di partire perché, a suo giudizio, se le avesse telefonato quando era già sul posto Kate si sarebbe trovata praticamente costretta ad accettare.

Era stato un trucchetto intelligente ed efficace, anche se non avrebbe avuto bisogno di ricorrervi. Lei era felice all'idea di rivederlo, ma cercò di assumere un tono fermo e distaccato.

«Quando vuoi venire? Mi farebbe molto piacere.» Era la voce di un'amica, non di una donna che provava una venerazione per lui. Entrambi stavano recitando bene la parte. Era una novità per Joe, ma anche per Kate: lei non era mai stata corteggiata da un uomo adulto, e lui non aveva mai provato quelle sensazioni sconosciute e pericolose.

«Posso venire in qualsiasi momento, quando vuoi», le rispose in un tono che sembrava sciolto e tranquillo, e lei rifletté per qualche istante. Non sapeva se fosse la cosa giusta da fare, e ignorava la reazione della mamma, ma era sicura che a suo padre avrebbe fatto piacere, quindi decise di correre il rischio.

«Ti piacerebbe unirti a noi per il Ringraziamento?» Rimase con il fiato sospeso, mentre all'altro capo del filo regnava il silenzio.

Quando le rispose, Joe si dimostrò chiaramente sorpreso dall'invito, almeno quanto lo era stata lei dalla sua chiamata. «Sei sicura che i tuoi genitori non avranno niente da ridire?» Non voleva comportarsi da intruso o creare problemi. D'altra parte, non aveva nessun progetto per quel giorno di festa, che era ormai abituato a trascorrere da solo.

«Certo», rispose lei facendosi coraggio, sperando ardentemente che sua madre non si arrabbiasse troppo. Ma, avendo anche altri invitati, e per quanto timido fosse Joe, sarebbe stato un'aggiunta interessante al gruppo. «Ti andrebbe bene?»

«Mi farebbe un grandissimo piacere. Potrei venire in aereo giovedì mattina. A che ora cenate?»

«Gli altri arriveranno per le cinque e ci metteremo a tavola alle sette, ma se vuoi puoi venire anche prima.» Le dispiaceva che fosse costretto a girare a vuoto per l'aeroporto tutto il pomeriggio aspettando di presentarsi da loro poco prima di mangiare.

«Alle cinque va benissimo», rispose lui tranquillo. Si sarebbe presentato a casa Jamison anche alle sei del mattino, se Kate glielo avesse chiesto. Non riusciva a capire perché, ma era ansioso di rivederla: dopo anni di solitudine emotiva, era sordo, cieco e muto riguardo ai propri sentimenti. «Sarà una cena molto formale?» le domandò nervosamente di punto in bianco. Non voleva presentarsi con un vestito inadeguato; c'era sempre Charles che avrebbe potuto prestargliene uno.

«No, mettiti pure quello che ti sei portato, non ha importanza.»

«Magnifico. Mi presenterò in tuta da aviatore», ribatté lui per prenderla in giro. E Kate scoppiò a ridere.

«Mi piacerebbe proprio vederti!» esclamò con sincerità.

«Chissà che non possiamo combinare un giro in aereo per te e tuo padre durante questo fine settimana.»

«Basta che la mamma non lo sappia. Le andrebbe di traverso il tacchino e ti butterebbe fuori a metà cena.»

«Non dirò una parola. Ci vediamo giovedì.»

Si salutarono molto tranquillamente, ma dopo avere riattaccato entrambi si accorsero di avere le mani sudate. E Kate doveva ancora avvertire la mamma dell'invito.

Il pomeriggio dell'indomani provò ad affrontare l'argomento, con una certa cautela, quando, arrivata a casa, trovò la mamma in cucina che controllava i piatti del servizio di porcellana. Era giustamente famosa per l'abilità nel predisporre i tavoli, come anche per le raffinate composizioni floreali. Elizabeth rimase sbalordita quando la figlia, entrando e cercando di capire di che umore fosse, le chiese: «Ciao, mamma, hai bisogno di aiuto?» Si girò a scrutarla, sorpresa. Di solito Kate era sempre la prima a squagliarsela quando si accorgeva che c'era da dare una mano in cucina; ripeteva sempre che le faccende domestiche la annoiavano da morire e le trovava avvilenti.

«Ti hanno espulsa dal college?» domandò la mamma con aria divertita. «Chissà cos'hai combinato se ti offri di aiutarmi a contare i piatti del servizio. Quanto è grave?»

«Non potrei semplicemente essere maturata, ora che sono all'università?» rispose Kate con un'occhiata imperiosa, tanto che per un attimo sua madre finse di crederci.

«È possibile, ma estremamente improbabile. La frequenti solo da tre mesi. Penso che soltanto al secondo anno si cominci a essere un po' più adulti, e che lo si diventi davvero all'ultimo.»

«Fantastico. Con questo vuoi forse dirmi che, dopo la laurea, avrò addirittura *voglia* di contare i piatti di porcellana?»

«Senz'altro. Soprattutto se lo fai per tuo marito», ribatté Elizabeth con decisione.

«Va bene, va bene, mamma.... Ho fatto qualcosa che rientra nello spirito del giorno del Ringraziamento, come mi hai insegnato tu.» Kate sembrava l'ingenuità fatta persona.

«Hai tirato il collo a un tacchino?»

«No, ho invitato una persona amica senza casa a venire a cena da noi. Anzi, sarebbe più esatto dire senza famiglia.» Il suo tono era pacato e ragionevole, e così parve anche a sua madre.

«Sei stata molto dolce, tesoro. È una ragazza del tuo pensionato a Radcliffe?»

«È una persona che viene dalla California», rispose lei, cercando di ingraziarsi la mamma prima di dirle la verità.

«È più che comprensibile che non possa tornare a casa. Certo che puoi invitarla. Avremo diciotto ospiti, ma ci sono posti in abbondanza a tavola.»

«Grazie, mamma», disse Kate sollevata. Se non altro, Joe aveva un posto a tavola assicurato. «A proposito, non è una mia compagna.» Trattenne il fiato e aspettò.

«È un ragazzo?» Sua madre era sconcertata.

«Più o meno.»

«Di Harvard?» Adesso la mamma sembrava sinceramente compiaciuta. Le piaceva da pazzi l'idea che sua figlia uscisse con un ragazzo di Harvard, anche se era la prima volta che la sentiva parlare di lui. E frequentava il college solo da tre mesi.

«Non è uno studente di Harvard», continuò Kate, ormai decisa a buttarsi allo sbaraglio senza più indugiare. «È Joe Allbright.»

Ci fu una lunga pausa mentre Elizabeth la guardava con uno sguardo colmo di interrogativi. «Il pilota? E come mai si è fatto vivo con te?»

«Mi ha telefonato ieri. È ospite dei Lindbergh e non ha niente da fare il giorno del Ringraziamento.»

«Non è un po' strano che ti abbia chiamata?» le domandò insospettita.

«Può darsi.» Kate evitò di parlarle della loro corrispondenza. Era già abbastanza difficile spiegarle per quale motivo lo avesse invitato. A pensarci bene, non lo capiva neanche lei, ma ormai era fatta. E bisognava trovare qualche motivo plausibile per spiegarlo.

«Ti aveva cercata altre volte?»

«No, mai», poté rispondere lei senza mentire. Elizabeth non pensò nemmeno di domandarle se Joe le avesse mai scritto. «Credo che abbia simpatia per papà, e forse soffre un po' di solitudine; se non sbaglio non ha famiglia. Non so per quale motivo mi abbia telefonato, mammina, ma quando ha detto che non aveva nessun progetto per il giorno del Ringraziamento mi ha fatto una gran compassione. Non pensavo che vi sareste seccati», continuò ormai lanciata, prendendo una carota dal frigorifero. Ma Elizabeth non era convinta: la conosceva troppo bene, anche se non aveva mai visto quell'espressione nei suoi occhi. Aveva cinquantotto anni, ma non aveva dimenticato che cosa si prova, quando si è molto giovani, a essere corteggiate da un uomo più maturo.

In Joe Allbright c'era qualcosa che non la lasciava del tutto tranquilla. Sembrava così distaccato, così superiore, e nello stesso tempo capace di una grande intensità di sentimenti. Era il tipo che, se ti rivolge tutta la sua attenzione, può diventare oppressivo. E sebbene Kate, priva di esperienza, non fosse in grado di capirlo, lei invece se ne rendeva conto e se ne preoccupava.

«Non è un problema se viene a cena», rispose con molta schiettezza, «però lo sarebbe se dovesse cominciare a farti la corte, Kate. È molto più vecchio di te, oltre a non essere il genere di persona di cui dovresti innamorarti.» D'altra parte, come si può prendere una decisione in queste cose? Come si fa a sapere di chi ci si deve innamorare e di chi no? Ma Kate si limitò ad annuire.

«Non sono innamorata di lui, mamma. E viene qui soltanto a mangiare il tacchino.»

«A volte è così che cominciano queste faccende, perché si scopre di essere amici e dall'amicizia si passa all'eccessiva familiarità», la ammonì Elizabeth.

«Joe vive in California», replicò Kate con voce soave.

«Ti confesso che questo mi fa sentire meglio. Va bene, vado a dirlo a papà. E, purtroppo, lui ne sarà felicissimo. Ma ti giuro che se proporrà a tuo padre di fare un giro con uno dei suoi aerei così pericolosi, gli metterò l'arsenico nel ripieno del tacchino. E puoi anche andare a riferirglielo.»

«Grazie, mamma», rispose la ragazza raggiante, e si avviò tranquillamente verso la porta della cucina.

«Ehi, credevo che avessi intenzione di aiutarmi!» le gridò dietro la madre.

«Ho una relazione da preparare per lunedì, sarà meglio che inizi subito a lavorarci!» le urlò Kate di rimando. Ma Elizabeth aveva mangiato la foglia: l'espressione apparsa sul viso della figlia dopo che le aveva dato il suo benestare l'aveva davvero spaventata. L'aveva già vista nei propri occhi, una volta, tanto tempo prima, quando un amico del padre l'aveva segretamente corteggiata e le aveva spezzato il cuore; per fortuna i suoi genitori avevano scoperto tutto ed erano intervenuti prima che succedesse qualcosa di irreparabile. Poche settimane più tardi aveva fatto la conoscenza di quello che sarebbe diventato il padre di Kate. Quella sera parlò delle sue inquietudini con Clarke, quando furono in camera da letto. Lo avvertì che Joe sarebbe andato a cena da loro il giorno del Ringraziamento, ma lui mostrò di non condividere le sue paure.

«In fondo, Elizabeth, viene soltanto a cena. È un uomo interessante. Non credo che sia tanto stupido da correre dietro una ragazza di diciotto anni. È un bel tipo, potrebbe avere tutte le donne che vuole.»

«Secondo me sei un ingenuo», gli rispose. «Kate è una splendida ragazza, e sono convinta che sia affascinata da lui. Almeno metà delle donne americane sarebbe felice di stare con Charles Lindbergh, e sono sicura che qualcuna deve anche averci provato. Joe ha le sue stesse attrattive. Tutta quell'aria di distacco, quel riserbo, e il fatto di essere un pilota lo fanno apparire una figura romantica agli occhi di una ragazzina.»

«E tu hai paura che a Kate piaccia?» Clarke era sbalordito. Sua figlia aveva la testa sulle spalle, ma Elizabeth sembrava non riporre molta fiducia in lei.

«È possibile. A dire il vero, sono molto più preoccupata che possa essere Joe a correrle dietro. Perché le ha telefonato al college, invece di chiamare te in ufficio?»

«E va bene, ammetto che Kate è molto più carina di me. Non solo, ma è una ragazza sensata, e lui mi sembra un gentiluomo.»

«E se dovessero innamorarsi?»

«Non sarebbe una tragedia; potrebbe capitare anche di peggio. Lui non è sposato, è una persona rispettabile, molto rispettabile. Ha un lavoro. D'accordo, non fa il banchiere e non vive a Boston, ma anche questa è una cosa che può succedere, lo sai. Ad Harvard Kate potrebbe incontrare un uomo che non sia un medico o un avvocato o un banchiere, magari un orientale, o un principe indiano, o un francese, o addirittura un tedesco, e potrebbe andare a vivere all'altro capo del mondo. Non possiamo tenerla chiusa in casa in eterno. E se Joe Allbright dovesse risultare l'uomo della sua vita, se la rendesse felice e fosse buono con lei, credo di poter convivere con questa evenienza. È un brav'uomo, e in tutta onestà non credo che accadrà niente di simile.»

«Ma non pensi che lui potrebbe morire in un incidente e lasciarla vedova con una casa piena di bambini?» domandò Elizabeth con una nota di panico nella voce, e Clarke sorrise.

«E se invece sposasse un ragazzo che lavora in banca e lui finisse sotto un tram o, peggio ancora, se la trattasse male, oppure se nostra figlia si adattasse a stare con qualcuno soltanto per farci contenti? Io preferirei decisamente che stesse con una persona che le volesse bene davvero», ribatté lui tranquillamente. Sua moglie, invece, era ancora più turbata.

«Credi che sia innamorato di lei?» gli chiese piano.

«No, per niente. Penso che con ogni probabilità sia un uomo solo, che non sa dove andare il giorno del Ringraziamento. Conoscendo Kate, sono certo che le abbia fatto compassione. Tutto qui.»

«È proprio quello che ha detto lei.»

«Hai visto? Allora dammi retta», concluse Clarke abbracciandola. «Ti stai tormentando per niente. Nostra figlia è una ragazza con il cuore tenero, proprio come la sua mamma.» Elizabeth sospirò e cercò di convincersi che suo marito aveva ragione, ma il giorno dopo, quando Joe arrivò, Kate non le diede affatto l'impressione di provare pietà nei suoi confronti. Aveva l'aria vivace, era bellissima ed emozionata all'idea di rivederlo. E lui sembrava incantato quando la seguì in sala da pranzo e si sedette accanto a lei. Durante la cena Clarke cercò di tirarlo fuori dal suo mutismo, insistendo perché parlasse un po' dei suoi aerei, e Kate rimase immobile a osservarlo, come in preda a un profondo stupore. Da parte sua, Elizabeth cominciò a sentirsi tutt'altro che rassicurata notando gli sguardi pieni di ammirazione e di familiarità che i due si scambiavano, al punto che finì con il convincersi senza ombra di dubbio che si conoscessero molto meglio di quanto volessero ammettere.

Le lettere avevano creato fra loro un'atmosfera di naturalezza che sarebbe stato impossibile nascondere ai signori Jamison, e Kate non ci si provò nemmeno. D'altra parte, Elizabeth si vide costretta ad ammettere, almeno con se stessa, che Joe era intelligente, educato e affascinante, e che trattava sua figlia con gentilezza e rispetto. Eppure, in lui c'era qualcosa che la spaventava: una strana freddezza, una profonda ritrosia, come se in un certo momento della sua vita fosse stato ferito e una parte di lui ne soffrisse ancora molto. Per quanto si comportasse in modo amabile e cordiale, per certi versi pareva irraggiungibile.

Quando poi parlava di aeroplani e delle sue imprese, lo faceva con una passione tale che Elizabeth non poté fare a meno di domandarsi se il suo amore per il volo fosse una realtà con la quale qualunque donna che lo amasse avrebbe dovuto competere. Era disposta a credere che Joe fosse una brava persona, ma non necessariamente l'uomo giusto per Kate.

Secondo lei, Joe non aveva le caratteristiche di un buon marito: la sua vita era piena di rischi, e lei voleva ben altro per sua figlia, un'esistenza comoda e felice, al fianco di qualcuno che non facesse niente di più pericoloso dell'uscire di casa al mattino per raccogliere il giornale lasciato davanti alla porta. Elizabeth aveva sempre protetto Kate dal male, dalle malattie, dal dolore, ma l'unica cosa dalla quale non poteva proteggerla – ecco quello che le faceva paura – erano le sofferenze d'amore. La sua bambina aveva patito anche troppo quando il padre era morto, ed Elizabeth sapeva che se Joe e Kate si fossero innamorati, lei non avrebbe avuto nessun mezzo per tenere sua figlia al sicuro. Quell'uomo era troppo seducente, e il suo riserbo non faceva che aumentare il suo fascino, perché suscitava il desiderio di avvicinarlo e aiutarlo ad abbattere il muro dietro cui si trincerava.

Kate, senza nemmeno rendersene conto, stava facendo tutti gli sforzi possibili per metterlo a suo agio. Così, osservandoli, sua madre si rese conto che il peggio era già successo; ciò di cui non era sicura erano i sentimenti di Joe. Era senza dubbio attratto verso sua figlia da una specie di magnetismo, ma se dietro ci fosse qualcos'altro nessuno lo capiva, forse neanche lui. Elizabeth era convinta che lui stesse cercando di resistere, ma invano, a quello che provava per Kate.

Poi, mentre si alzavano da tavola, suo marito le mise un braccio intorno alle spalle e le mormorò in tono rassicurante: «Vedi, sono soltanto amici… te l'avevo detto…» Era chiaro che Clarke non vedeva ciò che lei aveva notato.

«Come mai ne sei tanto convinto? Che cosa te lo fa pensare?» ribatté con tristezza.

«Guardali, chiacchierano come vecchi amici. E lui la tratta come se fosse una bambina, scherza con lei come se fosse la sua sorellina.»

«Io credo che siano innamorati», insistette lei, mentre rimanevano un po' indietro rispetto agli ospiti. Avevano invitato a cena un simpatico gruppo di amici, e Joe era stato un'aggiunta di tutto rispetto. Ma in quel momento non era certo il modo in cui aveva conversato a tavola a preoccupare Elizabeth, quanto le sue intenzioni nei confronti di Kate.

«Sei un'inguaribile romantica, amore mio», commentò Clarke, poi le diede un bacio.

«No, disgraziatamente no», rispose lei seria. «Anzi, magari sarò cinica, o forse solo realista. Non voglio che lui le faccia del male, e potrebbe succedere.»

«Nemmeno io lo voglio, ma Joe non lo farebbe mai. È un gentiluomo.»

«Quanto a questo, non ne sono completamente sicura. E, in ogni caso, è un uomo. Sono convinta della loro attrazione reciproca, però in Joe c'è qualcosa che dà l'impressione della persona ferita. Non gli piace parlare della sua famiglia, e i genitori sono morti quando era molto piccolo. Dio solo sa che cosa può essergli successo da bambino, e quali cicatrici ha dentro. E poi, perché non è già sposato?» Erano le domande più logiche che un genitore potesse porsi, eppure Clarke continuava a pensare che sua moglie si preoccupasse eccessivamente.

«È stato molto impegnato», provò a rassicurarla mentre entravano nel salone.

Kate e Joe erano seduti in un angolo, assorti nella conversazione, e alla madre bastò uno sguardo per capire che si erano dimenticati di tutti gli altri. Joe sembrava pronto a morire per Kate, e lei per lui. Ormai era troppo tardi: a Elizabeth non restava che pregare.

4

Il venerdì successivo al giorno del Ringraziamento Joe andò a prendere Kate e trascorse il pomeriggio con lei. Fecero una passeggiata in un parco di Boston e dopo presero un tè al *Ritz*. Lei lo fece divertire raccontandogli alcuni aneddoti sul viaggio a Singapore e a Hong Kong e le vicissitudini dei Jamison in Europa. Chiunque lo avesse avuto come compagno di volo non lo avrebbe riconosciuto: con lei Joe chiacchierava e rideva più di quanto avesse mai fatto in vita sua.

Quella sera la portò fuori a cena, poi andarono al cinema a vedere *Quarto potere*, che piacque moltissimo a entrambi. Ormai era quasi mezzanotte quando Joe la riaccompagnò, e Kate sbadigliava quando lo salutò.

«Sono stata benissimo», gli disse con un sorriso, che lui ricambiò con uno sguardo colmo di gioia.

«Anch'io.» Sembrò sul punto di aggiungere qualcosa, ma non lo fece.

Un attimo dopo Kate entrò in casa e in cima alle scale incontrò sua madre che tornava dalla cucina.

«Ti sei divertita?» le domandò Elizabeth, cercando di non avere l'aria preoccupata. Avrebbe voluto sapere che cosa le aveva detto Joe, e che cosa aveva fatto, se l'aveva baciata o si era comportato in modo scorretto. Ma preferiva seguire i suggerimenti di Clarke, quindi evitò di indagare.

«Ho passato una giornata splendida, davvero, mamma», rispose lei serena. Le era piaciuto stare con Joe più di quanto avesse immaginato. Quasi non riusciva a credere che fosse solo la quarta volta che lo vedeva, ma la corrispondenza degli ultimi tre mesi li aveva avvicinati molto, e Kate non si rendeva più conto degli anni che li dividevano. A volte lui sembrava davvero un ragazzino.

«Ti vedi con lui anche domani?» Kate avrebbe potuto raccontare una bugia, ma non voleva, perciò annuì. «Non ti porterà a volare, vero?»

«No, assolutamente.» Per tutto il giorno lui non aveva più accennato alla proposta di farle fare un giro in aereo. E domenica sarebbe tornato in California.

La mamma le augurò la buona notte e lei entrò in camera, pensierosa. Aveva molte cose su cui riflettere, soprattutto doveva cercare di capire quello che provava nei confronti di Joe. O forse, dopo tutto, non era così importante, visto che lui non aveva detto niente che potesse alludere a un sentimento diverso dall'amicizia da parte sua.

La mattina dopo Kate stava andando in cucina per fare colazione quando sentì il telefono suonare nell'ingresso. Erano appena passate le otto, e i suoi genitori dormivano ancora. La giornata autunnale era splendida. Non riuscì a immaginare chi potesse chiamare, e quando sollevò la cornetta scoprì con stupore che era Joe.

«Ti ho svegliata?» le domandò in tono preoccupato e vagamente imbarazzato. Aveva temuto che rispondesse la madre di Kate, e si era sentito molto sollevato sentendo la sua voce.

«No, ero già alzata. Stavo andando a mangiare qualcosa.» Avevano deciso di pranzare insieme quel giorno, ma non si erano accordati nei particolari, quindi le parve logico che Joe la chiamasse per dirle a che ora sarebbe passato di lì. In effetti era un po' presto, e fu contenta di avere risposto lei alla telefonata: la mamma si sarebbe sicuramente seccata.

«È una bellissima giornata, vero?» continuò Joe come se avesse qualcosa per la testa. «Io... ti ho preparato una specie di sorpresa... Credo che ti piacerà moltissimo... o almeno lo spero.» Sembrava un bambino al quale avevano regalato una bicicletta nuova, e Kate sorrise.

«La porterai con te quando verrai a prendermi?» Non aveva la minima idea di che cosa fosse, però a giudicare dal tono di Joe doveva essere eccezionale.

Lui esitò. «Stavo pensando che sarebbe meglio se portassi te dalla sorpresa, perché il contrario è un po' più difficile. Che te ne pare?» Voleva con tutto il cuore che gli rispondesse di sì. Era importantissimo per lui. Era il regalo che desiderava farle più di ogni altro, il migliore, l'unico che aveva. Forse Clarke avrebbe sospettato di che cosa si trattava, ma Kate non ne aveva la minima idea.

«Mi incuriosisci», replicò Kate con un ampio sorriso, passandosi una mano fra i lunghi capelli. «Quando posso vedere la sorpresa?» Pensò che si trattasse di una macchina nuova, anche se non sarebbe stato logico che Joe la comprasse nell'Est mentre viveva in California. D'altra parte, le pareva di sentire nella sua voce quel fremito di eccitazione tutto mascolino che generalmente gli uomini riservano ai motori.

«E se venissi a prenderti fra un'ora?» mormorò lui. «Ce la fai a essere pronta?»

«Senz'altro.» Non sapeva se suo padre e sua madre sarebbero stati svegli, ma avrebbe potuto lasciare un biglietto per avvertirli che era uscita in anticipo.

«Alle nove sarò da te», aggiunse in fretta Joe, «e... mettiti qualcosa di caldo.» Kate si domandò se sarebbero andati a fare una lunga passeggiata, ma, in ogni caso, gli assicurò che avrebbe messo un cappotto pesante.

Un'ora dopo era fuori della porta ad aspettarlo, con indosso un montgomery, un berretto e una sciarpa di lana. Joe arrivò con un taxi.

«Sei carina vestita così», la salutò con un sorriso. Si era messa anche un paio di mocassini, le calze di lana, un kilt, un golfino di cashmere che aveva da anni e un filo di perle al collo. Di solito si vestiva così per andare a lezione all'università. «Sarai abbastanza calda?» le chiese Joe premuroso, e lei annuì. Di colpo le venne in mente che forse sarebbero andati a pattinare, poi lo sentì dare al tassista un indirizzo fuori città.

«Cosa c'è da quelle parti?» Guardò Joe meravigliata.

«Vedrai.»

In quel momento Kate capì. Non gli domandò niente e chiacchierarono tranquillamente per tutto il percorso. Joe le disse quanto gli fossero piaciuti gli ultimi due giorni e che voleva fare qualcosa di speciale per lei. Guardandolo negli occhi, sentì che per lui mostrarle il suo aereo era la cosa più bella che potesse fare. Aveva capito dalle sue lettere che ne era orgogliosissimo perché lo aveva progettato lui stesso, e Charles Lindbergh lo aveva aiutato nella costruzione. Le dispiaceva soltanto che non ci fosse anche suo padre. Perfino la mamma non avrebbe potuto sollevare obiezioni di fronte al fatto che andavano semplicemente a vedere un aereo. Poco dopo arrivarono ad Hanscom Field, un piccolo aeroporto privato appena fuori Boston dove c'erano parecchi hangar di dimensioni modeste e una pista di atterraggio lunga e stretta. Mentre scendevano dal taxi, un piccolo Lockheed Vega rosso stava toccando terra.

Joe pagò la corsa, con l'aria felice come un bambino il giorno di Natale. Prese Kate per mano e si incamminò a passo lesto verso l'hangar più vicino. Entrarono da una porticina laterale, e lei rimase senza fiato di fronte al piccolo, grazioso aereo, al quale Joe fece una lunga carezza affettuosa. Poi, raggiante, aprì lo sportello per mostrarle la carlinga.

«Joe, è fantastico!» Kate non se ne intendeva minimamente di aeroplani, e aveva volato solo su quelli di linea con i genitori. Ma, adesso, per la prima volta, sentì un brivido guardando quel velivolo e sapendo che era opera di Joe. Un apparecchio splendido.

Lui la aiutò a salire nella carlinga e dedicò una mezz'ora a mostrarle tutto il possibile e a spiegarle come funzionava. Non aveva mai perso tempo a descrivere cose del genere a un novellino, e si stupì accorgendosi che Kate imparava molto rapidamente e con entusiasmo. Lo ascoltava rapita e ricordava quasi tutto quello che lui aveva detto. Chiacchierando con lei, Joe aveva la sensazione che tutt'intorno a loro si stessero spalancando porte e finestre, e di poterle aprire nuovi panorami su un mondo che lei non aveva mai immaginato. Dividere tutto questo con Kate gli piaceva moltissimo, era addirittura più emozionante per lui di quanto lo fosse per lei.

Un'ora dopo Joe le domandò se le sarebbe piaciuto fare un volo, anche solo di pochi minuti, almeno per provare la sensazione di come ci si sentisse una volta staccatisi dal suolo. Non l'aveva programmato, ma, visto l'interesse straordinario che lei dimostrava, la tentazione era troppo forte. Da parte sua, Kate non esitò.

«Adesso?» chiese sorpresa ed eccitata. Non avrebbe potuto desiderare un regalo più bello. Anche solo girare intorno al velivolo con lui per esaminarlo dall'esterno era stato divertente. L'abituale riserbo e il modo di fare imbarazzato che Joe aveva di tanto in tanto quando era a terra scomparivano appena si avvicinava a un aereo: era come se si sentisse capace di allargare le ali e librarsi in aria. «Mi piacerebbe tantissimo... ma possiamo?» Tutte le raccomandazioni di sua madre furono dimenticate all'istante, mentre Joe andava ad avvertire qualcuno e tornava indietro dopo un minuto con un largo sorriso.

Dal punto di vista tecnico, si trattava di un aereo piuttosto piccolo, ma sempre di dimensioni rispettabili; non solo, ma grazie ad alcune modifiche messe a punto con l'aiuto di Lindbergh, poteva coprire una distanza considerevole. Joe avviò il motore senza difficoltà, poi si diressero fuori dal vasto hangar rullando lentamente. Dopo pochi minuti stavano percorrendo la pista. Joe, intanto, aveva eseguito tutti i controlli necessari, spiegandole quello che stava facendo. D'un tratto, mentre decollavano, gli venne un'idea alla quale non aveva pensato.

«Non soffrirai di mal d'aria, per caso?» Kate sorrise scuotendo la testa e lui non se ne meravigliò affatto: aveva sospettato che non fosse il tipo di ragazza debole, e se ne compiacque.

«No, perché? Hai forse intenzione di fare il giro della morte?» Aveva un tono speranzoso, e Joe rise. Non aveva mai sentito un'intimità tanto stretta con lei come in quel momento. Gli pareva di sognare.

«Spero di no. Credo che un'acrobazia del genere la rimanderemo alla prossima volta», le rispose mentre prendevano quota.

Per qualche minuto chiacchierarono piacevolmente, cercando di comprendersi al di sopra del rombo del motore, poi tacquero, ma senza sentirsi a disagio. Kate si guardava intorno con un vago senso di timore e osservava Joe. Era esattamente come lo aveva immaginato: coraggioso, pacato, forte, abile, nel pieno controllo dell'apparecchio che aveva costruito, padrone dei cieli. Era come se fosse nato per volare, e lei finì con il convincersi che non ci fosse nessun altro al mondo in grado di farlo meglio, forse nemmeno Charles Lindbergh. Se prima si era sentita attratta da Joe, dal momento in cui lo vide pilotare quell'aereo il suo fascino diventò irresistibile. Quell'uomo rappresentava tutto ciò che Kate aveva sempre sognato e ammirato, ma rappresentava anche tutto quanto sua madre non avrebbe mai voluto che vedesse in lui. Perché Joe era potenza e forza e libertà e gioia. Quando, un'ora dopo, atterrarono, Kate sentì che il suo unico desiderio era tornare lassù con lui. Non era mai stata così felice, né si era divertita tanto, e quel volo aveva creato un legame immediato fra loro.

«Dio, è stato così perfetto, Joe... grazie», gli disse mentre lui spegneva il motore. Era stata quasi come una profonda esperienza religiosa per entrambi. Lui la guardò con aria serena e tacque per un istante che sembrò interminabile, rimanendo lì, seduto al suo posto, a contemplarla.

«Sono felice che ti sia piaciuto», mormorò, pensando che se lei non avesse reagito così ne sarebbe rimasto deluso. Per fortuna era successo proprio quello che desiderava, e adesso ogni barriera fra loro si stava dissolvendo.

«Non mi è solo piaciuto, è stato fantastico», replicò Kate in tono solenne. Trovarsi nei cieli con Joe non solo glielo aveva fatto sentire più vicino, ma lei stessa si era sentita più vicina a Dio.

«Era proprio ciò che speravo. Ti piacerebbe imparare a volare?»

«Moltissimo», gli rispose lei con gli occhi che le brillavano. «Ti ringrazio tanto tanto...» Poi le venne in mente qualcosa. «Mi raccomando, non dirlo a mia madre. Mi ammazzerebbe... oppure ammazzerebbe te... o probabilmente tutti e due. Le avevo promesso che non lo avrei fatto.» Ma non era riuscita a proibirlo a se stessa, anzi, non ci aveva nemmeno provato. Era stata un'esperienza che l'aveva commossa profondamente. Lui si voltò a guardarla orgoglioso.

«Sei straordinaria come secondo pilota», la elogiò. D'istinto Kate aveva capito che cosa domandare, quali commenti fare e quando rimanere in silenzio a gustare la gioia pura e la bellezza del cielo. «Uno di questi giorni, quando avremo un po' di tempo, ti insegnerò a volare.» Joe era anche molto abile a spiegare i principi fondamentali del pilotaggio in modo chiaro, ed era rimasto particolarmente impressionato dal fatto che per lei alcune cose apparissero naturali, come se avesse innati l'istinto e la capacità di guidare un aereo.

«Vorrei poter rimanere qui tutto il giorno», osservò Kate con rammarico mentre lui la aiutava a scendere. Joe aveva un'espressione compiaciuta.

«Anch'io. Ma sono sicuro che tua madre chiederebbe la mia testa se solo immaginasse che ti ho portata in volo per un'ora. È meno rischioso che guidare un'automobile, ma non credo che lei sarebbe d'accordo.» Sapevano entrambi che quella era la realtà.

Tornarono in città in silenzio e andarono a pranzo alla *Union Oyster House*. Appena si furono seduti a tavola, Kate cominciò a parlare del loro giro in aereo, della disinvoltura e dell'abilità di Joe, che l'avevano tanto impressionata, della bellezza del suo apparecchio. Lui invece sembrò tornare quello di prima, di poche parole, riservato. Il paragone con un uccello era straordinariamente calzante: un minuto eccolo librarsi in volo senza sforzo apparente, e un minuto dopo eccolo camminare a passo goffo e maldestro sulla terra. Una volta sceso dal suo aereo, era un uomo diverso.

Mentre mangiavano gli raccontò altri aneddoti su Radcliffe e sui suoi studi, e Joe iniziò di nuovo a rilassarsi. Kate aveva un modo irresistibile di rasserenarlo, e ora che lo aveva visto nel suo vero mondo si sentiva ancora più a suo agio con lei. Era quello che aveva desiderato mostrarle fin dal principio, e sentiva istintivamente che Kate aveva capito non solo fino a che punto volare fosse importante per lui, ma anche chi fosse davvero l'uomo che aveva davanti.

Grazie a lei, a poco a poco Joe cominciò ad abbassare le difese. Erano talmente tante le cose di Kate che gli piacevano da averne quasi paura. Lei era troppo giovane per impegnarsi in un legame serio e la sua famiglia lo spaventava un po'. I suoi genitori erano persone di buon senso e molto premurose, e non avrebbero permesso che le succedesse qualcosa, né le avrebbero concesso troppa libertà. D'altra parte, Joe non voleva portarle via niente, le bastava stare con lei e crogiolarsi alla luce che emanava, al calore che irradiava. A volte, mentre sedeva al suo fianco, si sentiva come una lucertola su una roccia, inebriata dal sole. Ma quei sentimenti a tratti gli sembravano pericolosi. Non voleva sentirsi troppo vulnerabile nei suoi confronti, perché sarebbe stato facile soffrire. Si ripeteva che se Kate fosse stata più adulta forse la situazione sarebbe stata diversa, ma purtroppo non era così, indipendentemente dalla gioia che aveva provato volando con lei. Le ore trascorse quella mattina erano state magiche per entrambi.

Quell'ultimo giorno che passarono insieme finì troppo in fretta. Tornarono a casa di Kate e giocarono a carte in biblioteca. Joe le insegnò il rubamazzo e lei si rivelò sorprendentemente brava, tanto da batterlo due volte, cosa che la mandò in visibilio: ridendo felice, si mise a battere le mani come una bambina. La sera lui la invitò fuori a cena. Era stato un fine settimana piacevolissimo, ma quando le augurò la buona notte Joe pensò che non aveva la più pallida idea di quando l'avrebbe rivista. Aveva in programma di tornare a New York per Natale, ma lui e Lindbergh erano impegnati con un nuovo motore, e sapeva che sarebbe stato difficile che Charles gli dedicasse molto tempo, essendo in giro a tenere discorsi e a partecipare alle riunioni del movimento America First. Del resto, anche lui sarebbe stato indaffarato, quindi, almeno nei mesi immediatamente successivi, dubitava di riuscire a tornare a Boston. Esitava a chiedere a Kate se avrebbe avuto piacere di andare a trovarlo in California, gli sembrava un po' precipitoso, oltre a essere convinto che i suoi genitori non avrebbero approvato.

Quando la salutò, lei gli parve più quieta del solito. Erano fermi sui gradini davanti alla casa, e Joe era di nuovo timido e impacciato.

«Abbi cura di te», le disse tenendo gli occhi abbassati sulle scarpe. Lei sorrise: aveva una gran voglia di prendergli il volto fra le dita e costringerlo a guardarla, ma non si azzardò a farlo. Sapeva che se avesse aspettato Joe avrebbe trovato il coraggio di alzare occhi e fissarla di nuovo. E così fu.

«Grazie per avermi portata a volare», gli mormorò. Adesso quello era il loro segreto. «Ti auguro buon viaggio. Quanto ci metterai ad arrivare in California?»

«Più o meno diciotto ore, dipende da come sarà il tempo. C'è brutto tempo sul Midwest, perciò non è escluso che io debba passare più a sud, sul Texas. Quando arrivo ti telefono.»

«Mi farebbe molto piacere», bisbigliò Kate. Aveva gli occhi colmi di tutto quello che non si erano detti e del nuovo legame creatosi fra loro quella mattina, anche se continuava a non capire che cosa Joe provasse nei suoi confronti, ammesso che provasse più di un semplice affetto fraterno. Era quasi sicura di no, anche a giudicare dal suo comportamento. A volte sembrava addirittura paterno nei suoi confronti; eppure, sotto sotto, fra loro esisteva una corrente più profonda e misteriosa. Non sapeva se fosse uno scherzo dell'immaginazione o se ci fosse davvero qualcosa di diverso, di cui entrambi avevano paura. «Ti scriverò», gli promise, e Joe fu certo che l'avrebbe fatto. Gli piacevano tantissimo le sue lettere: l'abilità, la scioltezza di linguaggio, lo spessore dei sentimenti che rivelavano lo sorprendevano ogni volta. Erano quasi racconti brevi, e spesso lo avevano commosso o fatto ridere allegramente.

«Cercherò di tornare a Natale. Però Charles e io saremo molto impegnati», le disse. Kate pensò che le sarebbe piaciuto proporgli di andare lei a trovarlo, ma non ne trovò il coraggio. I suoi genitori sarebbero rimasti allibiti e turbati. La mamma, fra l'altro, era già preoccupata per tutto il tempo che lei aveva dedicato a Joe quel fine settimana – e lui lo aveva capito –, quindi non voleva esagerare.

«Abbi cura di te. Vola senza correre rischi.» Il suo tono era così ansioso che lui ne rimase colpito. E poi, aveva un'aria così tenera e dolce!

«Anche tu, e non farti espellere da scuola», scherzò Joe, e lei rise. Poi, allungandole un colpetto affettuoso sulla spalla, le aprì la porta di casa e scese in fretta i gradini, fermandosi sul marciapiede a salutarla con la mano, come se sentisse il bisogno di andarsene prima di fare qualcosa che non avrebbe dovuto fare. Kate oltrepassò sorridendo la soglia e chiuse silenziosamente la porta dietro di sé.

Erano stati strani quei tre giorni con lui, pieni di calore e del piacere della reciproca compagnia. Oltre a quel volo meraviglioso, naturalmente. Mentre saliva lentamente le scale, Kate pensò che era contenta di averlo conosciuto. Un giorno avrebbe parlato di lui ai suoi figli, e non aveva il minimo dubbio che non sarebbero stati i figli di Joe. Lui aveva una vita nella quale non c'era posto per una donna, o almeno non ce n'era molto, e sicuramente non ce n'era per una moglie e dei bambini. Del resto, glielo aveva già spiegato, e anche durante quel fine settimana: a suo modo di vedere, le persone rappresentavano un sacrificio che era disposto a fare solo per poi potersi dedicare liberamente alla passione per il volo. Kate lo capiva, eppure qualcosa in lei, nel profondo del suo essere, non lo accettava e non riusciva a crederlo. Com'era possibile che lui rinunciasse alla possibilità di avere una famiglia per amore degli aerei? Purtroppo, non toccava a lei discutere questo argomento con Joe, doveva solo accettare quello che le diceva. E si ripeté che, qualunque sentimento provasse nei suoi confronti, o immaginava che Joe provasse per lei, era soltanto un'illusione. Niente più di un sogno.

La domenica, prima che Kate tornasse all'università, sua madre non fece mai il nome di Joe. Aveva deciso di seguire i consigli del marito e di aspettare per vedere che cosa sarebbe successo. Forse aveva ragione lui, forse Joe non si sarebbe spinto oltre e non avrebbe insistito per continuare a frequentare Kate, forse si trattava semplicemente di un'amicizia – per quanto insolita – fra un uomo adulto e una ragazzina. Almeno così sperava. Ma, per quanto si sforzasse di credere a quello che diceva Clarke, non riusciva a convincersene.

Kate, tornata all'università, si sentiva irrequieta senza capirne la ragione. Le sue compagne arrivarono una dopo l'altra e le raccontarono come avevano trascorso il fine settimana della festa del Ringraziamento: chi era andata ospite di amici, chi era tornata in famiglia. Anche lei parlò con le amiche di quello che aveva fatto, senza mai accennare alla visita di Joe. Era troppo difficile da spiegare, e nessuna avrebbe creduto che non fosse infatuata di lui. Del resto, non ne era più convinta nemmeno lei. Sally Tuttle, che aveva preso la telefonata di Joe, le chiese notizie del ragazzo che abitava in California.

«È là per studiare? È il tuo ex?» Era curiosa di saperne

di più, ma Kate rispose in modo vago, evitando di guardarla negli occhi.

«No, è solo un amico. Lui lavora in California.»

«Al telefono sembrava simpatico.»

Bella scoperta, pensò Kate, che però si limitò a confermare. «Te lo presenterò quando verrà a Boston», aggiunse senza convinzione, poi tutte andarono a prepararsi per le lezioni del giorno dopo. Una sua compagna rientrata dal fine settimana passato in famiglia nel Connecticut annunciò di essersi fidanzata, e questo non fece che complicare i già confusi sentimenti di Kate. Si era presa una cotta formidabile per un uomo di dodici anni più vecchio che continuava a ripetere che non si sarebbe mai sposato e che non immaginava nemmeno quello che lei provava. Era davvero ridicolo. Quella sera, quando andò a letto, si era ormai era convinta di comportarsi da sciocca e che se non fosse stata attenta alla fine l'avrebbe stufato e avrebbe perso la sua amicizia, così lui non l'avrebbe mai più portata in volo con sé. E Kate non voleva che accadesse, perché continuava a sperare che un giorno Joe le avrebbe insegnato a pilotare un aereo.

Con suo grande stupore, il giorno dopo lui le telefonò.

Le spiegò di essere appena atterrato all'aeroporto. Aveva avuto un viaggio difficile, era stato costretto a rifornirsi di carburante per ben tre volte, ad affrontare due tempeste di neve e a fare tappa a Waynoka, nell'Oklahoma, a causa di una grandinata. A Kate sembrò esausto, dopo quel volo di ventidue ore.

«Sei stato carino a telefonarmi», gli rispose, meravigliata e contenta. Non si aspettava di ricevere sue notizie, ma pensò che lui volesse solo essere gentile, e quello che disse subito dopo glielo confermò. Aveva un tono disinvolto e un po' freddo.

«Non volevo che ti preoccupassi. Come va la scuola?»

«Bene.» A dire il vero, da quando Joe se n'era andato si sentiva profondamente triste, e per questo si era anche arrabbiata con se stessa. Non c'era ragione di provare quell'attaccamento nei suoi confronti: era un po' come avere preso una cotta per il presidente degli Stati Uniti o qualche altro personaggio che sarebbe sempre stato al di fuori della sua portata. L'unica differenza stava nel fatto che lei e Joe erano amici, e a lei piaceva così tanto stare con lui che non poteva non entusiasmarsi quando succedeva. E lassù, in alto nei cieli, Kate aveva anche scoperto un lato del suo carattere che ben pochi conoscevano.

«Non vedo l'ora che arrivino le vacanze di Natale», esclamò, sembrando eccitata e piena di aspettative per le feste in sé, non perché lui sarebbe tornato all'Est. In realtà le faceva piacere pensare che sarebbe stato più vicino, e si domandò se i suoi genitori le avrebbero permesso di andare a New York per rivederlo, magari in compagnia di un'amica. Con Joe, però, preferì non parlarne: sentiva che lui si sarebbe spaventato.

«Ti telefono fra qualche giorno», aggiunse Joe. Dalla sua voce trapelava la stanchezza, infatti non vedeva l'ora di dormire, dopo quell'odissea per attraversare il Paese.

«Ma non trovi che sia terribilmente caro? Forse dovremmo accontentarci di uno scambio epistolare.»

«Potrei chiamarti una volta ogni tanto», rispose lui guardingo, «a meno che tu preferisca il contrario.» In quel momento pareva tutt'altro che disteso com'era stato con lei durante quel lungo fine settimana. Del resto, telefonarle era stato un passo molto difficile.

«No, mi faresti piacere», si affrettò a replicare Kate. «È solo che non voglio farti spendere troppo.»

«Non preoccuparti.» In fondo, costava meno di un invito a cena. L'aveva già portata in un paio di posti molto simpatici, e anche questa era una cosa rara per lui, anzi era addirittura eccezionale. Joe investiva ogni centesimo nei progetti per nuovi motori e aerei, ma per lei aveva voluto fare qualcosa di speciale, perché se lo meritava. Con la voce un po' roca domandò: «Kate?» Lei aspettò, ma Joe non aggiunse altro. Voleva la sua risposta, per essere assolutamente certo che fosse ancora lì, che lo ascoltasse.

«Sì?» All'improvviso Kate si sentì mancare il respiro, non sapendo che cosa le avrebbe detto e intuendo una strana fragilità in lui.

«Mi scriverai? Le tue lettere mi piacciono tantissimo.»

Lei sorrise, senza sapere se si sentisse delusa o sollevata. Il tono di Joe era così serio quando aveva pronunciato il suo nome, che per un attimo si era preoccupata: era come se lui fosse stato lì lì per dirle qualcosa di importante. E per lui lo era, anche se non si trattava di quello che Kate aveva sperato.

«Ti scriverò senz'altro», lo rassicurò. «Però la settimana ventura avrò gli esami.»

«Anch'io!» Joe rise. Avevano già fissato tutta una serie di voli di collaudo, e qualcuno sarebbe stato abbastanza pericoloso, ma voleva affrontarli personalmente prima di lasciare la California, anche se aveva deciso di non raccontarlo a Kate. «Prossimamente sarò piuttosto impegnato, però ti chiamerò appena possibile.»

Dopo che si furono salutati lei rientrò nella sua camera a studiare, cercando di non pensare troppo a lui. Per tutto il fine settimana aveva continuato a domandarsi se sarebbe stato possibile realizzare un suo progetto: a Joe non aveva detto niente, ma i suoi genitori stavano organizzando un grande ricevimento al *Copley Plaza* per il suo ingresso in società, e l'avevano fissato poco prima di Natale. La festa sarebbe stata molto bella, anche se non sontuosa come quella dove lo aveva conosciuto. Non si era ancora azzardata ad affrontare l'argomento, ma stava meditando di chiedere a suo padre e a sua madre di invitarlo. Non era nemmeno sicura che lui sarebbe potuto venire, ma voleva almeno domandarglielo. Per lei la serata sarebbe stata molto più divertente se ci fosse stato anche Joe, ma alla festa del Ringraziamento la sua presenza aveva talmente innervosito sua madre che preferiva non insistere troppo. E poi, c'era ancora tempo: mancavano più di venti giorni, per il momento Joe era in California e, dati i suoi impegni, forse non avrebbe nemmeno potuto accettare il suo invito.

La domenica successiva, all'ora di pranzo, mentre Kate era al telefono con sua madre e parlava del ricevimento, una ragazza del suo stesso pensionato arrivò di corsa gridando. In un primo momento pensò che le fosse successo qualcosa di terribile, una notizia tragica da casa, magari che fosse morto uno dei suoi genitori. Elizabeth aveva una lunga lista di questioni in sospeso, che andavano dalle torte agli antipasti, alle dimensioni della pista da ballo. Il vestito di sua figlia era pronto fin da ottobre: avevano scelto un abito di taglio semplicissimo, con il corpetto di satin bianco e un'ampia gonna di tulle che le stava a meraviglia; avrebbe raccolto i capelli in uno chignon, e con quella mise sarebbe sembrata una ballerina di Degas. Anche la sarta, guardandola ammirata, aveva commentato che le mancavano soltanto le scarpine per danzare sulle punte. Proprio mentre pensava a questi particolari leziosi sentì qualcuno urlare.

«Cosa stavi dicendo, mamma?» Kate la pregò di ripetere la domanda. Intorno a lei c'era un tale frastuono che non riusciva a sentire nulla.

«Dicevo... Oddio... Ma stai parlando sul serio? Clarke...» Sentì la madre singhiozzare, senza capire perché.

«È capitato qualcosa a papà? Allora, che c'è?» domandò con il cuore in gola. Poi, guardando nel corridoio, si accorse che altre ragazze stavano piangendo, e all'improvviso capì:

non si trattava di suo padre, doveva essere accaduto qualcosa di terribile.

«Mamma, ti prego, si può sapere cosa succede?»

«Tuo padre l'ha appena sentito alla radio.» Clarke, ancora incredulo, le aveva dato una notizia spaventosa. «Mezz'ora fa Pearl Harbor è stata bombardata dai giapponesi, parecchie navi sono state affondate e ci sono morti e feriti. Mio Dio, che cosa orribile.» Tutto il pensionato era in subbuglio: ovunque si sentivano le radio accese e pianti disperati. Molte sue compagne stavano pensando al padre, o al fratello, o al fidanzato che stava per correre un rischio mortale. Ormai l'America non sarebbe potuta rimanere ancora a lungo fuori del conflitto; i giapponesi le avevano portato la guerra praticamente davanti alla porta di casa e, a dispetto delle promesse fatte, il presidente Roosevelt avrebbe dovuto prendere provvedimenti radicali. Kate concluse rapidamente la telefonata e si avviò verso la propria camera per saperne di più.

Tutte le ragazze sedevano in silenzio, con il viso rigato di lacrime, ad aspettare il notiziario alla radio. Una di loro era originaria delle Hawaii, e al piano di sopra c'erano anche due giapponesi. Kate non riusciva nemmeno a immaginare quello che provavano, intrappolate in un Paese straniero e così lontano da casa.

Era tardi quando decise di richiamare sua madre, dopo avere ascoltato la radio tutto il pomeriggio. Quello che era successo sembrava inconcepibile, ma non c'era da farsi molte illusioni: entro pochissimo tempo tutti i giovani uomini sarebbero stati mandati lontano, molto lontano, a combattere, e solo Dio sapeva quanti sarebbero tornati sani e salvi.

Dopo la notizia i Jamison non poterono fare a meno di ringraziare Dio perché non avevano un figlio maschio. Nelle città, nei paesi e nelle campagne più sperdute, moltissimi ragazzi stavano per lasciare la famiglia per difendere la patria. La cosa era già atroce di per sé, inoltre era aggravata dal timore che i giapponesi rinnovassero l'offensiva. Tutti si dicevano convinti che l'attacco successivo sarebbe stato sferrato contro la California, dov'era già scoppiato un pandemonio.

Il general maggiore Joseph Stilwell era entrato in azione e stava facendo tutto il possibile per proteggere le città della costa occidentale degli Stati Uniti: venivano costruiti rifugi antiaerei e si organizzava il personale medico. Lo stato d'animo diffuso era quello di un panico tenuto sotto controllo. Perfino a Boston la gente era spaventata. I genitori di Kate la pregarono di tornare a casa e lei rispose che lo avrebbe fatto, ma solo il giorno dopo, perché prima voleva sentire le istruzioni del college alle allieve. Preferiva non partire subito, senza sapere che cosa sarebbe potuto succedere.

Le lezioni furono sospese e le studentesse mandate a casa, dove sarebbero rimaste sino alla fine delle vacanze natalizie. Tutte desideravano più di ogni altra cosa tornare in famiglia. La mattina seguente, mentre Kate preparava i bagagli, Joe le telefonò. Aveva impiegato ore per avere la comunicazione: le linee erano intasate perché tutte le ragazze stavano chiamando i genitori. Gli Stati Uniti avevano dichiarato guerra al Giappone, il Giappone aveva dichiarato guerra agli Stati Uniti e alla Gran Bretagna, che a sua volta aveva dichiarato guerra al Giappone.

«Le notizie non sono buone, vero, Kate?» chiese Joe stranamente calmo. Non voleva allarmarla ulteriormente.

«Direi che sono terrificanti. Che cosa sta succedendo da quelle parti?» Joe era molto più vicino di lei alle Hawaii.

«C'è un'atmosfera che definirei di panico, nessuno vuole ammettere di essere spaventato, ma tutti lo sono, e non mi sento certo di biasimarli. È difficile prevedere che cosa farà il Giappone. Qui si sta parlando di internare i giapponesi negli Stati occidentali. Non riesco neanche a immaginare quale potrebbe essere il risultato di un'azione del genere.» I giapponesi in California avevano imprese, affari, case, una vita: non potevano piantare tutto in asso e andarsene.

«E tu, Joe, che cosa farai?» gli domandò Kate preoccupata. Negli ultimi due anni era già stato parecchie volte in Inghilterra come consulente per la RAF, quindi era facile prevedere il suo immediato futuro. Con l'ingresso americano in guerra era molto probabile che lui partisse per l'Europa, o che fosse chiamato a combattere contro il Giappone. In un caso come nell'altro, sarebbe andato chissà dove a pilotare aerei. Era proprio il tipo di uomo di cui c'era bisogno, ed era pronto, a disposizione.

«Domani verrò all'Est. Non posso finire il mio lavoro qui, mi vogliono a Washington il più presto possibile. Lì mi daranno gli ordini.» Aveva ricevuto una telefonata dal ministero della Guerra, e Kate non si sbagliava: presto lo avrebbero spedito oltreoceano. «Non so quanto mi fermerò. Cercherò di passare da Boston prima di partire, sempre che mi diano tempo a sufficienza. Altrimenti...» La sua voce si spense. Tutto era in sospeso, non solamente per loro, ma per l'intero Paese.

«Potrei venire io a Washington, così ci salutiamo», si offrì Kate, rendendosi conto che non aveva più alcuna importanza l'opinione dei suoi genitori. Se Joe stava per partire, lei voleva vederlo. Non sapeva pensare ad altro, mentre lottava per controllare il panico. Il pensiero che lui andasse in guerra la spaventava a morte.

«Non fare niente finché non ti telefonerò. Non è escluso che mi mandino a New York per qualche giorno. Dipende se vogliono che faccia l'addestramento qui prima di partire o se preferiscono spedirmi subito in Inghilterra.» Aveva il vago sospetto che l'avrebbero spedito direttamente là, ma non sapeva quando. «Io preferirei non andare in Giappone.» Quella mattina, per telefono, gli avevano accennato alle due possibilità, e lui aveva risposto di essere pronto a raggiungere qualsiasi destinazione.

«Vorrei che non dovessi partire», dichiarò Kate con tristezza.

In quel momento il suo pensiero era rivolto anche ai ragazzi che conosceva, con i quali era cresciuta, e alle loro sorelle, fidanzate o mogli. Parecchie sue amiche si erano già sposate e avevano messo su famiglia, e non ci si poteva nascondere il fatto che molti di quei giovani non sarebbero tornati a casa. Era come se una cappa funesta fosse calata su tutto: la gente parlava, bisbigliava, piangeva, terrorizzata al pensiero di quello che sarebbe successo. Era corsa persino la voce che tutte le città sulla costa orientale sarebbero state attaccate dai sottomarini tedeschi. Nessuno, da un capo all'altro degli Stati Uniti, si sentiva più al sicuro.

«Cerca di stare tranquilla, Kate. Rimarrai al college o andrai dai tuoi?» Joe voleva sapere dove trovarla. Poteva essere una questione di ore, per lui, poi sarebbe partito, e ci teneva a rintracciarla al più presto per rivederla. Non si poteva escludere la possibilità che non ne avesse il tempo, ma lui sperava ugualmente di avere anche solo pochi minuti da passare con lei.

«Torno a casa oggi pomeriggio. La scuola rimarrà chiusa fin dopo le vacanze natalizie.» Quell'anno il Natale sarebbe stato molto triste.

«Parto per l'Est, in aereo, fra un paio d'ore, nel caso ci fosse il rischio di temporali. Dovrei essere a Washington domani. Se sapessi come odio l'idea di lasciare tutto a metà, qui.» Ma non gli rimaneva altra scelta, e non era certo l'unico: ovunque gli uomini abbandonavano le loro attività e andavano in guerra.

«Il tempo sarà buono?» Kate era sempre più preoccupata. Lui avrebbe voluto prometterle che sarebbe andato tutto liscio, ma non poteva. In ogni caso, il solo parlargli era già un conforto per lei, c'era qualcosa di così solido e sereno in Joe… Sembrava che non fosse assolutamente stato travolto dall'isteria generale e si ergesse come un'isola di quiete in un mare tempestoso.

«Qui è bello», le rispose con tranquillità. «Non sono altrettanto sicuro di quello che troveremo a mano a mano che procederemo verso est.» Avrebbe viaggiato con altri due uomini. «Ora devo andare a fare i bagagli. Ti telefonerò appena mi sarà possibile.»

«E io sarò a casa ad aspettare la tua telefonata.» Ormai non aveva più senso fingere: Kate desiderava con tutta se stessa rivederlo prima che lo spedissero lontano.

Le studentesse si salutarono piangendo; qualcuna avrebbe dovuto compiere un lungo viaggio. La ragazza delle Hawaii partiva con un'amica californiana ma, temendo un nuovo attacco aereo, i suoi genitori non volevano che tornasse a Honolulu. Le allieve giapponesi si sarebbero dovute presentare al loro consolato di Boston. Erano ancora più impaurite delle altre, anche perché ignoravano la loro sorte: non avevano la possibilità di mettersi in contatto con le famiglie, né tanto meno sapevano quando, come e se sarebbero riuscite ad andare a casa.

Nel tardo pomeriggio Kate raggiunse i suoi, che la stavano aspettando con aria stanca e angosciata. Tenevano la radio sempre accesa: sapevano che ormai era solo una questione di ore, o di giorni, prima che le truppe americane cominciassero a combattere.

«Hai avuto notizie di Joe?» le domandò suo padre appena lei ebbe posato la valigia per terra nell'ingresso. Le aveva mandato un autista ad aiutarla perché aveva un bagaglio pesante e lui non voleva lasciare sola la moglie. Elizabeth era pallida e nervosa. Clarke rimase colpito dalla compostezza di sua figlia, che gli rispose con un cenno affermativo.

«Domani arriverà a Washington in aereo. Non sa ancora dove lo manderanno.» Anche suo padre annuì, mentre la mamma la guardava con aria preoccupata, senza però fare commenti. A quanto pareva, Kate e Joe si tenevano in contatto, e questo la allarmava, anche se, doveva riconoscerlo, le circostanze erano straordinarie. In ogni caso, Elizabeth si domandò quante volte quell'uomo avesse chiamato sua figlia, prima.

Cenarono in cucina con la radio accesa, e nessuno disse una parola. Le pietanze si raffreddarono nei piatti senza che nessuno le toccasse, poi le due donne sparecchiarono e buttarono via tutto. Fu una notte molto lunga per Kate: stesa sul letto, non fece che pensare a Joe, cercando di immaginare a che punto del viaggio fosse e domandandosi se sarebbe riuscita a vederlo.

Il giorno dopo verso mezzogiorno lui telefonò. Era appena atterrato all'aeroporto di Bolling Field, nei pressi di Washington.

«Volevo solo farti sapere che sono arrivato sano e salvo.» Lei provò un gran sollievo. Ormai era evidente a entrambi che fra loro c'era qualcosa di più di una semplice amicizia, ma nessuno dei due era ancora pronto a toccare l'argomento. «Adesso vado al ministero della Guerra. Ti richiamerò più tardi.» Aveva deciso di tenerla informata di ogni sua mossa.

«Io sarò qui.»

Quattro ore più tardi il telefono squillò di nuovo: Joe aveva partecipato a una lunga riunione e aveva ricevuto gli ordini. Era stato nominato capitano dell'Army Air Corps, e avrebbe compiuto una serie di missioni per la RAF. Due giorni dopo avrebbe lasciato New York per Londra, dove, seguendo l'addestramento secondo il protocollo militare, si sarebbe allenato a volare in formazione con altri aerei. Aveva già una discreta esperienza grazie ad alcune spettacolari esibizioni alle esposizioni aeronautiche, e si era rivelato eccezionalmente abile. Quello stesso pomeriggio il presidente Roosevelt annunciò alla nazione che gli Stati Uniti erano ufficialmente entrati in guerra in Europa.

«Questo è tutto, piccola. Fra due giorni me ne andrò, ma sono destinato a un ottimo posto.» Partiva per la East Anglia, dov'era già stato a visitare gli aeroporti della RAF, e quindici giorni dopo avrebbe cominciato le missioni con i bombardieri. Il solo pensiero terrorizzava Kate, soprattutto da quando si era resa conto che, appena i tedeschi avessero saputo che lui aveva scelto di schierarsi con gli Alleati, avrebbero fatto di tutto per abbattere il suo apparecchio. Con una reputazione di asso del volo come quella che si era costruito, Joe era esattamente il genere di pilota da eliminare, perciò correva un rischio molto più grande rispetto agli altri. Kate non riusciva a immaginare come avrebbe potuto fare la solita vita, ora che sapeva tutto questo e senza ricevere sue notizie. Ovviamente, per Joe sarebbe stato impossibile telefonarle; per fortuna avevano ancora due giorni, o almeno le poche ore di quei due giorni che avrebbero potuto trascorrere insieme.

Joe dovette andare a procurarsi le uniformi e i documenti, quindi poté lasciare Washington soltanto l'indomani, e il giorno seguente, alle sei del mattino, sarebbe partito per l'Europa. Per essere sicuro di non perdere il volo sarebbe dovuto rientrare a New York entro mezzanotte. Erano le dieci del mattino quando prese l'aereo a Washington e quasi l'una del pomeriggio quando atterrò a Boston, da dove sarebbe ripartito alle dieci di sera. Lui e Kate avevano nove ore esatte da passare insieme. In tutto il Paese altre giovani coppie vivevano lo stesso dramma. Alcune decisero di sposarsi nel poco tempo che rimaneva, altre preferirono andare in un albergo a cercare quel po' di conforto che potevano darsi reciprocamente, altre ancora si accontentarono di sedere nelle stazioni ferroviarie, o in un bar, o su una panchina in un parco, per quanto facesse molto freddo. Tutto quello che volevano era stare vicini in quegli ultimi momenti di libertà e di pace, aggrappandosi disperatamente l'uno all'altra. Pensando a tutti i giovani che si trovavano in quella situazione, la mamma di Kate si sentì ancora più angosciata per le madri che avrebbero dovuto dire addio ai figli maschi: non riusciva a immaginare niente di peggio.

Kate aspettava Joe all'aeroporto di Boston Est. Lui scese dall'apparecchio con aria molto seria, chiuso in un uniforme nuova di zecca che gli andava a pennello. A Kate sembrò ancora più bello di quando era stato a casa loro per la festa del Ringraziamento, e lui le sorrise mentre attraversava la pista a lunghi passi e le andava incontro. Questa volta, quando la raggiunse le mise un braccio intorno alle spalle.

«Sta' tranquilla, Kate. Rilassati, andrà tutto bene.» Aveva subito letto il terrore negli occhi della ragazza. «Io sono l'unica persona che saprà quello che deve fare, una volta arrivato laggiù. Volare è volare.» Queste parole le ricordarono la grande disinvoltura e la straordinaria esperienza che Joe le aveva dimostrato durante il loro volo.

Ma entrambi sapevano che in genere quando lui volava nessuno cercava di abbatterlo e che, nonostante quello che le aveva detto per placare la sua angoscia, in questa occasione tutto sarebbe stato molto diverso. «Che cosa facciamo oggi?» le domandò come se si trattasse di una giornata qualsiasi.

«Vuoi che andiamo a casa?» gli propose Kate incerta. Era difficile non sentirsi confusa, o non provare la sensazione di avere accanto un orologio dal *tic-tac* inarrestabile.

I minuti fuggivano, e quelle ultime ore da passare insieme sarebbero presto finite. Sentì un brivido correrle lungo la schiena. Da quando suo padre era morto non aveva mai più provato una simile paura o un tale senso di solitudine e di vuoto.

«Perché non usciamo a pranzo? A casa possiamo andare dopo. Voglio salutare i tuoi genitori.» Kate pensò che fosse un gesto molto gentile da parte di Joe. E ormai anche la mamma aveva smesso di preoccuparsi troppo apertamente circa le intenzioni di Joe. Qualunque fosse il giudizio che si era fatta di lui, lo teneva per sé, e sua figlia gliene era grata.

Joe la portò da *Locke-Ober* ma, nonostante l'eleganza dell'ambiente e i piatti squisiti che ordinarono, lei non mangiò quasi niente. Non riusciva a concentrarsi sul presente, continuava a pensare a quello che sarebbe successo nel giro di poche ore. Alle tre tornarono a casa Jamison; Elizabeth era seduta in salotto e ascoltava la radio, mentre Clarke non era ancora rientrato dall'ufficio.

Raggiunsero la mamma di Kate e rimasero a chiacchierare un po' con lei, poi ascoltarono il notiziario e, alle quattro, arrivò anche suo padre. Strinse subito la mano a Joe e gli allungò una pacca affettuosa sulla spalla con aria paterna e con uno sguardo molto eloquente. Nessuno seppe trovare le parole adatte a esprimere quello che provava. Dopo un po' Clarke accompagnò la moglie di sopra, per lasciare soli i due ragazzi: avevano ben altro per la testa, pensò, e non era il caso che fossero costretti a intrattenere i genitori. Loro gliene furono riconoscenti: per Kate era fuori questione condurre Joe di sopra, in camera, per parlare con tranquillità. Anche se si fossero comportati in modo irreprensibile, sarebbe stata ugualmente una grossa sconvenienza, quindi lei non osò nemmeno suggerirlo. Rimasero a chiacchierare seduti sul divano del salotto, cercando di non pensare ai minuti che passavano.

«Ti scriverò. Ogni giorno, se sarà possibile», le promise. I suoi occhi dicevano un milione di cose: sembrava turbato, ma preferì non spiegare quello cui stava pensando, e Kate ebbe paura di domandarglielo. Continuava a non capire quali fossero i sentimenti di Joe per lei, mentre le sue idee in proposito erano molto chiare: ormai aveva ammesso a se stessa di essere innamorata di lui da mesi. Era successo a un certo punto dello scambio epistolare, e le era bastato rivederlo il giorno del Ringraziamento per averne la certezza. Però, da allora in poi aveva sempre lottato contro ciò che provava, anche perché, per quanto spigliata fosse, non aveva il coraggio di chiedergli che cosa sentisse lui. Così, si accontentava di quello che aveva e apprezzava il fatto che, indipendentemente dai motivi che lo avevano spinto a farlo, Joe avesse voluto passare quelle ultime ore con lei. Ma non poté fare a meno di ricordare che, in fondo, non aveva nessun altro con cui trascorrerle: l'unica persona che sembrava avesse una certa importanza per lui era Charles Lindbergh, per il resto era solo al mondo. E aveva voluto stare con lei.

Mentre parlavano a bassa voce le balenò nella mente l'idea che Joe non aveva altre ragioni per essere lì a Boston, se non il desiderio di vederla.

Kate gli raccontò che lei e i suoi genitori avevano rinunciato alla serata per il suo debutto in società, evento di cui lei non gli aveva ancora accennato. Si erano trovati d'accordo che sarebbe stato di pessimo gusto, in quel particolare frangente. Suo padre le aveva promesso che avrebbe organizzato una splendida festa dopo la guerra. «In fondo, adesso non ha più alcuna importanza», osservò, e Joe ne convenne.

«Sarebbe stato come il ricevimento al quale ci siamo conosciuti l'anno scorso?» le domandò con interesse. Era un buon argomento per distrarla; Kate aveva un'aria talmente triste da commuoverlo sino in fondo al cuore. Se pensava che era stato sul punto di non andare a quel ballo... Era stato il destino a farli incontrare.

Kate sorrise. «Non sarebbe stato altrettanto sontuoso.» Avevano pensato di riunire circa duecento invitati al *Copley*. «Sono contenta che i miei abbiano preso questa decisione», mormorò. Ma non riusciva a dimenticare l'idea di Joe in Inghilterra, che rischiava la vita ogni giorno. Si era già offerta volontaria per la Croce Rossa, e così anche sua madre.

«Tornerai al college, vero?» le chiese Joe, e lei annuì.

Continuarono a chiacchierare per ore, seduti tranquillamente l'uno accanto all'altra; dopo un po' Elizabeth si presentò con due piatti di cibo e non domandò neanche se volessero raggiungerli in cucina. Clarke era dell'opinione che preferissero rimanere soli e, per quanto non fosse affatto d'accordo, la moglie aveva acconsentito. Voleva rendere tutto il più facile possibile, dato che i due ragazzi erano così tristi. Joe si alzò e la ringraziò per la cena, ma quasi subito entrambi si accorsero di non avere fame, perciò a un certo punto lui prese i piatti e li posò sul tavolo. Poi le prese le mani e gliele strinse. Prima che lui trovasse il coraggio di parlare, gli occhi di Kate si riempirono di lacrime.

«Non piangere», le disse dolcemente. Era una situazione che non era mai stato capace di affrontare, ma, in un'occasione simile, non si sentiva di criticarla. «Andrà tutto bene. Io ho nove vite, finché sono a bordo di un aereo.» In tanti anni di pilotaggio era riuscito a scampare ad alcuni incidenti spaventosi.

«E se ce ne volessero dieci?» ribatté lei con le guance rigate dalle lacrime. Aveva deciso di essere coraggiosa, invece all'improvviso scopriva di non riuscirci.

«Se mi occorressero, avrò anche venti vite. Puoi contarci», la rassicurò Joe, ma entrambi sapevano che era una promessa che lui forse non avrebbe potuto mantenere, e questa era anche una delle ragioni per cui non aveva fatto gesti azzardati con lei. Non aveva intenzione di lasciarla vedova a diciotto anni; Kate meritava molto, molto di più, e se non avesse potuto darglielo lui, ci avrebbe pensato qualcun altro. Preferiva lasciarla libera di fare tutte le scelte che voleva durante la sua assenza. Ma lei pensava soltanto a Joe, ed era troppo tardi per cambiare questa realtà. Mentre sedevano vicini sul divano e lui le teneva un braccio intorno alle spalle, gli disse che lo amava. Lui la guardò e nella stanza calò un lungo, penoso silenzio. Quanto dolore c'era negli occhi di Kate! Joe non immaginava nemmeno lontanamente quale terribile tragedia avesse sofferto da bambina: lei non aveva mai parlato a nessuno del suicidio del padre, ma ora, d'un tratto, era stata assalita dal ricordo di quel dolore atroce che riemergeva dal suo passato.

«Avrei voluto che non lo dicessi», mormorò Joe con aria infelice. Aveva messo tutto l'impegno possibile nel tentativo di innalzare una barriera contro la marea dell'amore di Kate e del proprio. «Io non volevo dirtelo. E non voglio che tu ti senta legata a me, se dovesse succedere una disgrazia. Tu significhi moltissimo per me, è stato così dal giorno in cui ti ho incontrata. Non ho mai conosciuto una donna come te, ma non sarebbe onesto da parte mia strapparti una promessa, pretendere qualcosa da te, chiederti di aspettarmi. C'è sempre la possibilità che io non ritorni. Tu non mi devi niente, desidero che tu ti senta libera di fare tutto quello che vuoi mentre io sarò lontano. Quello che abbiamo provato l'uno per l'altra e che abbiamo manifestato con o senza le parole per me è stato più che abbastanza, e lo porterò via con me.» La attirò a sé e la strinse così forte che Kate poté sentire il battito del suo cuore, ma non la baciò. Per una frazione di secondo lei rimase delusa. Avrebbe voluto che Joe le dicesse che la amava: nel migliore dei casi questa poteva essere la loro ultima occasione per molto tempo, nel peggiore l'unica che avrebbero mai avuto.

«Io ti amo davvero», gli rispose semplicemente, con voce limpida. «Voglio che tu lo sappia, perché è qualcosa che puoi portare sempre con te. Non voglio che te lo domandi quando ti troverai in una trincea.»

«Trincee? Quelle sono per la fanteria. Io volerò alto nel cielo, sparando contro i tedeschi, laggiù in basso. E di notte dormirò in un letto caldo. Non sarà brutto come credi. Forse per qualcuno sì, ma non per me. I piloti dei caccia e dei bombardieri sono un gruppo scelto», la rassicurò. Come Lindbergh, Joe era un personaggio di spicco, che faceva parte di una piccola élite, e questo procurò un certo sollievo a Kate.

Il tempo continuava a trascorrere veloce e, prima che se ne rendessero conto, giunse il momento di separarsi. Era una notte fredda e limpida, e Joe andò all'aeroporto in taxi con Kate, anche se Clarke Jamison si era offerto di accompagnarli con la sua macchina.

All'aeroporto c'era una gran folla di gente che andava e veniva, e ovunque si aggiravano ragazzi in uniforme. A Kate sembrarono tutti così giovani, addirittura dei bambini; avevano diciotto o diciannove anni, e alcuni non si erano mai allontanati da casa prima di quel giorno.

Gli ultimi minuti che trascorsero insieme furono strazianti. Kate cercava inutilmente di ricacciare indietro le lacrime e ora anche Joe aveva l'espressione tesa. Non avevano idea di quando, o se mai, si sarebbero rivisti: sapevano che la guerra sarebbe potuta durare anni, e non restava che sperare che non fosse così. Fu quasi un sollievo quando, alla fine, Joe salì a bordo.

«Ti amo», gli sussurrò di nuovo, e lui sembrò addolorato. Non era quello che aveva in mente quando era arrivato per passare la giornata con lei; chissà perché, si era illuso che tra loro fosse stato stipulato il tacito patto di non dirsi niente del genere. Ma Kate non aveva la forza di lasciarlo partire senza che lui sapesse quello che provava e non riusciva a capire perché, ora che glielo aveva confessato, per lui fosse tutto molto più difficile di prima.

Quelle parole furono il dono definitivo di Kate a Joe, l'unica cosa di valore che potesse dargli, e avevano costretto entrambi ad affrontare la realtà. Per una frazione di secondo lui fu pienamente conscio della propria vulnerabilità e si vide balenare davanti agli occhi la possibilità di non tornare mai più indietro. Improvvisamente, mentre la guardava, si sentì riempire di gratitudine per ogni attimo che avevano passato insieme. Sapeva che non avrebbe mai incontrato un'altra donna come lei, con quel fuoco dentro, quell'entusiasmo, quella gioia di vivere, e ovunque fosse andato, qualunque cosa gli fosse successa, l'avrebbe sempre ricordata.

Così, quando chiamarono il suo volo per l'ultima volta, Joe si chinò a baciarla, lì, in piedi in mezzo all'aeroporto, tenendola stretta fra le braccia. Ormai era troppo tardi per frenare i propri sentimenti: non aveva fatto che illudersi, lo capiva, credendo di poter cambiare o impedire il corso degli eventi. Quello che provavano l'uno per l'altra era inevitabile come il passare del tempo. Ciò che c'era fra loro era molto raro, e nessuno dei due avrebbe voluto cambiarlo.

«Abbi cura di te», bisbigliò Joe con voce roca.

«Ti amo», ripeté Kate. Lo guardò negli occhi e lui annuì, senza riuscire a pronunciare a sua volta quelle parole, nonostante tutto quello che sentiva per lei, qualcosa che aveva evitato con tutte le sue forze per trent'anni.

La strinse di nuovo a sé e le diede un altro bacio, poi capì che doveva lasciarla. Doveva salire su quell'aereo. Raccogliendo tutta la forza che gli rimaneva si staccò da

Kate, ma al cancello d'imbarco si fermò un ultimo istante. Lei era ancora lì e lo osservava piangendo. Joe stava per voltarsi e andarsene, invece si soffermò di nuovo a guardarla, e allora, un attimo prima che fosse troppo tardi, le gridò: «Ti amo, Kate». Lei lo sentì, lo vide salutarla con la mano. E mentre Joe scompariva, Kate si mise a ridere fra le lacrime.

5

QUELL'ANNO il Natale fu molto triste per tutti. Due settimane e mezzo dopo Pearl Harbor, il mondo era ancora sotto choc. I figli dell'America cominciavano a partire per la guerra e venivano mandati in Europa e nel Pacifico. Improvvisamente luoghi che nessuno aveva mai sentito nominare erano sulla bocca di tutti. Kate trovò un po' di conforto sapendo che Joe era in Inghilterra. Dall'unica lettera che aveva ricevuto da lui fino a quel momento le sembrava di capire che la sua vita era abbastanza confortevole. Lo avevano assegnato alla guarnigione di Swinderby. Delle proprie giornate lui descriveva solo quello che era consentito dalla censura; gran parte della lettera riguardava la sua inquietudine per lei, poi le parlava delle persone che aveva conosciuto, della campagna e della gentilezza che gli inglesi dimostravano nei loro confronti, però non le ripeteva di amarla. Lo aveva detto una volta, ma a scriverlo si sarebbe sentito a disagio.

Ormai i suoi genitori avevano capito quanto Kate fosse innamorata di Joe, e l'unica consolazione per loro era che, come intuivano, il sentimento della figlia fosse pienamente ricambiato. Però, quando parlava a quattr'occhi con il marito, Elizabeth Jamison continuava a manifestargli la sua preoccupazione, che ora era anche più forte, perché temeva che se fosse successo qualcosa a Joe, Kate lo avrebbe pianto per sempre. Era un uomo difficile da dimenticare.

«Che Dio mi perdoni per quello che dico», le rispose una volta Clarke con voce pacata, «ma se dovesse accadergli qualcosa, lei riuscirà a superarlo. È capitato ad altre donne prima di lei. Spero tanto che non le tocchi questa sfortuna.»

Le ansie di Elizabeth non erano solo per la guerra, ma anche per quel qualcosa di intimo e segreto che aveva subito intuito in Joe e che non era mai stata capace di spiegare con le parole giuste al marito. Continuava ad avere la sensazione che quell'uomo non riuscisse ad aprirsi totalmente con qualcuno, né ad amare e a donarsi totalmente. Anche la sua passione per gli apparecchi che progettava e pilotava, e tutto quel mondo che si era creato, rappresentavano un mezzo per sfuggire alla vita vera. Di conseguenza, Elizabeth non era affatto sicura che, anche nel caso in cui fosse tornato, avrebbe reso felice Kate.

Inoltre, non le era sfuggita l'intensità del tacito impegno che i due avevano preso e di quell'attrazione profonda, dell'incantesimo che li legava, nonostante fossero uno l'opposto dell'altra. La madre di Kate sentiva istintivamente che, in qualche modo, sua figlia e Joe si sarebbero potuti ferire a vicenda. Non riusciva a capire per quale motivo l'amore fra loro la spaventasse, eppure era così.

La data del ricevimento per l'ingresso in società di Kate arrivò e passò, e lei scoprì che, tutto sommato, non si sentiva nemmeno dispiaciuta di averlo annullato. Non ci aveva mai tenuto in modo particolare e aveva accettato di fare la festa perché lo sentiva come un impegno nei confronti dei genitori. Una sera, mentre a casa leggeva un libro che le serviva per preparare un esame, Andy Scott le telefonò.

Quasi tutti i ragazzi che conosceva o erano partiti o stavano per partire per i campi di addestramento o per le zone di combattimento. Andy, però, alcune settimane prima le aveva rivelato di soffrire di un soffio al cuore dall'infanzia; la cosa non gli aveva mai impedito di condurre una vita normale, però lo aveva fatto automaticamente scartare per il reclutamento nell'esercito. Lui ne era rimasto sconvolto e aveva cercato in ogni modo di farsi dichiarare almeno rivedibile, ma gli era stato rifiutato categoricamente. A Kate aveva detto che avrebbe voluto portare addosso un distintivo, un simbolo, un segno qualsiasi che spiegasse alla gente perché lui non era in uniforme. Rimanere a casa come le donne lo faceva sentire quasi un traditore. Quando la chiamò era ancora molto deluso e addolorato per questo, e ne chiacchierarono per un po'. Le propose di uscire a cena, ma a lei non sembrava corretto accettare l'invito, considerando i sentimenti che provava per Joe. Lo confessò a Andy, il quale, però, cercò di convincerla ad andare almeno al cinema. Fra loro non c'era altro che amicizia, ma Kate aveva saputo da conoscenti comuni che Andy era pazzo di lei. Effettivamente, da quando era arrivata a Radcliffe, nell'autunno precedente, il ragazzo aveva tentato più volte di cominciare a frequentarla in un modo diverso.

«Secondo me dovresti andare», le consigliò sua madre con fermezza, dopo averle domandato il motivo della telefonata di Andy. «Non puoi chiuderti in casa per sempre. La guerra andrà avanti ancora per molto tempo.» E con Joe non c'era un impegno definitivo: lui non le aveva chiesto di sposarlo, non si erano fatti promesse. Si amavano e basta. Elizabeth sarebbe stata molto più contenta di vederla uscire con Andy Scott.

«No mamma, non mi sembra giusto», rispose Kate, rientrando in camera con il libro in mano. Sapeva bene che la guerra sarebbe stata lunga e lei sarebbe dovuta rimanere lì con i genitori per un periodo indefinito, ma non gliene importava nulla.

«Non può starsene qui rinchiusa un giorno dopo l'altro, una notte dopo l'altra», si lamentò più tardi Elizabeth con il marito. «Non sono fidanzati.» Sua madre voleva per lei una storia con tutte le carte in regola.

«A quanto credo di avere capito, è un impegno del cuore», rispose tranquillamente Clarke. Era preoccupato per Joe, e si sentiva molto vicino alla figlia.

«Non sono sicura che lui si deciderà mai a un passo più serio.»

«Io trovo che si stia dimostrando molto responsabile. Non vuole fare di Kate una giovane vedova. Credo che sia la cosa più giusta.»

«Io invece penso che gli uomini come lui non siano mai disposti ad assumersi un vero impegno», insistette lei. «La passione per il volo è troppo grande, nella sua vita tutto il resto verrà sempre e soltanto dopo. Non darà mai a nostra figlia quello di cui ha bisogno», fu la sua cupa previsione. Clarke sorrise.

«Non è necessariamente vero. Guarda Lindbergh: è sposato e ha dei figli.»

«Già, ma chissà se sua moglie è felice?» obiettò Elizabeth in tono scettico.

In ogni caso, indipendentemente dall'opinione dei genitori, Kate continuò a comportarsi nello stesso modo: rimase a casa per tutte le vacanze e quando tornò a scuola, a gennaio, anche le altre ragazze le parvero tristi come lei. Cinque si erano sposate prima che il loro ragazzo partisse per il fronte, una decina si era fidanzata e molte erano legate a giovani che presto sarebbero stati inviati nelle zone di guerra. Tutta la loro vita, ormai, ruotava intorno alle lettere e alle fotografie. Kate si rese conto di non avere nemmeno una foto di Joe, ma in compenso il mucchio delle lettere che lui le scriveva era in continua crescita.

Si applicò agli studi diligentemente e ricominciò a vedersi con Andy di tanto in tanto. Rifiutava sempre gli appuntamenti galanti che lui le proponeva, però erano amici e spesso lui andava a trovarla a Radcliffe. Facevano lunghe passeggiate attraverso il campus, poi mangiavano alla mensa universitaria, dove lui la prendeva garbatamente in giro per la raffinata eleganza di quelle cene che consumavano insieme. Ma, finché rimanevano lì, lei aveva la sensazione che quelli non contassero come veri e propri incontri con un altro uomo, quindi non si sentiva infedele nei confronti di Joe. Andy, da parte sua, la giudicava una sciocca e continuava a insistere, nella speranza di convincerla a uscire con lui.

«Perché non lasci che ti inviti in un ristorante decente?» si lamentava quando si ritrovavano seduti a un tavolo della mensa – famosa per il pessimo cibo che vi servivano – davanti a un piatto di pasticcio di carne rinsecchito o di pollo praticamente immangiabile.

«Non sarebbe giusto. E questo posto va benissimo», insisteva lei.

«Va benissimo? Lo credi davvero?» Andy affondò la forchetta nel puré di patate che aveva davanti, appiccicoso come colla da tappezziere, mentre lei si accorgeva che il suo pezzo di pollo era talmente duro da non riuscire a masticarlo. «Ogni volta che vengo qui a cena con te ho mal di stomaco per due giorni.» Kate, invece, pensava soltanto a come dovevano essere le razioni che distribuivano a Joe in Inghilterra. Le pareva scandaloso accettare di cenare in un ristorante lussuoso, e non l'avrebbe mai fatto. Se Andy voleva passare un po' di tempo con lei, doveva stare alle sue condizioni.

A parte Kate, Andy aveva una vita mondana molto attiva. Era alto, bruno e bello, oltre a essere uno dei pochi scapoli appetibili che non dovesse partire per la guerra. Le ragazze facevano la fila per uscire con lui, tutte tranne l'unica alla quale lui teneva in modo particolare.

In ogni caso, Andy non rinunciò alle visite che le faceva e, con il passare dei mesi, fra loro si stabilì un forte legame di amicizia. A Kate lui piaceva moltissimo, per quanto non provasse niente di ciò che provava per Joe: le suscitava sentimenti tranquilli, solidi e sicuri, ben lungi dal fuoco e dalla passione irresistibile. Andy le sembrava piuttosto un fratello. Giocavano molto a tennis e, finalmente, verso Pasqua, lei accettò un invito al cinema, anche se poi si sentì in colpa. Scelsero un film con Greer Garson, *La signora Miniver*, e Kate pianse dall'inizio alla fine.

Ogni settimana riceveva alcune lettere di Joe, ma lui non si dilungava a parlare delle missioni per la RAF che stava effettuando sugli Spitfire. Finché le lettere continuavano ad arrivare, comunque, almeno era certa che lui stesse bene. Viveva nel terrore di leggere sul giornale che il suo aereo era stato abbattuto e ogni mattina, quando apriva il quotidiano, le mani le tremavano. Famoso com'era Joe, con ogni probabilità la notizia sarebbe stata pubblicata prima che qualcuno avesse la possibilità di avvertirla. Almeno fino a quel momento, però, sembrava che il morale fosse alto e la salute buona. Per tutto l'inverno si era lamentato del freddo e del pessimo vitto inglese; a maggio, invece, le descrisse la bellezza della primavera, raccontandole che c'erano fiori dappertutto e che anche le persone più povere avevano giardini incantevoli. Da quando era partito, però, non le aveva più detto che l'amava.

Alla fine di maggio la RAF organizzò un'incursione notturna su Colonia con mille bombardieri. Joe non gliene fece il minimo cenno, ma quando lo seppe, Kate ebbe la certezza che anche lui vi avesse partecipato. A giugno Andy si laureò, al termine dei tre anni di corso di un programma accelerato ad Harvard, e decise che in autunno avrebbe continuato gli studi, specializzandosi in giurisprudenza. Kate portò a termine il primo anno di college, andò alla festa di laurea del suo amico, poi, per tutta l'estate, lavorò a tempo pieno per la Croce Rossa arrotolando bende, preparando scatoloni di vestiti pesanti, spedendo pacchi, raccogliendo medicinali da inviare oltreoceano. Non era certo un'attività interessante, ma a lei sembrava il minimo che potesse fare per lo sforzo bellico della nazione. Anche la piccola cerchia delle sue amicizie era già stata toccata dalla tragedia. Due studentesse che vivevano nel suo stesso pensionato avevano perso il fratello in seguito all'affondamento della nave su cui si trovavano, colpita dai siluri tedeschi, e un'altra ne aveva perduti due. Una delle sue compagne di stanza era tornata a casa per aiutare i genitori a portare avanti l'azienda di famiglia. Alcune ragazze avevano perso il fidanzato, e delle cinque che si erano sposate durante le vacanze di Natale, una era già rimasta vedova e aveva lasciato l'università. Era difficile non pensare a tutto questo, quando si avevano costantemente davanti sguardi tristi e visi angosciati. Il solo pensiero di ricevere un telegramma dal ministero della Guerra atterriva chiunque.

Quell'estate Andy decise di dedicarsi al volontariato in un ospedale militare. Voleva fare qualcosa per rimediare al fatto di non essere partito per il fronte. Quando andava a trovare Kate, le raccontava le storie terribili dei feriti che aveva visto e le esperienze di guerra che gli avevano confidato. Non lo avrebbe ammesso con nessuno, tranne forse con lei, ma mentre li ascoltava c'erano momenti in cui non poteva evitare di sentirsi contento di essere stato riformato. Per lo più si trovava a contatto con uomini che erano stati in Europa, mentre quelli rimasti feriti nel Pacifico venivano ricoverati negli ospedali della costa occidentale. Erano in molti ad avere perso un arto, o gli occhi, o a essere stati sfigurati o mutilati dallo scoppio di una mina o di una granata. Andy le disse anche di avere visto un intero reparto pieno di soldati impazziti in seguito ai traumi subiti. Solo a pensarci, entrambi si sentivano inorridire. E sapevano che nei mesi successivi le cose non potevano che peggiorare.

Dopo avere lavorato per la Croce Rossa due mesi e mezzo, Kate partì con i genitori per Cape Cod, dove rimase le ultime due settimane dell'estate. Quello era uno dei pochi luoghi dove niente sembrava cambiato. Si trattava di una comunità piuttosto piccola, costituita per lo più da persone anziane, quindi lei si ritrovò intorno tutti i volti familiari tra i quali era cresciuta. Quell'anno, però, non c'erano i nipotini, né gran parte dei ragazzi coetanei di Kate. C'erano invece molte sue amiche, e per il Labor Day i vicini dei Jamison organizzarono il solito barbecue sulla spiaggia. Erano sette giorni che Kate non aveva più notizie di Joe. Le lettere che aveva ricevuto erano sempre state scritte parecchie settimane prima e, in qualche caso, ne erano arrivate parecchie contemporaneamente: lui sarebbe potuto già essere morto da giorni e giorni, e lei avrebbe continuato ugualmente a riceverle. Era un pensiero agghiacciante.

Ormai non lo vedeva da quasi nove mesi, e quella separazione forzata cominciava a sembrarle infinita. Da quando era arrivata a Cape Cod aveva parlato un paio di volte con Andy, che stava trascorrendo l'ultima settimana di vacanza nel Maine, dai nonni. Dai discorsi che le fece al telefono, Kate si rese conto che nel corso dell'estate era molto maturato. Visto che non poteva partire per la guerra, era ansioso di cominciare a lavorare; era la decisione giusta per lui, soprattutto dal momento che suo padre era a capo dello studio legale più prestigioso di New York e aspettava il figlio a braccia aperte.

Per Kate fu impossibile non pensare a Joe quando si ritrovò davanti al falò del barbecue, a tostare i *marshmal-*

lows, ricordando che, l'anno prima, era stato proprio lì che lo aveva incontrato di nuovo. Quello era stato l'inizio della loro storia d'amore. Le pareva di ricordare quasi ogni parola che le aveva detto durante la lunga passeggiata sulla spiaggia. Era completamente assorta nei suoi pensieri, lontana mille miglia dalla realtà, quando qualcuno interruppe le sue fantasticherie.

«Si può sapere perché li carbonizzi sempre?» domandò una voce, e lei sussultò. Poi si voltò di scatto. Era Joe, in piedi dietro di lei, alto, magro, pallido e un po' invecchiato, che le sorrideva. Kate scaraventò lontano il rametto in cui erano infilati i dolcetti bruciati e si ritrovò stretta fra le sue braccia. Le sembrò di non avere mai visto niente di più bello in tutta la sua vita.

«Oh mio Dio... oh mio Dio...» non le sembrava possibile, invece era vero. Non riusciva a capire perché lui fosse lì, e fece un passo indietro per osservarlo dalla testa ai piedi con aria preoccupata, ma notò subito che non aveva ferite. «Che ci fai qui?»

«Ho due settimane di licenza. Martedì dovrò presentarmi al ministero della Guerra. Credo di avere abbattuto il numero di tedeschi che mi era stato richiesto, così mi hanno rispedito a casa per un piccolo controllo su di te. Mi sembri a posto. Come stai, bambina?» Infinitamente meglio, ora che lo aveva davanti agli occhi. Anche Joe sembrava felicissimo. Erano abbracciati, e sembrava che lui non riuscisse a sciogliersi da quella stretta, le accarezzava i capelli, se la teneva vicina e la copriva di baci. A nessuno dei due importava se gli altri li osservavano.

Pochi minuti più tardi il padre di Kate li scorse. Dapprima non riuscì a immaginare chi fosse quell'uomo alto e biondo vicino a sua figlia, poi vide che la baciava e capì che si trattava di Joe. Si affrettò a raggiungerli attraversando la spiaggia.

Strinse Joe in un forte abbraccio, quindi gli rivolse un gran sorriso, allungandogli affettuose pacche sulle spalle. «Che bello vederti! Eravamo tutti preoccupati per te.»

«Io sto bene, è dei tedeschi che dovreste preoccuparvi. Li abbiamo ridotti un colabrodo!»

«È quello che meritano», rispose Clarke con fermezza.

«Mi do molto da fare, così potrò tornare presto a casa», disse Joe sorridendo. Aveva l'aria felice, e Kate era letteralmente in estasi, dopo i lunghi e angoscianti mesi di attesa e di preghiere per la salvezza del suo uomo. Quindici giorni di licenza sembravano un miracolo a entrambi, che desideravano soltanto continuare a guardarsi e a stringersi fra le braccia.

«Come vanno le cose da quelle parti, figliolo?» gli domandò Clarke in tono grave mentre Kate andava a cercare la mamma per avvertirla che Joe era tornato.

«In questo momento gli inglesi se la stanno vedendo brutta», rispose lui con franchezza. «I tedeschi riescono a spezzare le loro difese e continuano a bombardare le città. Quando si vive una situazione del genere ora per ora, c'è poco da stare allegri. Io penso che alla fine riusciremo ad annientarli, ma non sarà facile.» Negli ultimi due mesi le notizie che arrivavano dai vari fronti erano state molto sconfortanti: i tedeschi avevano occupato Sebastopoli e sferrato un feroce attacco a Stalingrado, Rommel stava ottenendo numerose vittorie nell'Africa del Nord, e in Nuova Guinea gli australiani erano impegnati in violentissimi combattimenti contro i giapponesi.

«Sono davvero contento che tu sia sano e salvo», esclamò Clarke, che ormai considerava Joe parte della famiglia. Anche Elizabeth parve un po' addolcita nei suoi confronti: lo abbracciò, lo baciò e gli disse che era felice di ritrovarlo in buona salute. E lo era davvero, per amore della figlia.

«Però sei dimagrito», osservò subito, preoccupata. In

effetti Joe aveva perso parecchi chili: volava continuamente, lavorava molto e mangiava pochissimo. «Stai bene?» gli domandò ancora fissandolo negli occhi, per assicurarsene.

«Sì, dato che potrò stare qui due settimane. Domani dovrò andare a Washington per due giorni, ma giovedì sarò di ritorno. Speravo proprio di venire a Boston.» Le ragioni erano chiare. Kate diventò raggiante.

«A noi fa molto piacere», intervenne subito Clarke allungando un'occhiata alla moglie. Ma anche lei non seppe resistere all'espressione di felicità apparsa sul viso della figlia.

«Ti andrebbe di essere nostro ospite?» gli propose Elizabeth, e Kate la ringraziò, trattenendo a stento le lacrime dalla gioia. Sua madre si era ormai resa conto che è impossibile combattere in eterno contro una marea avversa: a un certo punto bisogna rassegnarsi e lasciare che ti trascini via con sé. E, se fosse successo qualcosa a Joe, lei non voleva che sua figlia avesse l'impressione che loro avevano fatto di tutto per separarli. Era molto meglio per tutti mostrarsi disponibili, a meno che Kate commettesse qualche sciocchezza. Sua madre stava già pensando di farle un discorso molto chiaro, in proposito, adesso che li aveva visti insieme. In fondo, Joe era un uomo di trentun anni, con necessità e desideri che andavano ben oltre quello che poteva essere il bene di Kate in quel momento. Finché si fossero comportati correttamente, Elizabeth era disposta ad andare loro incontro, ma sua figlia si sarebbe dovuta assumere le proprie responsabilità.

Il resto della serata passò in un attimo, e Joe se ne andò molto dopo mezzanotte; la mattina seguente si sarebbe recato a Washington in treno, non avendo la possibilità di usare un aereo. Prima di lasciare Kate la baciò a lungo, appassionatamente, e le diede appuntamento a tre giorni dopo. Lei odiava l'idea di tornare a Radcliffe mentre lui era in licenza, ma i suoi genitori insistettero perché non perdesse l'inizio dei corsi, quindi si sarebbe dovuta accontentare, sfruttando al massimo il tempo che avrebbe avuto a disposizione. L'unica concessione che le fecero fu di rimanere a casa con loro finché ci fosse stato Joe, a patto che frequentasse regolarmente le lezioni.

«Ci penserò io ad accompagnarla all'università e ad assicurarmi che ci resti», promise Joe, e improvvisamente Kate provò la sensazione di avere due padri. In fondo, nell'uomo che amava c'era sempre qualcosa di molto protettivo, e in parte anche per questo si sentiva così a suo agio con lui. Al momento di partire Joe la tenne stretta a sé a lungo, sussurrandole quanto le fosse mancata e quanto l'amasse. Lei assaporò quelle parole a una a una: non gliele aveva più sentite dire da molto, molto tempo.

«Anch'io ti amo, Joe. Sapessi come sono stata preoccupata per te...»

«Supereremo questo brutto periodo, bambina. Te lo prometto. E quando tutto sarà finito ci divertiremo moltissimo.» Non era esattamente il tipo di promessa nella quale sperava sua madre, ma a Kate non importava: stare con lui le bastava.

Joe tornò da Washington prima del previsto, due giorni dopo, e si trasferì a casa dei Jamison. Oltre alle solite maniere cortesi nei confronti di tutti loro, si mostrò estremamente rispettoso nei confronti di Kate, e di questo furono molto contenti i suoi genitori. Perfino Elizabeth rimase colpita dal suo comportamento. L'unica cosa che non aveva ancora fatto, e che li avrebbe resi molto più felici, era chiedere la mano della loro figlia.

Clarke provò ad affrontare l'argomento con estrema delicatezza un pomeriggio, quando, rientrato a casa dall'ufficio in anticipo, trovò Joe in cucina che stava buttando giù qualche schizzo per il progetto di un nuovo aeroplano.

Non c'era speranza di vederlo costruito in tempi brevi ma, una volta finita la guerra, era certo che sarebbe riuscito a realizzare l'aereo dei suoi sogni. Aveva già riempito alcuni quaderni con tutta una serie di particolari studiati attentamente.

Vedendolo intento a disegnare, Clarke gli parlò di Charles Lindbergh, che stava aiutando Henry Ford a organizzare la produzione di bombardieri. Lindbergh avrebbe voluto arruolarsi, ma F.D. Roosevelt glielo aveva impedito perché quello che stava facendo era preziosissimo per lo sforzo bellico americano. Ciò nonostante, il pubblico e la stampa continuavano a essere critici nei suoi confronti, non dimenticando le sue posizioni politiche prima del conflitto: come tutti, il padre di Kate era rimasto deluso dalle sue dichiarazioni a favore di America First, che lo avevano fatto sembrare un simpatizzante della Germania. Clarke aveva sempre considerato Lindbergh un patriota, quindi gli era parso poco in linea con il suo personaggio, e anche un po' ingenuo, che fosse rimasto tanto impressionato dai tedeschi. Di recente, però, l'aviatore si era riscattato, perché si stava impegnando a fondo per il bene della nazione.

Lentamente il discorso si spostò da Lindbergh a Kate, e Clarke, pur senza domandarlo direttamente, lasciò capire a Joe che lo incuriosivano, se non addirittura lo preoccupavano, le sue intenzioni nei confronti della figlia. Lui non esitò un istante a dirgli che la amava; fu onesto e, per quanto fosse in imbarazzo, non cercò di menare il can per l'aia. Prima si guardò le mani, poi rialzò gli occhi per fissare il padre di Kate. A Clarke piacque quello che ci lesse, come gli era sempre piaciuto. Fino a quel momento Joe non lo aveva mai deluso. Forse era solo un po' lento a muoversi, più di quanto piacesse a Elizabeth, ma sembrava che la loro figlia non desse importanza a questo fatto, e Clarke intendeva rispettare i suoi desideri. I due ragazzi stavano andando in direzione di quello che volevano, con reciproco rispetto. Erano inseparabili, e bastava guardarli per capire quanto fossero innamorati.

«Non ho intenzione di sposarla adesso», affermò Joe schiettamente, muovendosi a disagio sulla sedia come un gigantesco uccello appollaiato con le ali chiuse. «Non sarebbe giusto. Se dovesse succedermi qualcosa, si ritroverebbe vedova.» Clarke preferì evitare di rispondergli che, sposata o no, in quel caso Kate sarebbe rimasta devastata, come entrambi ben sapevano. Joe era il primo uomo del quale si fosse innamorata, e auspicabilmente anche l'ultimo, se sua madre fosse riuscita a ottenere quello che voleva. La sera precedente Elizabeth aveva detto a Clarke che secondo lei Kate e Joe si sarebbero dovuti fidanzare: sarebbe servito, se non altro, a chiarire le intenzioni di lui e a dimostrare che provava un certo rispetto per la donna che sosteneva di amare. «Non abbiamo bisogno di sposarci. Ci amiamo. Là dove sono ora non c'è nessun'altra, né ci sarà in futuro», continuò Joe. A Kate non lo aveva detto altrettanto apertamente, ma lei lo aveva capito d'istinto. Si fidava totalmente di lui, gli aveva dato il cuore, non aveva eretto difese intorno a sé, non gli aveva nascosto niente, ed era proprio questo a tormentare sua madre, non del tutto convinta che Joe avesse fatto altrettanto. Lui era un uomo abbastanza maturo, e abbastanza cauto, da tenere qualcosa per sé. Il vero problema era quanto continuasse a nascondere. Kate era molto più ingenua, fiduciosa e vulnerabile, anche se avrebbe potuto ferirlo profondamente. Ma era un'eventualità impensabile.

«Ma un giorno o l'altro pensi che ti sistemerai?» gli domandò Clarke tranquillo. Erano le prime indicazioni un po' più approfondite che aveva sui desideri di Joe; prima della guerra non avevano mai avuto occasione di parlarne.

«Suppongo di sì. Purché possa continuare a volare e a

costruire aeroplani. È quello che devo fare. E se tutto il resto riuscirà a quadrare, suppongo che potrei sistemarmi anch'io. A dire il vero non ci ho mai pensato molto.» Non stava certo chiedendo la mano di Kate, e non la si poteva nemmeno definire un'esplicita dichiarazione d'intenti; era piuttosto un «forse». La strada che Joe aveva percorso per diventare adulto era stata lunga e difficile, ed era chiaro che non sentiva una profonda necessità emotiva di sistemarsi con qualcosa o con qualcuno. Come aveva già spiegato a Kate, in fondo non aveva mai riflettuto seriamente sulla possibilità di avere figli. «È difficile pensare al futuro quando si rischia la vita quotidianamente, parecchie volte al giorno. Alla fine non c'è nient'altro che abbia davvero importanza.» Partecipava a tre missioni al giorno, e a ogni decollo sapeva che poteva non esserci un ritorno. Era difficile pensare a qualcosa di diverso e, in effetti, Joe non lo voleva neanche. Doveva solo concentrarsi su quello che stava facendo, sull'abbattere gli aerei nemici, il resto era privo di significato. In quei momenti anche Kate non contava più: ricordarla era un lusso che poteva concedersi solo dopo avere portato a termine l'incarico assegnatogli, perciò avrebbe dovuto aspettare finché lui avesse concluso ciò che stava facendo, e in quel periodo stava facendo la guerra.

«Io amo Kate, signor Jamison», ripeté a Clarke, che gli porgeva un bicchiere di bourbon. Lo accettò e cominciò a sorseggiarlo. «Crede che lei sarebbe felice con un tipo come me? Che qualunque donna potrebbe esserlo? Per me volare è la prima cosa, e lo sarà sempre. Sua figlia deve saperlo.» A modo suo, Joe era un genio dell'ingegneria aeronautica, e aveva dimostrato di poter volare in qualsiasi condizione, conosceva alla perfezione l'aerodinamica, ma molto meno le donne, e se ne rendeva conto. Anche Clarke stava cominciando a capirlo, mentre la madre di Kate lo aveva intuito fin dall'inizio.

«Secondo me, lei sarebbe felice se tu le offrissi una vita stabile e le volessi bene. Penso che desideri quello che, a un certo punto dell'esistenza, desiderano tutte le donne: un uomo sul quale poter contare, una casa comoda, i figli. Le cose fondamentali.» Se avesse voluto vivere nel lusso, i suoi genitori avrebbero potuto provvedere anche a quello, e con l'eredità che le avrebbero lasciato non si sarebbe mai trovata in difficoltà finanziarie, ma il sostegno affettivo e la sicurezza sarebbero dovuti venire da Joe, se lui si fosse sentito in grado di assicurarglieli.

«Non credo che sia così complicato», rispose Joe facendosi coraggio dopo una sorsata di bourbon.

«A volte lo è più di quanto si pensi. Le donne si agitano per le cose più incredibili, e non si possono scaraventare nel baule di una macchina come se fossero una valigia. Se non sai acchiapparle per il verso giusto, se non ti prendi cura di loro sentimentalmente o da altri punti di vista, nascono le complicazioni.» Era un consiglio saggio, ma Clarke non era sicuro che Joe fosse pronto ad ascoltarlo.

«Credo che lei abbia ragione. Non ci ho mai riflettuto. Non ho mai dovuto farlo.» Si agitò di nuovo sulla sedia e abbassò lo sguardo. Dopo un attimo riprese a parlare, fissando il contenuto del bicchiere. «Non posso pensare seriamente a tutto questo, adesso. Tanto per cominciare, è troppo presto, Kate e io ci conosciamo appena, e in secondo luogo il mio unico pensiero è ammazzare i tedeschi. Dopo, quando la guerra sarà finita, potremo stabilire di che colore vogliamo il pavimento e quali tende preferiamo. In questo momento non abbiamo nemmeno una casa. Penso che nessuno dei due sia pronto a prendere decisioni importanti.» Era un discorso molto sensato, viste le circostanze, e probabilmente era anche la verità, ma Clarke rimase ugualmente deluso. In fondo, sperava che Joe gli chiedesse la mano di sua figlia. Certo, non aveva detto di non volerlo fare, però aveva ammesso di non sentirsi pronto. Forse era meglio che fosse stato onesto. Però Clarke era sicuro che se lui si fosse deciso a farsi avanti Kate ne sarebbe stata felice: a diciannove anni, era più pronta a sistemarsi, almeno con Joe, di quanto lo fosse lui a trentuno.

Fino a quel momento la vita di Joe era stata molto diversa: aveva girato il mondo, passando da una pista di atterraggio all'altra e concentrandosi sull'aviazione. Aveva sogni grandiosi riguardo agli aeroplani, ma non ne aveva praticamente nessuno per la vita di quotidiana. Quello di cui avrebbe avuto bisogno dopo la guerra, almeno così pensava Clarke, sarebbe stato concentrarsi di più su quello che stava succedendo a terra, invece di rimanere con gli occhi costantemente rivolti al cielo. Sotto certi aspetti, Joe Allbright era un sognatore. Ma la domanda, adesso, era un'altra: i suoi sogni includevano Kate?

«Che cos'ha detto?» domandò quella sera Elizabeth al marito, dopo che si erano ritirati in camera, chiudendo la porta. Era stata lei a pregarlo di fare quel discorso a Joe, se ne avesse avuto l'opportunità. E, per compiacerla, lui era tornato a casa dall'ufficio in anticipo proprio per avere il tempo necessario di parlare con Joe prima del ritorno di Kate dal college.

«In poche parole? Sostiene di non essere pronto, anzi, per la precisione loro non sono pronti.» Clarke cercava di non avere l'aria troppo delusa, in modo da non turbare la moglie.

«Secondo me Kate sarebbe pronta, se lo fosse anche lui», rispose Elizabeth con tristezza.

«È quello che credo anch'io. Ma non puoi forzargli la mano. Joe sta combattendo una guerra, e rischiando la vita ogni giorno. È difficile convincerlo che, in questo momento, la sua necessità primaria è quella di fidanzarsi.» Visto che Kate era così innamorata, i genitori si erano accordati di fare tutto il possibile per aiutarla, ma a loro sarebbe piaciuto che la situazione si definisse prima della partenza di Joe. Ma ormai era chiaro che, se non altro in questa occasione, non sarebbe stato festeggiato nessun fidanzamento. Forse in seguito. «In ogni caso, non mi pare che lui sia il tipo di uomo che vede con piacere l'idea di sistemarsi, però ritengo che potrebbe diventarlo, per amore di Kate. Non ho il minimo dubbio che la ami, me l'ha anche detto, e io gli credo. Non va in cerca di altre donne, è pazzo di lei. Ma è anche pazzo dei suoi aeroplani.» Proprio quello che Elizabeth aveva sempre temuto.

«E che succederà se lei rimane ad aspettarlo e dopo la guerra Joe scopre di non avere voglia di sistemarsi? Kate sprecherebbe anni, e lui le spezzerebbe il cuore.» Non esistevano garanzie che non sarebbe successo. Anche nel caso in cui Joe l'avesse sposata, sarebbe potuto morire, e lei si sarebbe ritrovata vedova. In quel caso, però, forse lei avrebbe avuto un bambino, e almeno quello sarebbe stato qualcosa. Ma, naturalmente, i suoi genitori non si auguravano niente del genere. Clarke cominciava a pensare che forse Joe sarebbe sempre stato un po' eccentrico: certo, era così brillante che gli si poteva scusare qualche stranezza, ma sicuramente questo rendeva tutto più difficile. Giunse però alla conclusione che si sarebbero dovuti mostrare pazienti, e lo ribadì alla moglie.

«Pensi che volesse far capire che non ha alcuna intenzione di sposarsi?» domandò lei in preda al panico. Suo marito rimase calmo.

«No, niente affatto. Secondo me un giorno lo farà. Ho conosciuto altri come lui. Ci vuole solo un po' più di tempo per farli entrare nella stalla», rispose con un sorriso, «perché alcuni cavalli sono meno docili di altri, e questo è un cavallo selvaggio. Cerca di stare tranquilla. Per fortuna Kate non sembra particolarmente agitata per tutto questo.»

«Invece è proprio quello che agita me. Con lui sarebbe pronta ad andare sulla luna. È innamorata pazza e accetterebbe di fare tutto quello che Joe le chiedesse. Ma io non voglio vederla vivere in una tenda a lato della pista di atterraggio di chissà quale aeroporto.»

«Non credo che si arriverebbe mai a una cosa del genere. Potremmo sempre comprare una casa per loro.»

«Il problema non è la casa, ma chi ci vive e chi no.»

«Vedrai che ci vivrà anche lui», la rassicurò Clarke convinto.

«Mi auguro di essere ancora viva per vederlo con i miei occhi», rispose lei rattristata. Suo marito le diede un bacio.

«Non siamo a questo punto! Mi sembra che tu sia ancora ben lontana dal festeggiare il secolo, amore mio.» Ma in quel periodo Elizabeth si sentiva stanca e anche depressa perché stava per toccare la sessantina e desiderava disperatamente vedere sua figlia sistemata e felice. Purtroppo, quello non era il momento giusto. C'era la guerra.

Quella sera Joe accennò con Kate al discorso fatto con Clarke. Lei ne rimase sconvolta.

«È disgustoso», esclamò, offesa. Aveva l'impressione che i suoi genitori intendessero costringerlo a sposarla, ma lei voleva Joe soltanto se lui la voleva. «Perché mio padre ha fatto una cosa del genere?»

«Sono solo preoccupati per te», rispose lui calmo. Capiva la situazione, benché lo mettesse a disagio. Mai, prima di allora, si era visto costretto a fornire spiegazioni su se stesso e sul proprio comportamento, mai aveva dovuto dire chiaro e tondo che cosa voleva, che cosa faceva e dove andava. «Non lo fanno per cattiveria, Kate. Vogliono il meglio per te, e forse anche per me. Anzi, sinceramente ne sono quasi lusingato. Non mi hanno detto di andarmene da casa loro, né che io non sono all'altezza della loro bambina, e avrebbero potuto farlo. Desiderano soltanto sapere se per caso ho intenzione di squagliarmela, e se ti amo sinceramente. E, tanto perché tu lo sappia, ti avverto che l'ho detto anche a tuo padre. Quanto al resto, al mio ritorno dall'Inghilterra vedremo il da farsi, e Dio solo sa che cosa sarà successo allora.» Come i suoi genitori, Kate non gradì il tono di quel discorso, però non aveva alcuna intenzione di metterlo alle strette. Lo aveva già fatto Clarke e, benché Joe fosse di buon carattere, lei era davvero infastidita dall'atteggiamento del padre. In ogni caso, era felice che Joe non ne fosse rimasto turbato. Sapeva anche che qualunque cosa lui avesse detto che ai suoi genitori non fosse piaciuta, in futuro avrebbe ossessionato anche lei, ma in quel momento non poteva preoccuparsene. Aveva ben altro per la testa.

I giorni che passarono insieme nel settembre 1942 furono pieni di magia. Kate andava a scuola e alla fine delle lezioni Joe andava a prenderla. Trascorrevano ore a chiacchierare e a passeggiare, sedevano sotto gli alberi e discutevano della vita e di tutto ciò che per loro aveva importanza. Nel caso di Joe per lo più erano gli aerei, ma c'erano anche altre cose, persone, luoghi e progetti. Affrontare ogni giorno la morte aveva fatto sì che la vita diventasse per lui ancora più preziosa. Trascorrevano pomeriggi indolenti a tenersi per mano e baciarsi, e avevano deciso che non avrebbero fatto all'amore. A mano a mano che i giorni volavano via diventava sempre più difficile lottare contro l'impegno che avevano preso, ma riuscirono a mantenerlo. Come non voleva fare di lei una vedova, Joe non voleva nemmeno lasciarla in attesa di un figlio, quando fosse ripartito. E se un giorno si fossero sposati, voleva che avvenisse in seguito a una scelta ben precisa, non perché erano stati costretti a farlo. Kate non poté che convenirne, per quanto una parte di lei desiderasse avere un bambino da lui, se gli fosse successo qualcosa. Non restava che avere fiducia nel futuro. Non esistevano promesse né certezze, soltanto le speranze, i sogni e il tempo che avevano passato insieme. Il resto era completamente ignoto.

Quando Joe se ne andò erano più innamorati che mai, e ormai sapevano tutto l'uno dell'altra. Si completavano alla perfezione, come due tessere di un mosaico: erano diversi, ma c'era un'armonia così totale fra loro che sentivano di essere nati per stare insieme. Di tanto in tanto lui si mostrava ancora imbarazzato, timido, taciturno, assorto nei propri pensieri, ma Kate riusciva a capirlo e si affezionava sempre più alle sue piccole manie e stranezze. Questa volta, quando la baciò prima di partire, Joe aveva gli occhi pieni di lacrime. Le disse che l'amava e le assicurò che le avrebbe scritto appena fosse arrivato in Inghilterra. Fu l'unica promessa che le fece. Ma a Kate bastava.

6

Nell'ottobre 1942 il conflitto si inasprì, ma i bollettini cominciarono a diventare più incoraggianti di quanto fossero stati fino a quel momento. Gli australiani e i loro alleati avevano scacciato dalla Nuova Guinea i giapponesi, che cominciavano ad avere qualche cedimento anche nell'isola di Guadalcanal. Gli inglesi stavano finalmente fiaccando la resistenza tedesca nell'Africa del Nord e Stalingrado non aveva ancora ceduto nella dura lotta contro i tedeschi, per quanto la sorte della città fosse appesa a un filo.

Joe era continuamente in missione, e quella che eseguì sopra Gibilterra fu un successo storico: con altri tre piloti a bordo degli Spitfire riuscì ad abbattere dodici bombardieri tedeschi Stuka durante un'azione preparatoria dell'imponente campagna alleata conosciuta come «Operazione Torcia». Fu decorato con la Distinguished Flying Cross dagli inglesi, poi tornò a Washington per ricevere anche quella americana direttamente dalle mani del presidente. Kate era stata avvertita con notevole anticipo del suo ritorno, e tre giorni prima di Natale prese il treno da Boston per raggiungere Washington e rivederlo. Avevano quarantotto ore a disposizione prima che Joe dovesse tornare in Inghilterra, e ancora una volta lo considerarono entrambi un regalo prezioso e inatteso. Il ministero della Guerra offrì a Joe una camera in un albergo, dove Kate ne prenotò una sullo stesso piano. Partecipò alla cerimonia alla Casa Bianca, il presidente le strinse la mano, poi lei e Joe posarono per una fotografia con lui. Tutto questo le diede l'impressione di vivere un film.

Joe la invitò fuori a cena; con al petto la medaglia, le parve più bello che mai.

«Ancora non riesco a credere che tu sia qui», gli disse, guardandolo radiosa. Lui era davvero un eroe. Durante la cerimonia Kate aveva provato uno strano miscuglio di gioia e tristezza, non potendo fare a meno di pensare che Joe sarebbe potuto rimanere ucciso. In quel periodo tutto era dolce-amaro: ogni giorno di vita per l'uomo che amava era un dono, ma quasi quotidianamente Kate riceveva la notizia della morte di tanti ragazzi. Lei, fino a quel momento, era stata molto fortunata, ma non poteva fare altro che pregare.

«Anche a me non sembra vero», rispose Joe bevendo un sorso di vino. «Ma prima di rendermene conto mi ritroverò di nuovo in Inghilterra a gelarmi il fondoschiena.» In America, invece, dato che la guerra non era altrettanto vicina, l'atmosfera sembrava più festosa. Dappertutto c'erano alberi illuminati, gruppi che cantavano canzoni natalizie e bambini sorridenti che aspettavano l'arrivo di Babbo Natale. E anche fra gli adulti c'erano ancora visi lieti e sereni, in contrasto con quelli sofferenti, affamati, impauriti che si vedevano in Europa, dove tutti erano sfiniti dai bombardamenti e dalle incursioni aeree. Da un momento all'altro la gente aveva perso la casa, la famiglia, gli amici. In Inghilterra era impossibile sentirsi felici in quei giorni, anche se le persone che Joe conosceva erano tutte molto coraggiose.

Washington gli sembrava una specie di paese delle fiabe,

e altrettanto valeva per Kate. Dopo cena tornarono a piedi in albergo, dove si fermarono a chiacchierare nel grande salone vicino all'atrio. Vi rimasero a lungo, perché non avevano voglia di separarsi. Con il passare delle ore il vasto ambiente diventò sempre più freddo, ma Kate pensava che non fosse corretto continuare la conversazione in una delle loro camere. I suoi genitori avrebbero voluto accompagnarla a Washington, non tanto per controllarla, quanto per partecipare alla cerimonia della decorazione di Joe, ma non erano potuti andare perché Clarke aveva alcuni clienti importanti in arrivo da Chicago ed Elizabeth doveva essere al suo fianco. Avevano lasciato capire alla figlia che si fidavano di lei, inoltre sapevano che Joe era un uomo responsabile. Alla fine i due giovani si accorsero di essere davvero intirizziti, così lui propose di salire nella sua stanza, promettendole di comportarsi bene. Kate aveva le mani talmente gelate che non riusciva quasi più a muoverle, e batteva i denti. Fuori nevicava e il freddo era intenso.

Si avviarono su per la stretta rampa di scale; l'albergo era molto piccolo e i prezzi delle camere erano modestissimi, perché la clientela era composta in gran parte da militari. Le stanze, di dimensioni ridotte, erano arredate con estrema semplicità ma, visto che si sarebbero fermati solo due giorni, non ci avevano dato peso. In fondo, volevano solo stare insieme. Avere Joe accanto era stato l'unico regalo di Natale che Kate aveva desiderato, e non si era certo aspettata di riceverlo. Aveva sofferto terribilmente per la sua mancanza da settembre in poi, ma ora che lo aveva davanti avvertiva un vago senso di colpa; molte donne e ragazze che conosceva non avevano più posato gli occhi sul fratello o sul fidanzato dal giorno dell'attacco a Pearl Harbor, mentre lei negli ultimi quattro mesi aveva visto Joe ben due volte.

Se non altro c'era un vantaggio nell'avere una camera

piccola: era un po' più calda del salone al pianterreno. In ogni stanza c'erano un letto, una poltrona, un cassettone, un lavabo e – in quello che doveva essere stato un armadio a muro – una doccia e un water. L'unico posto dove appendere gli abiti era una serie di ganci dietro la porta, ma Kate era soddisfatta di avere almeno il bagno privato.

Quando furono nella camera di Joe, lui si mise a sedere sul letto e Kate in poltrona. Joe aprì la piccola bottiglia di champagne che aveva comprato al suo arrivo a Washington per festeggiare la decorazione che adesso portava sul petto.

Kate era ancora strabiliata al pensiero di essere stata ricevuta alla Casa Bianca. La signora Roosevelt si era mostrata molto gentile con lei, e le era sembrata proprio come se l'aspettava. Chissà perché, aveva subito notato che la first lady aveva mani bellissime e ne era rimasta incantata. Avrebbe ricordato per sempre ogni particolare di quel pomeriggio. Joe era meno emozionato, ma negli anni aveva frequentato posti interessantissimi con Charles e aveva visto cose e persone che lo avevano colpito ancora di più, come le straordinarie acrobazie con gli aerei o i piloti più famosi. Era contento della medaglia ricevuta, anche se provava tristezza e dolore al pensiero dei compagni morti nel corso di quella stessa missione. Avrebbe preferito non ricevere nessun riconoscimento ma averli con sé al suo ritorno in patria, perciò non aveva voglia di festeggiare l'avvenimento. Aveva già perso tanti amici. Ne parlarono mentre lui le serviva lo champagne.

La poltrona dove si era sistemata Kate risultò così scomoda che Joe finì con l'invitarla a sedersi sul letto. Lei sapeva che forse era una sfida al destino, ma era certa che non avrebbero fatto stupidaggini, quindi accettò senza la minima esitazione.

Continuarono a chiacchierare; Kate bevve solo mezzo

bicchiere di champagne, Joe due. Dopo un po' lei disse che era giunta l'ora di tornare nella sua camera.

Prima che si alzasse, Joe la baciò. Fu un bacio lungo, lento, colmo di tutta la tristezza e lo struggimento che avevano provato per tanto tempo e della gioia di essersi ritrovati. Alla fine Kate era senza respiro, e così anche Joe. Improvvisamente entrambi provarono una sensazione fortissima, come se tutte le privazioni di quell'ultimo anno fossero piombate di colpo sulle loro spalle e loro non potessero saziarsi l'uno dell'altra. Non avevano mai provato un desiderio così intenso. Ormai Joe non pensava più a quello che stava facendo quando la aiutò a sdraiarsi sul letto prima di ricominciare a baciarla; poi si allungò dolcemente sopra di lei, e Kate si accorse con grande stupore di non volerlo respingere. Dovevano entrambi riprendere fiato e fermarsi subito, altrimenti non ci sarebbero più riusciti, e lo capivano. Lui le bisbigliò con voce roca che l'amava infinitamente.

«Anch'io ti amo», sussurrò Kate. Voleva continuare a baciarlo, a stringerlo, a sentirlo sopra di sé e, senza quasi accorgersene, cominciò a slacciargli i bottoni della giacca: desiderava sentire il contatto con la sua pelle, sfiorargliela con le labbra. Le pareva di non averne mai abbastanza di lui, e Joe si rese conto che non sarebbe riuscito a controllarsi ancora per molto.

«Che cosa stai facendo?» mormorò mentre lei gli toglieva la giacca e iniziando a slacciarle i bottoncini della camicetta. Un attimo dopo aveva i suoi seni fra le mani e si chinava a baciarli. Kate si lasciò sfuggire un gemito mentre lui le toglieva la camicetta e poi il reggiseno. Joe, tolta la maglia, rimase a petto nudo. Il contatto della carne aveva qualcosa di ipnotico. «Bambina... vuoi fermarti?» le domandò. Stava cercando di riprendere in mano una situazione che gli sfuggiva sempre più in fretta. Il solo vederla lì, sentirla così vicina, gli impediva di ragionare.

«So che dovremmo smettere», rispose lei fra un bacio e l'altro. Ma non voleva, non poteva. Si erano sforzati di reprimere il desiderio per troppo tempo, e ora le barriere erano crollate. Proprio mentre Kate cominciava ad abbandonarsi alle sue carezze, Joe si scostò bruscamente e la guardò.

«Ascoltami... non dobbiamo farlo se non vuoi...» Era l'ultimo tentativo di salvarla, ma lei non voleva essere salvata, voleva soltanto amarlo ed essere amata.

«Sapessi quanto ti amo... Ti desidero, Joe...» Voleva fare all'amore con lui prima che se ne andasse di nuovo. Dopo la cerimonia di quel giorno aveva capito una volta di più quanto la vita fosse effimera: c'era il rischio che l'uomo che amava non tornasse mai più, e adesso Kate voleva vivere quell'esperienza con lui. Joe la baciò di nuovo, poi le tolse con delicatezza gli altri indumenti e si spogliò a sua volta; subito dopo si ritrovarono sdraiati sul letto, con i vestiti gettati in un mucchio disordinato sul pavimento. Joe accarezzava quel corpo stupendo con gesti dolci e lo baciava dappertutto, assaporando il momento, il contatto con la sua pelle e i gemiti sommessi che le sfuggivano sotto le sue labbra e le sue dita. Quando entrò in lei Kate lo stava baciando, e avvertì dolore solo per un attimo, poi gli sì abbandonò totalmente. Joe non aveva mai amato nessuna donna come lei, non si era mai dato così pienamente; si lasciò travolgere dalla passione e quasi si spaventò, sentendosi scomparire dentro di lei mentre la sua anima si fondeva con quella di Kate e il suo corpo si struggeva nel possederla. Fecero all'amore a lungo, e quando tutto fu finito si ritrovarono svuotati, incapaci di muoversi. Fu Joe il primo a parlare; si girò lentamente su un fianco e la guardò con una tenerezza infinita. Kate aveva spalancato porte, in lui, delle quali non aveva mai immaginato l'esistenza.

«Ti amo», le bisbigliò fra i capelli mentre le faceva

scorrere un dito lungo il fianco, poi la coprì premurosamente con il lenzuolo. Lei, che si stava addormentando, gli sorrise. Non provava né vergogna, né rimpianto, né dolore. Mai in tutta la vita era stata così felice: adesso, finalmente, gli apparteneva.

Quella notte non tornò nella sua camera ma rimase con lui; Joe le rimboccò le coperte e le scivolò vicino. Avrebbe voluto prenderla ancora una volta, ma temeva di farle male. Invece, la mattina seguente, fu Kate a cercarlo, e bastarono pochi istanti perché si ritrovassero e si abbandonassero a un piacere sublime. La loro vita aveva nuovi orizzonti, erano nati nuovi sentimenti. Dopo l'amore, lei si alzò e lo guardò, rendendosi conto che tra loro si era creato un legame più profondo. Non importava dove Joe fosse stato e dove sarebbe andato: istintivamente Kate sapeva che sarebbe stata sua per il resto della loro esistenza.

7

QUESTA volta lasciare Joe a Washington fu ancora più doloroso: adesso era una parte di lei, e nei suoi confronti si mostrava anche più tenero e affettuoso di prima, un po' come se intuisse che Kate era diventata sua e volesse proteggerla a ogni costo. Le raccomandò mille volte di stare attenta durante il viaggio di ritorno a casa, di avere cura di sé, di non fare sciocchezze. Avrebbe voluto rimanere lì con lei, ma doveva tornare in Inghilterra per riprendere le missioni di combattimento. Il momento della separazione fu straziante per entrambi.

«Scrivimi ogni giorno... Kate, ti amo», le disse quando la accompagnò alla Union Station. Lei ebbe l'impressione che il suo cuore si spezzasse. Appena il treno partì Joe cominciò a correre lungo il marciapiede, poi rimase sotto la pensilina a salutarla con grandi gesti delle braccia che lei ricambiò con la mano, mentre le lacrime le scendevano a fiotti sulle guance. Non riusciva più a immaginare di stare senza di lui, ed era assolutamente sicura che se Joe fosse morto, questo l'avrebbe uccisa. Non voleva vivere una sola ora più di lui. Le tornò di nuovo in mente il dolore provato quando aveva perduto suo padre: la partenza dell'uomo che amava le faceva provare ancora quella sensazione di vuoto che aveva tentato di dimenticare per metà della sua esistenza.

Rimase seduta al suo posto in silenzio con gli occhi chiusi per quasi tutto il viaggio. Era la vigilia di Natale, e prima che lei fosse rientrata a casa Joe sarebbe già stato a bordo di un aereo diretto in Inghilterra. Sarebbe arrivata a Boston a sera inoltrata, ma i suoi genitori sarebbero certo rimasti alzati ad aspettarla. Quando scese dal treno e chiamò un taxi, si accorse di non essere quasi capace di pronunciare una sola parola, tanto era chiusa nel proprio dolore. Ciò che Joe le aveva dato, e che le aveva permesso di dargli, avrebbe suggellato per sempre la loro unione, ed era stata l'ultima tessera del mosaico. Lui non le aveva chiesto di sposarlo, ma non era stato necessario: Kate sentiva, esattamente come Joe, che le fibre stesse del loro essere erano ormai fuse, erano diventate una cosa sola.

Quando Elizabeth la guardò in faccia, quella sera al suo ritorno a casa, dove la stava aspettando con Clarke in salotto, ebbe l'impressione che fosse successo qualcosa di terribile. In realtà il problema era solo che Kate non riusciva a sopportare l'idea di aspettare mesi o anni prima di rivedere l'uomo che amava, né tanto meno la possibilità che si verificasse l'evento più tragico. All'improvviso tutto era diverso, da quando ogni barriera fra loro era stata abbattuta.

«C'è qualcosa che non va?» le domandò la madre spaventata, vedendole dipinta sul viso un'espressione lugubre, come se le fosse morta una persona cara. Kate scosse la testa, riflettendo che qualcosa era finito, era scomparso: la sua libertà. Ormai non era più soltanto una ragazza innamorata di un uomo, ma faceva parte di un meccanismo molto più grande, e aveva l'impressione che senza Joe non sarebbe più riuscita a funzionare.

«No», rispose con una vocina poco convincente.

«Sei sicura? Avete litigato prima che lui partisse?» A volte succedeva anche quello, a causa della tensione.

«No, lui è stato meraviglioso», e di colpo Kate scoppiò in lacrime buttandosi fra le braccia di Elizabeth, mentre suo padre la fissava preoccupato. «E se dovessero ucciderlo, mamma? E se non tornasse mai più?» D'un tratto la passione, la paura, lo struggimento, i sogni, le esigenze, l'eccitazione e la delusione si erano fuse in lei, provocando un'esplosione gigantesca.

«Dobbiamo soltanto pregare, tesoro. Non possiamo fare altro. Se è destino, Joe tornerà. Ma tu devi essere coraggiosa», rispose la madre con dolcezza, guardando al di sopra della spalla di Kate il marito con occhi inquieti.

«Ma io non voglio essere coraggiosa», singhiozzò lei. «Voglio che Joe torni a casa... voglio che la guerra finisca.» Sembrava una bambina, e i suoi genitori erano addolorati per lei, anche se una buona metà del mondo stava affrontando le stesse sofferenze.

Alla fine si decise a sedersi sul divano e riuscì a riacquistare il controllo. La mamma le diede un fazzoletto e il papà la abbracciò forte. Più tardi, dopo averle rimboccato le coperte come faceva quando Kate era piccola, Elizabeth raggiunse il marito in camera, chiudendo la porta con un sospiro.

«Era esattamente quello che non volevo per lei», disse con tristezza. «Non volevo che lo amasse in questo modo. Ormai è troppo tardi. Non sono fidanzati, non sono sposati, lui non ha fatto promesse. Non hanno niente. Si amano e basta.»

«Eppure è moltissimo. Magari è proprio quello di cui hanno bisogno. Essere marito e moglie non servirebbe a tenere Joe in vita, la sua sorte è nelle mani di Dio. Almeno si vogliono bene.»

«Se dovesse succedergli qualcosa, lei non riuscirà mai

più a riprendersi.» Evitò di confidarglielo, ma veder piangere sua figlia le aveva fatto tornare in mente quanto avesse sofferto quando il suo vero padre era morto.

La mattina dopo Kate si svegliò di pessimo umore, un umore tutt'altro che natalizio. La madre le regalò una splendida collana e un paio di orecchini di zaffiri, e il padre le promise che se avesse imparato a guidare un po' meglio le avrebbe comprato un'auto sulla quale aveva già messo gli occhi, un modello di due anni prima ma in condizioni perfette. Con la benzina razionata, le occasioni di fare pratica erano pochissime, e secondo Elizabeth l'idea della macchina non era una delle migliori. Kate aveva comprato due bellissimi regali per i genitori; quando però sedette a tavola per la cena di Natale non riuscì a pensare ad altro che a Joe e si chiuse nel mutismo più completo. Ormai lui era atterrato in Inghilterra, e forse era già ripartito in missione con il suo bombardiere.

Anche nelle settimane successive Kate rimase triste e abbattuta. Sua madre cominciò a preoccuparsi seriamente: ogni volta che tornava dal college per passare la notte a casa e durante i fine settimana, sua figlia era pallida e aveva l'aria stanca. A quanto pareva, non aveva più nemmeno quel minimo di vita sociale che faceva prima e Andy, che le telefonava spesso, continuava a lamentarsi perché non la vedeva da un secolo. Kate aveva voglia di fare soltanto due cose: dormire e rileggere le lettere di Joe. Anche lui sembrava altrettanto depresso: era stato duro tornare in Inghilterra, e il tempo era pessimo. Avevano dovuto rinunciare a parecchie missioni, e lui e i suoi compagni si annoiavano e si sentivano irrequieti.

Quando arrivò il giorno di San Valentino, sua madre decise di prendere provvedimenti. Aveva osservato la figlia la sera prima, una domenica, a cena: non aveva quasi toccato cibo, era smunta e affaticata, e ogni volta che parlava di

Joe scoppiava in lacrime. Appena Kate fu ripartita per l'università, Elizabeth disse a Clarke che intendeva portarla da un medico.

«Soffre solo di solitudine», rispose lui, che non riteneva la situazione così grave. «Fa freddo, viene buio presto, e Kate lavora sodo a scuola. Tornerà quella di prima, vedrai. Devi darle un po' di tempo. E poi, chissà che Joe non ottenga presto un'altra licenza.»

Invece in quel periodo, nel febbraio 1943, lui era impegnato in missioni sempre più frequenti. Anche se in genere gli affidavano le incursioni diurne perché gli inglesi preferivano effettuare loro stessi quelle notturne, aveva preso parte all'attacco contro Wilhelmshaven e gli avevano proposto di partecipare anche al bombardamento di Norimberga.

Una settimana dopo, verso la fine del mese, fu Kate stessa a farsi prendere dal panico. Aveva visto Joe otto settimane prima, e se all'inizio il suo era stato solo un sospetto, ormai ne aveva la certezza: era incinta. Non aveva idea di che cosa fare, ma non voleva parlarne con i genitori. Si era fatta dare il nome di un dottore di Mattapan da una compagna di scuola, fingendo che le servisse per un'amica, poi però non aveva avuto il coraggio di telefonargli. Se avesse avuto un bambino adesso sarebbe stato un disastro, avrebbe dovuto lasciare la scuola, tutti sarebbero rimasti scandalizzati e, anche se lo avessero voluto, lei e Joe non si sarebbero potuti sposare. Lui l'aveva appena informata di non avere nessuna possibilità di ottenere una licenza a breve termine, e Kate si era ben guardata dal dirgli per quale motivo glielo aveva domandato, limitandosi a spiegargli che lui le mancava terribilmente. Non avrebbe mai voluto imporgli, o anche solo pregarlo, di regolarizzare la loro unione; d'altra parte, se avesse preso la decisione di abortire e poi fosse successo qualcosa a Joe, non se lo sarebbe mai perdonato. Sposata o no, avrebbe voluto il suo bambino. Così, invece di prendere una decisione, lasciò passare il tempo, finché capì che ormai era troppo tardi per interrompere la gravidanza, anche se non aveva ancora riflettuto su che cosa dire ai suoi, né pensato all'imbarazzo che avrebbe provato trovandosi costretta a spiegare al college le condizioni in cui si trovava.

Una sera Andy passò a salutarla alla mensa del pensionato e le chiese se avesse l'influenza; ad Harvard l'avevano avuta tutti, e gli sembrava che l'amica non avesse il solito aspetto. Effettivamente, Kate soffriva di violente nausee fin dall'inizio di gennaio, e adesso si era quasi a marzo. Ormai aveva deciso di non abortire: non aveva altra scelta e, tutto sommato, voleva tenere il bambino. Era il figlio di Joe. Avrebbe aspettato a informare i genitori fino all'ultimo: calcolava che a Pasqua si sarebbe cominciato a notare qualcosa, quindi pensava di lasciare la scuola entro quel periodo. Avrebbe preferito continuarla almeno sino alla fine dei corsi per poi tornare in autunno, subito dopo il parto, ma a giugno sarebbe stata incinta di quasi sei mesi, e sarebbe stato praticamente impossibile nascondere la gravidanza. Quanto prima avrebbe dovuto affrontare critiche e scenate. La sorprendeva molto che la mamma non sospettasse ancora niente: appena se ne fosse accorta sarebbe andata su tutte le furie. Non solo, ma suo padre e sua madre non avrebbero perdonato facilmente Joe.

A lui non aveva raccontato niente di quello che stava succedendo, per quanto gli scrivesse ogni giorno. Ci aveva riflettuto a lungo ed era giunta alla conclusione che fosse inutile metterlo in agitazione o farlo arrabbiare. Joe aveva bisogno di mantenere la lucidità mentale per compiere le missioni, e lei non voleva che i suoi problemi gli facessero perdere la concentrazione. Era determinata ad affrontare gli eventi da sola, e intanto ogni mattina vomitava sul pavimento del bagno e si trascinava sempre più a fatica alle lezioni. Le compagne che alloggiavano nel suo stesso pensionato si erano accorte che aveva sempre sonno, e la sorvegliante le aveva domandato se non fosse il caso di farsi vedere da un medico. Lei continuava a sostenere di stare benissimo, di essere solo eccessivamente impegnata con lo studio, anche se il suo rendimento stava nettamente peggiorando, cosa di cui tutti i suoi professori si erano accorti. La sua vita si stava rapidamente trasformando in un incubo; era terrorizzata al pensiero di come avrebbero reagito i suoi genitori quando si fosse decisa a confessare la verità. Temeva che suo padre avrebbe costretto Joe a sposarla al suo ritorno in patria, ma lei non aveva intenzione di permetterglielo. L'uomo che amava era uno spirito libero, ed era stato molto chiaro quando le aveva detto di non volere figli; forse un giorno avrebbe cambiato idea, avrebbe scoperto di amare profondamente una creatura nata da lui, ma Kate non avrebbe permesso che qualcuno lo obbligasse ad accettare il bambino. In quel periodo, in mezzo a tante difficoltà, era totalmente sicura solo del suo amore per Joe e di volere a ogni costo il figlio che aspettava da lui.

«Allora, che fai di bello ultimamente?» le chiese Andy un pomeriggio, quando passò a farle una visitina al ritorno da Harvard. Il primo anno di giurisprudenza si stava rivelando molto faticoso, e lui ne sentiva tutto il peso. Si incamminarono chiacchierando attraverso l'Harvard Yard, e il bel ragazzo alto, bruno, dinoccolato, attirava l'attenzione di tutte le studentesse che incontravano.

«Ti viziano in un modo vergognoso», scherzò Kate, e Andy rise. Aveva uno splendido sorriso, e i suoi grandi occhi scuri trasmettevano calore e dolcezza.

«Accidenti, bisogna pur pensare a far divertire queste ragazze al posto dei nostri compagni in uniforme. È un lavoraccio, ma qualcuno deve farlo.» In effetti, si stava segretamente accorgendo che rimanere a casa era divertente, e a poco a poco stava superando l'imbarazzo per essere stato riformato.

«Sei disgustoso, Andy Scott», ribatté lei.

Quell'estate lui aveva intenzione di tornare all'ospedale come volontario. Kate, invece, aveva temporeggiato di fronte all'idea di un lavoro estivo, anche perché a quel punto la gravidanza sarebbe stata evidente, e nessuno avrebbe assunto una ragazza madre. Stava progettando di ritirarsi nella casa di famiglia a Cape Cod fino alla nascita del bambino; nel giro di qualche settimana avrebbe dovuto informare l'amministrazione dell'università che a partire da Pasqua avrebbe smesso di frequentare i corsi. Ciò significava che non si sarebbe potuta laureare con la sua classe, ma, con un po' di fortuna, forse avrebbe perso soltanto un semestre. Sarebbe stata felice se in autunno l'avessero accettata di nuovo. Naturalmente avrebbe dovuto informare i suoi superiori del motivo per cui se ne andava; del resto, non era certo la prima donna alla quale capitava una cosa del genere, e ormai ci si era rassegnata. Continuava a domandarsi che cosa avrebbe pensato Joe quando lo avesse saputo. Aveva deciso di non dirgli niente finché fosse tornato in licenza, anche se in tal modo il bambino sarebbe potuto nascere senza che il padre lo sapesse. Ormai era così amica di Andy che quasi le dispiaceva non confessargli la verità, però non poteva farlo; e poi, probabilmente sarebbe rimasto sconvolto e avrebbe cambiato opinione su di lei. Ma era un prezzo che era pronta a pagare.

«Allora, cosa farai quest'estate, Kate? Lavorerai di nuovo per la Croce Rossa?»

«Forse», rispose lei vaga, ma il ragazzo non si accorse che era turbata. In effetti, rispetto a febbraio aveva un aspetto decisamente migliore. Continuavano a uscire insieme di tanto in tanto, anche perché lui aveva rinunciato a considerarla una potenziale fidanzata. Andy cercò di convincerla ad andare al cinema; ma il giorno dopo Kate avrebbe dovuto presentare una relazione, quindi gli spiegò che non poteva accettare l'invito.

«Sei poco divertente, sai? Beh, in ogni caso sono contento che tu stia bene. L'ultima volta che ti ho vista sembravi un cadavere.» Ormai era incinta di tre mesi, le nausee erano molto diminuite e lei cominciava a sentirsi emozionata e felice pensando al bambino. Sperava che fosse un maschio, perché era convinta che sarebbe stato esattamente come Joe.

«Ho avuto l'influenza», mentì, e lui le credette. Del resto, non aveva ragione di sospettare che Kate aspettasse un figlio: era l'ultima idea al mondo che gli sarebbe passata per la testa.

«Mi fa piacere che ti sia ripresa. Datti da fare con lo studio, così la settimana prossima potremo andare a vedere un film», le disse saltando sulla bicicletta, poi la salutò con la mano mentre si allontanava, i capelli arruffati dal vento e gli occhi sorridenti.

Qualche volta Kate si domandava se le cose sarebbero state diverse fra loro nel caso in cui Joe non fosse esistito. Difficile dirlo. Voleva sinceramente bene a Andy, ma non riusciva neanche a immaginare di poter provare nei suoi confronti quello che sentiva per Joe. In Andy c'era qualcosa di tenero, di affettuoso e gentile che le faceva venire voglia di stringerlo fra le braccia e coccolarlo come un bambino, però non scatenava in lei l'eccitazione e la passione come Joe. Era certa che un giorno il suo amico sarebbe stato un ottimo marito: era molto responsabile, premuroso e rispettoso, aveva tutte le qualità che le donne cercano in un uomo. Lei non si sarebbe mai aspettata di innamorarsi di una persona come Joe Allbright, ma negli ultimi tempi la sua vita aveva imboccato direzioni totalmente inaspettate, con una serie di svolte brusche e imprevedibili.

Quel venerdì Kate si sentiva molto bene, non era più nemmeno stanca. Finì di preparare la relazione, e in un giorno solo le arrivarono tre lettere di Joe. La cosa si spiegava con il fatto che era la censura a inoltrare le lettere ai destinatari dopo averne fatto un esame approfondito per assicurarsi che nessuno rivelasse segreti importanti dal punto di vista della sicurezza, oppure descrivesse i bersagli delle missioni. Joe trattava solo argomenti assolutamente sicuri: le persone che frequentava, la campagna, quello che provava per lei.

Kate aveva in mente di tornare a casa per il fine settimana, ma all'ultimo momento decise di rinunciare e andò invece con alcune amiche al cinema, dove vide Andy con una ragazza che frequentava un corso con lei, una bionda originaria del Midwest, alta, con un bellissimo sorriso e le gambe lunghe, trasferitasi di recente a Radcliffe da Wellesley. Quando la ragazza le voltò le spalle per infilarsi il golfino, Kate sorrise a Andy con aria allusiva, e lui le rispose con una smorfia.

Tornò quindi al pensionato universitario in bicicletta con le compagne: quello era il modo migliore di spostarsi per il campus e in generale per Cambridge. Erano quasi arrivate quando un ragazzo, anche lui in bicicletta, sbucò fuori all'improvviso come un siluro, materializzandosi dal nulla, tagliò la strada al gruppetto con un urlo e investì Kate in pieno. Lei cadde con un tonfo sordo sul lastricato e rimase un istante tramortita per il colpo. Fortunatamente, quando le amiche accorsero per prestarle aiuto si era già ripresa, ma si sentiva frastornata. Il giovane che l'aveva investita era lì, fermo vicino a lei e la guardava disorientato, in preda al panico. Si capiva subito che era ubriaco.

«Sei impazzito?» gli gridò in faccia una ragazza, mentre

altre due aiutavano Kate a rialzarsi. Si era fatta male a un braccio e a un fianco, cadendo a sedere di botto, violentemente, ma sembrava non avere niente di rotto. Rientrata zoppicando in camera, non riusciva a pensare ad altro che al bambino. Andò subito a letto, senza parlare con nessuno, e poco dopo una compagna, Diana, le portò degli impacchi ghiacciati da applicare sulle parti doloranti.

«Va tutto bene?» le domandò con la lenta e sommessa cadenza del Sud. «Questi ragazzi del Nord sono davvero maleducati!»

Kate le sorrise e la ringraziò per la premura, ma non erano il braccio e il fianco a preoccuparla: da qualche minuto aveva cominciato ad avvertire crampi fortissimi e non sapeva che cosa fare. Sarebbe voluta andare in infermeria, ma era troppo lontana per arrivarci a piedi e temeva che camminando avrebbe peggiorato la situazione, così alla fine si convinse che fosse meglio rimanere a letto. Chiaramente anche il bambino aveva preso un brutto colpo, però lei si augurava che tutto si sistemasse senza problemi.

«Se hai bisogno di qualcosa chiamami», le disse Diana prima di lasciarla e scendere al pianterreno a fumare una sigaretta con uno studente del MIT che era passato a trovarla. Un'ora più tardi, quando tornò a controllarla, Kate dormiva. Tutte, nel pensionato, erano nel pieno del sonno quando, alle quattro del mattino, lei si svegliò. Aveva dolori fortissimi, e girandosi su un fianco per cercare di mettersi più comoda si accorse che stava perdendo sangue. Cercò di rimanere immobile, anche se stava molto male, per evitare di svegliare le compagne, e quando si alzò per trascinarsi in bagno dovette piegarsi in due per il dolore. A mano a mano che camminava, si lasciava dietro una scia di sangue. Adesso le dolevano anche il braccio e il fianco, ma non era niente di paragonabile alle fitte al ventre. Non riusciva quasi a reggersi in piedi.

Chiuse la porta del bagno cercando di fare meno rumore possibile e accese la luce. Guardandosi allo specchio vide che era completamente coperta di sangue dalla cintola in giù. L'emorragia era violenta. Capì subito che cosa stava succedendo: stava per perdere il bambino di Joe. D'altra parte, temeva che se avesse chiamato qualcuno l'avrebbero espulsa dalla scuola o si sarebbero precipitati ad avvertire i suoi genitori. Non sapeva quali sarebbero state le conseguenze da affrontare se l'amministrazione del college avesse scoperto che era incinta, ma presumeva che le avrebbero chiesto di andarsene.

No, non era questo che voleva, però non aveva la minima idea di che cosa fare, a chi rivolgersi, e le mancava anche il tempo di pensarci, perché d'un tratto i dolori che l'avevano strappata bruscamente al sonno erano diventati così forti che non riusciva quasi a respirare. Intanto, contrazioni violentissime cominciavano a ripetersi a ondate, senza sosta. Era in ginocchio sul pavimento, in un lago di sangue, quando Diana entrò per bere un po' d'acqua e la trovò in quelle condizioni.

«Oh mio Dio... Kate... cos'è successo?» Sembrava la vittima di un assassino che l'avesse massacrata, e l'amica pensò subito di chiamare un dottore e un'ambulanza, ma quando glielo propose, Kate la supplicò di non farlo.

«No... ti prego... non posso... Diana...» Non riuscì a finire la frase, ma la ragazza di New Orleans intuì come stavano le cose.

«Sei incinta? Dimmi la verità, Kate.» Voleva aiutarla, ma aveva bisogno di sapere quello che le stava capitando. Sua madre era infermiera, suo padre medico, e lei aveva una discreta esperienza di pronto soccorso. Però non aveva mai visto tanto sangue e aveva paura che la compagna morisse dissanguata se non avessero fatto intervenire qualcuno. Non portarla all'ospedale era un rischio troppo grosso da correre.

«Sì, sono incinta...» mormorò Kate con voce strozzata, mentre Diana la sosteneva e la faceva sdraiare su una pila di asciugamani. A ogni nuova contrazione piangeva per il dolore atroce. Si infilò un asciugamano in bocca e vi affondò i denti, perché nessuno la sentisse. «Da quasi tre mesi...»

«Accidenti. Io ho abortito, una volta, e mio padre per poco non mi ha ammazzata. Avevo diciassette anni, ed ero terrorizzata all'idea di confessarglielo, così sono andata da una persona fuori città... Sono stata male come te, povera piccola», disse Diana, posando una pezza bagnata sulla testa di Kate e tenendole una mano. Aveva chiuso a chiave la porta, in modo che nessuno potesse arrivare all'improvviso, ma la cosa che più la angosciava era che l'amica stesse rischiando la vita. L'emorragia era terribile, però sembrava diminuire, anche se le fitte erano sempre più violente. Nessuna delle due sapeva con certezza quello che stava accadendo, anche se era impensabile che il bambino fosse ancora vivo dopo tutta quella perdita di sangue.

Passò un'altra ora di sofferenze strazianti, poi Kate, contorcendosi per il dolore, nel giro di pochi attimi perse il figlio. L'emorragia non si fermò, ma appena la creatura fu uscita dal grembo sembrò placarsi un poco. Diana continuò a tamponare il sangue con gli asciugamani, per quanto le era possibile, e ne adoperò uno per avvolgerci il feto, mettendolo il più lontano possibile dalla compagna, in modo che non potesse vederlo. Ma ormai lei era troppo debole anche per cedere alla disperazione, e quando cercò di mettersi seduta si sentì svenire. L'amica la aiutò a sdraiarsi di nuovo.

Erano quasi le sette, ed erano in bagno da tre ore, quando poterono finalmente rientrare in camera. Tutto era stato pulito, e appena si sentì più tranquilla perché ormai Kate era al sicuro nel suo letto con le coperte ben rimboccate, Diana decise di scendere al pianterreno, nel locale dove si raccoglievano i sacchi dell'immondizia, per liberarsi dell'asciugamano che conteneva la prova di quanto era successo alla compagna. La perdita di sangue era quasi cessata e il dolore era più tollerabile. Diana le spiegò che era il suo utero a contrarsi per bloccare l'emorragia, e che questo era un buon segno; sperava che Kate si sarebbe ripresa completamente, ma le disse chiaro e tondo che in caso contrario avrebbe chiamato un'ambulanza, indipendentemente dalle sue obiezioni. Lei accettò, terrorizzata e troppo debole per mettersi a discutere. Cominciò a essere scossa da un tremito violento, e Diana si affrettò a stenderle altre tre coperte sul letto. Nel frattempo le loro compagne iniziavano a svegliarsi.

«Stai bene?» le domandò una di loro. Avevano lezione, quella mattina. «Mi sembri un po' pallida. Magari hai una commozione cerebrale, dopo la botta che hai preso ieri in bicicletta», aggiunse sbadigliando e avviandosi verso il bagno. Kate rispose di avere un terribile mal di testa; intanto, rannicchiata sotto le coperte, non smetteva di tremare.

Diana decise di rimanerle vicina; anche un'altra ragazza, venuta da un altro dormitorio a chiedere un asciugamano in prestito, si preoccupò quando vide le labbra livide di Kate e la sua faccia bianca come il gesso.

«Che cosa ti è successo ieri sera?» le chiese, avvicinandosi per tastarle il polso.

«È caduta dalla bicicletta e ha battuto la testa», rispose subito Diana, nel tentativo di nascondere la verità. Ma la loro compagna aveva mangiato la foglia: anche lei apparteneva a una famiglia di medici, e ne sapeva abbastanza per rendersi conto che Kate soffriva di qualcosa di ben più grave di un mal di testa o di una commozione cerebrale. A giudicare dal colorito, sembrava che avesse perso una gran quantità di sangue.

Si chinò e accostò il viso all'orecchio di Kate, toccandole delicatamente una spalla. «Dimmi la verità... hai un'emorragia?» Lei riuscì soltanto ad annuire: i denti le battevano talmente forte che non era in grado di parlare. «Secondo me sei in stato di choc... Hai abortito?» le bisbigliò la ragazza. A Kate era sempre stata simpatica, perciò non ebbe reticenze nel confidarle la verità. Sapeva di essere nei guai. Si sentiva sempre più sfinita e il suo corpo era gelido e scosso da un tremito che non riusciva a dominare, nonostante il mucchio di coperte che aveva addosso. In piedi vicino al suo letto, le due compagne erano molto preoccupate.

«No», bisbigliò Kate alla nuova arrivata, che si chiamava Beverly. «Ho perso il bambino.»

«E l'emorragia continua?»

Kate pensava di no, ma le pareva di sentire tutto il letto bagnato. Aveva paura di guardare. «Non credo.»

«Oggi non vado a lezione e rimango con te. Non dovresti stare sola. Vuoi che ti portiamo all'ospedale?»

Kate scosse la testa: quella era l'ultima cosa al mondo che desiderasse.

«Starò qui anch'io», si offrì Diana, e andò a prenderle una tazza di tè.

Mezz'ora più tardi, mentre tutte le altre compagne stavano seguendo i corsi e le sue due guardiane sedevano ai lati del letto, Kate era ormai perfettamente sveglia, e di tanto in tanto scoppiava in lacrime. Quell'esperienza l'aveva terrorizzata, e si sentiva profondamente depressa.

«Andrà tutto bene», le disse piano Beverly. «Io ho abortito l'anno scorso. È stato orribile. Devi cercare di dormire; nel giro di un paio di giorni ti sentirai meglio. Vedrai, ti rimetterai talmente in fretta da restarne meravigliata tu stessa.» Poi le venne in mente qualcos'altro. «Vuoi avvertire qualcuno? Posso farlo io per te.» Evidentemente c'era un'altra persona coinvolta in ciò che era successo, ma lei non sapeva quale fosse la situazione di Kate, che fece segno di no con la testa.

«Lui è in Inghilterra», sussurrò, stringendo istintivamente i denti. Non si era mai sentita tanto male in vita sua.

«E lo sa?» le domandò Diana allungandole un colpetto affettuoso sulla spalla. Kate la guardò piena di gratitudine: non sarebbe mai riuscita a cavarsela senza di lei. Invece, così nessuno lo avrebbe saputo, né lì a Radcliffe, né a casa. E nemmeno Joe.

«Non gliel'ho detto. Io volevo il bambino.»

«Potrete averne un altro quando lui tornerà a casa.» Beverly preferì non aggiungere «se tornerà», ma era quello che pensavano tutte e tre. Kate ricominciò a singhiozzare. Fu una giornata lunga e desolata per lei, e ce ne vollero altre due prima che cominciasse a sentirsi meglio.

Il giorno successivo Diana e Beverly ripresero le lezioni; lei, invece, rimase ancora a letto e non fece che piangere dalla mattina alla sera. Fu solamente il mercoledì che riuscì ad alzarsi, e quando si rimise in piedi aveva un'aria spettrale ed era dimagrita di cinque chili. Non mangiava da domenica, però l'emorragia era praticamente cessata. Nonostante l'aspetto terribile e il fatto che continuasse a sentirsi malissimo, sia lei sia le amiche si dissero d'accordo che ormai ogni pericolo era passato. Kate cercò di ringraziare Diana e Beverly per quello che avevano fatto per lei, ma ogni volta che ci provava scoppiava in lacrime.

«Guarda che sarà così ancora per un po'», la avvertì Beverly. «Io ho pianto per un mese intero. È soltanto una questione di ormoni.» Ma non era solo quello: Kate aveva perduto il loro bambino, una parte di Joe.

Le altre compagne del pensionato erano convinte che fosse rimasta a letto per riprendersi dall'incidente avuto in bicicletta, e lei si guardò bene dal fornire una diversa versione dei fatti. Per parecchi giorni continuò ad avere l'impressione di vivere su un altro pianeta. Tutto le sembrava irreale e differente; l'unica cosa che avesse il potere di rasserenarla un poco erano le lettere di Joe, ma appena si rendeva conto che non avrebbe nemmeno potuto raccontargli quello che era successo e ciò che avevano perduto ripiombava nella disperazione.

Passò il fine settimana successivo a letto, studiando. Era pallida e taciturna, e quando Andy andò a trovarla, domenica pomeriggio, non si era ancora completamente ripresa. Ormai era passata una settimana dall'aborto, ma Kate continuava ancora ad avere un aspetto spaventoso. Scese le scale con molta cautela per raggiungere l'amico al pianterreno. Per tutta la settimana Beverly e Diana le avevano portato qualcosa da mangiare dalla mensa, perciò quella era la prima volta che usciva dalla sua stanza.

«Gesù, Kate, sembri un cadavere. Che cosa ti è successo?» Aveva un'aria talmente fragile che Andy ne rimase spaventato.

«Domenica sera sono stata investita da una bicicletta. Credo di avere avuto una commozione cerebrale.»

«Non sei andata all'ospedale a farti fare un controllo?»

«No, sto bene», gli rispose accomodandosi in una poltrona vicino a lui.

«Secondo me dovresti vedere un dottore. Magari sei ridotta a una pura e semplice vita vegetativa e ti è morto il cervello», ribatté lui con una risata.

«Molto spiritoso. Mi sento meglio.»

«Sono contento di non averti vista lunedì.»

«Ti garantisco che è stato meglio così», gli rispose. Almeno la visita dell'amico servì a farla tornare alla realtà, e quando risalì in camera si sentiva meno depressa, per quanto stanchissima. Diana le aveva detto che per un po' di

8

PER il resto del secondo anno di università Kate fu impegnatissima con gli studi. Riceveva regolarmente lettere da parte di Joe, ma lui non vedeva all'orizzonte alcuna possibilità di ottenere una licenza. Era la primavera del 1943, e lei cercava di non perdere i cinegiornali perché sperava di trovarci almeno un'inquadratura dell'uomo che amava.

La RAF continuava a bombardare Berlino, Amburgo, e altre città. Tunisi era stata occupata dalle truppe inglesi, mentre gli americani avevano preso Biserta, nell'Africa del Nord, strappandola nuovamente al nemico. Sul fronte orientale i tedeschi e i russi si erano praticamente fermati dove si trovavano, con il fango sino alle ginocchia, perché con la primavera era arrivato il disgelo.

Spesso durante il fine settimana Kate vedeva i genitori, scriveva a Joe e di tanto in tanto usciva o a cena o per andare al cinema con Andy. In quel periodo lui aveva una nuova fiamma, una studentessa di Wellesley, e le dedicava molto tempo, quindi gliene rimaneva meno per Kate, che però non se ne preoccupava. Dopo l'aborto era diventata intima amica di Beverly e Diana, e d'estate riprese a lavorare per la Croce Rossa.

Alla fine di agosto partirono come sempre per Cape Cod, ma questa volta Joe non le fece la sorpresa di presentarsi all'improvviso durante il barbecue. Non tornava a casa dal Natale precedente, e mentre Kate faceva lunghe camminate solitarie sulla spiaggia non poteva fare a meno di pensare che se non avesse perso il bambino ormai sarebbe stata incinta di otto mesi. Suo padre e sua madre non avevano scoperto niente; la mamma continuava a ricordarle che Joe non le aveva fatto nessuna promessa di matrimonio e non le aveva dato nemmeno un anello, anche se aveva trentadue anni e quindi era abbastanza adulto per sapere che cosa avrebbe voluto fare al suo ritorno. Elizabeth tirava fuori la questione ogni volta che la figlia arrivava a casa, e insistette sino all'autunno, quando le foglie cominciarono a ingiallire.

Kate stava studiando per gli esami quando la direttrice del pensionato andò a informarla che aveva una visita. Lei non chiese chi fosse, convinta che si trattasse di Andy, in quel momento impegnatissimo con la specializzazione. Scese rapidamente le scale, tenendo un libro fra le mani; aveva un golfino celeste buttato sulle spalle e indossava una gonna grigia. Lo vide quando aveva il piede ancora sull'ultimo gradino: era Joe, incredibilmente bello in uniforme. Aveva l'aria molto seria, e quando i loro occhi si incontrarono lei rimase senza fiato. Esitarono un attimo, poi, senza una parola, Kate gli volò fra le braccia e lui la strinse a sé. Lei intuì subito che doveva avere vissuto momenti molto brutti; sembrava incapace di parlare, e Kate si rese conto che non era soltanto lei ad avere bisogno di Joe, ma anche il contrario. La guerra stava facendo pagare un duro scotto a tutti, lui compreso.

«Sono così felice di vederti», gli disse chiudendo gli occhi. Erano stati dieci mesi di agonia, durante i quali non aveva fatto altro che torturarsi pensando a lui, aveva perso il loro bambino e non aveva mai saputo con precisione come stesse e dove si trovasse l'uomo che amava.

«Anch'io sono felice», le rispose Joe scostandola un po' da sé per guardarla negli occhi. Era evidentemente stanchissimo: in quel periodo era stato quasi sempre in volo, e un numero spaventoso di aerei alleati era stato abbattuto. I tedeschi, ridotti alla disperazione, colpivano duro. La guardò con aria grave, e Kate capì che si sentiva di nuovo impacciato. Qualche volta gli occorreva un po' di tempo per riprendere il ritmo del loro rapporto e tornare schietto e disinvolto come prima. D'altra parte le sue lettere erano talmente limpide e sincere che di tanto in tanto lei dimenticava quanto fosse timido. «Ho solo ventiquattro ore. Domani pomeriggio dovrò essere a Washington e nella notte ripartirò.» Era venuto negli Stati Uniti per una serie di riunioni che riguardavano un'importante missione segreta, e durante il viaggio di rientro aveva incontrato enormi difficoltà. Con Kate, però, di tutto questo non poteva parlare, né lei gli chiese informazioni in merito. Qualcosa nel suo aspetto e nella sua espressione le fece capire che poteva dirle molto poco, e lei pensò con tristezza che se non avesse abortito adesso loro figlio avrebbe avuto un mese. «Puoi uscire da scuola per un po'?» Ormai era quasi l'ora di cena e Kate non aveva impegni; in ogni caso, per lui li avrebbe annullati tutti.

«Senz'altro. Vuoi che andiamo nel mio pensionato?» Sarebbe stato bello passare un po' di tempo da soli, mentre nella sala delle visite si sarebbero dovuti adeguare al rigido regolamento. Dopo dieci mesi, entrambi desideravano stare insieme con più libertà.

«Non possiamo rimanere soli?» Joe voleva solo rilassarsi e godersi la sua compagnia. Nonostante fosse trascorso tanto tempo, non aveva voglia di chiacchierare, era troppo stanco per trovare le parole giuste: gli bastava guardarla, sentirla vicina. Kate percepiva chiaramente quanto lui fosse demoralizzato.

«Vuoi che andiamo in un albergo?» gli domandò a voce bassa, in modo che nessuno potesse sentirla. Lui la guardò sollevato e annuì. Aveva una gran voglia di stare sdraiato accanto a lei. Intanto Kate stava facendo i suoi piani. «Perché non provi a chiamare la *Palmer House* o lo *Statler* dalla cabina telefonica che c'è fuori? Io torno fra un minuto.» Andò al banco a firmare il libro delle uscite per segnalare che quella notte sarebbe rimasta assente dal pensionato, poi andò al piano superiore, chiamò la mamma e le disse che si sarebbe fermata a dormire da un'amica con la quale stava studiando per gli esami. Preferiva avvertirla perché non si preoccupasse, nel caso l'avesse cercata. Elizabeth pensò che fosse una premura molto gentile da parte sua e la ringraziò. Kate sapeva benissimo che a sua madre non sarebbe mai passato per la testa che le avesse raccontato una bugia.

Cinque minuti più tardi scese di nuovo nell'atrio. Aveva messo l'indispensabile in una valigetta, e ci aveva aggiunto anche un diaframma. Beverly le aveva dato il nome di un dottore e Kate era andata da lui e gli aveva spiegato di essere fidanzata; dopo quello che era successo l'ultima volta voleva essere preparata, se Joe fosse tornato a casa.

«Avevano una camera allo *Statler*», la informò lui nervosamente.

Si sentivano entrambi un po' imbarazzati ad andare dritti in un albergo, ma avevano pochissimo tempo e una gran voglia di stare insieme. Joe si era fatto prestare una macchina, così poterono parlare anche durante il tragitto. Kate non riusciva a staccargli gli occhi di dosso: era più bello che mai, anche se le parve molto magro e invecchiato rispetto a un anno prima, o forse era soltanto più maturo. C'era un'infinità di cose che avrebbe voluto dirgli e che si sentiva impacciata a mettere nero su bianco nelle lettere che gli scriveva, e altrettante Joe avrebbe voluto raccontare a lei.

Lungo la strada cominciarono a calmarsi. A poco a poco rinacque in loro la sensazione di essersi visti appena il giorno prima, e nello stesso tempo che fossero passati anni. L'aspetto più strano era che dopo avere fatto all'amore con Joe si considerava quasi sposata con lui. Non sentiva il bisogno di un pezzo di carta, di una cerimonia o di una fede nuziale al dito: era già sua.

Quando raggiunsero l'albergo Joe tirò fuori una valigetta dal baule della macchina, andò a parcheggiare, quindi entrò con Kate per firmare il registro. Si presentarono come il maggiore Allbright e signora, e furono trattati con molto riguardo: l'impiegato alla reception aveva riconosciuto il nome. Un fattorino si offrì di portargli la valigia di sopra.

«No, grazie, va bene così», disse Joe sorridendo mentre gli consegnavano la chiave della camera.

Presero l'ascensore in silenzio e quando furono arrivati Kate notò con piacere che la stanza era molto carina. Si era aspettata qualcosa di piccolo e deprimente, anche se non avrebbe avuto importanza per nessuno dei due, forse perché le pareva un po' squallido andare in un albergo con un uomo. Non l'aveva mai fatto, e la considerava una sfrontatezza senza pari; d'altra parte non aveva alcuna intenzione di perdere l'opportunità di passare la notte con lui. Come chiunque altro nelle loro condizioni, anche loro vivevano ogni giorno come se dovesse essere l'ultimo che avevano a disposizione, e in effetti sarebbe anche potuto essere così.

Appena entrati in camera si sentirono in imbarazzo, ma quando Joe si buttò sul divano e, lanciandole un'occhiata carica di nervosismo, batté con la mano sul cuscino accanto a sé, lei sorrise e si sedette.

«Non riesco a credere che tu sia qui», gli disse con un'espressione che tradiva quanto le fosse mancato.

«Neanch'io», rispose lui. Due giorni prima aveva pilotato uno degli aerei di scorta ai bombardieri sopra Berlino, e in quella missione aveva perso quattro compagni. Ora si trovava a Boston, in una stanza d'albergo con una Kate più incantevole che mai, giovane, fresca e lontana dalla vita che lui aveva fatto per quasi due anni. Gli avevano annunciato la concessione della licenza con sole due ore di preavviso, ma si considerava fortunato di averla ottenuta, per quanto breve fosse. Durante il viaggio aveva temuto che il tempo non gli bastasse per rivedere Kate, perciò quella notte allo *Statler* aveva per lui qualcosa di surreale. Erano come due piccioni viaggiatori sempre di ritorno l'uno dall'altra, indipendentemente da dov'erano stati, si erano ritrovati ogni volta, che fosse a Cape Cod, o a Washington, o a Boston, riprendendo le fila del legame che li univa e ritrovando la stessa passione, la stessa magia.

Joe la baciò senza dire più niente, come se avesse bisogno che lei lo confortasse e curasse le ferite che aveva nell'anima, come se volesse bere dalla fontana di serenità che lei gli offriva, e Kate intuì che cosa lui le chiedeva. Quando stavano insieme, per poche che fossero le parole che si scambiavano, capiva sempre quanto Joe la amasse. Il loro era uno scambio perfetto.

Pochi minuti dopo lui la condusse verso il letto, sentendosi vagamente in colpa. La sua prima idea era stata quella di invitarla fuori a cena e di chiacchierare un po' prima di fare all'amore, ma nessuno dei due aveva voglia di stare fra la gente o in un ristorante: preferivano essere soli con quello che provavano. E non c'era bisogno di parlare.

Joe la baciò con dolcezza e passione mentre si sdraiavano, poi, spogliandola, si rese conto di quanto la desiderasse. Con sua stessa sorpresa, non c'era stata nessun'altra in tutto quel periodo: aveva pensato soltanto a lei.

Kate si sentì un po' in imbarazzo quando lo lasciò per andare in bagno, ma lui non le domandò niente fino a quando ebbero finito di fare all'amore e si ritrovarono stretti l'uno nelle braccia dell'altra, placati e quieti, chiusi in quel loro piccolo mondo isolato e sicuro. Allora lei, seppure intimidita, gli disse del diaframma, e Joe parve sollevato.

«Dopo l'ultima volta sono rimasto preoccupato per mesi», ammise con franchezza. «Continuavo a domandarmi che cosa avremmo fatto se tu fossi rimasta incinta. Non sarei neanche potuto tornare per sposarti», aggiunse, e Kate rimase commossa da queste parole. Era bello sapere che si era preoccupato per lei. Prima non sapeva come Joe avrebbe potuto reagire alla notizia della gravidanza, ma adesso si sentì abbastanza tranquilla da raccontargli tutto.

«L'ultima volta sono rimasta incinta», mormorò. Aveva la testa sulla sua spalla, i capelli che gli sfioravano la guancia. Lui si girò a guardarla.

«Dici sul serio? E che cos'hai fatto?» Sembrava che fosse rimasto folgorato. «Oppure… dobbiamo… hai...» Kate sorrise vedendo l'espressione dipinta sul suo viso, che non era tanto di paura, quanto di sbalordimento. Poi Joe volle sapere perché non gli aveva detto niente. Quando si rese conto che, qualunque cosa fosse successa, Kate aveva saputo affrontarla e risolverla completamente da sola, ai suoi occhi lei assunse una nuova dimensione, incommensurabilmente diversa.

«L'ho perso a marzo. Non sapevo come comportarmi, ma ero certa che se ti fosse successo qualcosa non mi sarei mai perdonata una decisione come quella di rinunciare al bambino. Dovevo averlo, se il nostro destino era quello. Quando ho abortito ero incinta di quasi tre mesi», gli rispose con gli occhi colmi di lacrime. Lui la strinse ancora più forte.

«E i tuoi genitori lo sanno?» Non era difficile immaginare che fossero furibondi, e ne avevano tutte le ragioni. Joe si sentì terribilmente in colpa pensando a quello che Kate aveva passato.

«No, non sanno niente», lo rassicurò, rannicchiandosi ancora più vicino a lui. Se, a suo tempo, Joe non aveva potuto darle nessun conforto, adesso glielo offriva incondizionatamente. «Avevo intenzione di lasciare la scuola ad aprile, e solo a quel punto di dirlo anche a loro. Non c'era nient'altro che potessi fare. Sono stata investita da un ragazzo in bicicletta, e credo che di lì sia cominciato tutto: ho preso un brutto colpo cadendo, e nella notte ho perso il bambino.»

«Eri all'ospedale?» le domandò Joe inorridito. Alcuni suoi amici si erano ritrovati nella stessa situazione, ma lui non aveva mai messo una ragazza nei guai ed era sempre stato molto attento, tranne che con Kate.

«Ero a scuola. Due mie compagne si sono prese cura di me», rispose Kate, risparmiandogli i particolari, certa che sarebbe rimasto ancora più sconvolto se avesse saputo tutto. Aveva impiegato parecchi mesi per riprendersi completamente, però adesso stava bene. Joe, intanto, meditava esterrefatto che se la gravidanza fosse proseguita normalmente ora avrebbero avuto un bambino di un mese.

«È curioso, sai. Ci ho pensato talmente tanto, appena sono arrivato in Inghilterra! Ma continuavo a ripetermi che me l'avresti raccontato, se fosse successo. Invece tu non ne hai mai parlato, e io non volevo domandarti niente. E poi, non sapevo se a scuola avrebbero letto la tua posta. Alla fine me ne sono dimenticato, anche se per un paio di mesi ho vissuto con una strana sensazione. Perché non me l'hai detto, Kate?» Lo rattristava il fatto che gliel'avesse tenuto nascosto, però la capiva, e la ammirava più di quanto lei immaginasse. Aveva affrontato tutto da sola, si era ripresa da quel brutto incidente e sembrava non provare alcun rancore nei suoi confronti. Di questo Joe le era molto grato, ed era anche commosso per il coraggio che aveva dimostrato.

«Pensavo che tu avessi già abbastanza motivi di preoccupazione senza aggiungerne un altro.» Lui annuì e la attirò ancora più vicino a sé.

«Era anche il mio bambino.» Certo che lo sarebbe stato! Kate si sentì di nuovo travolgere dal dolore. Non c'era niente al mondo che desiderasse di più di stare con Joe e avere un figlio da lui, ma il destino non aveva voluto che succedesse. E, considerata la situazione, forse era stata la soluzione migliore per entrambi. «Sono contento che tu adesso abbia preso qualche precauzione.» Questa volta anche lui aveva portato con sé i profilattici. Non voleva comportarsi in modo irresponsabile: un bambino era l'ultima cosa al mondo di cui avevano bisogno per complicarsi la vita.

Parlarono della guerra, e Kate gli domandò per quanto tempo ancora sarebbe continuata, secondo lui. Joe rispose con un sospiro. «È difficile prevederlo. Vorrei poterti dire che finirà presto, ma non lo so. Se riduciamo i crucchi in polpette, forse un anno.» Questo era, in parte, il motivo della sua visita a Washington: tentare di accelerare l'annientamento del nemico con un nuovo tipo di aerei straordinari. Fino a quel momento i risultati erano stati sconfortanti, e i tedeschi continuavano le aggressioni e i bombardamenti senza sosta, a ondate successive. Per quanti nemici gli alleati uccidessero, quante città, fabbriche e quanti depositi di munizioni distruggessero, ne spuntavano sempre altri. I tedeschi avevano organizzato una macchina da guerra che sembrava indistruttibile.

Anche nel Pacifico le operazioni non andavano bene:

laggiù combattevano un popolo con una cultura e su un terreno a loro completamente ignoti. Gi aerei dei kamikaze si lanciavano sulle portaerei, gli incrociatori venivano affondati e i bombardieri abbattuti. Nell'autunno del 1943 il morale degli alleati era molto basso.

Moltissime persone che Kate conosceva erano morte, un gran numero di ragazzi che aveva conosciuto ad Harvard e al MIT negli ultimi due anni se n'era andato per sempre, e lei non poteva far altro che sperare che non succedesse niente all'uomo che amava.

Parlarono molto, cosa insolita per Joe, ma avevano solo poche ore ed erano sottoposti a una tensione estrema. Non avevano il tempo di scaricare i nervi, di rilassarsi, potevano vivere solo il presente, così per il resto della serata cercarono di non pensare alla guerra.

Più tardi, a notte fonda, fecero di nuovo all'amore e non misero neanche la testa fuori della stanza. Ordinarono la cena in camera, e l'uomo che andò a servirla domandò se fossero in luna di miele. Loro scoppiarono a ridere. Non discussero del futuro, né fecero progetti. Kate non riusciva a pensare a quello che avrebbe voluto per se stessa, desiderava solo stare con lui, dove, quando e per quanto poteva. Pretendere qualcosa di più sarebbe stato come chiedere un miracolo. Sapeva che sua madre non avrebbe approvato, ma era convinta che non capisse: un anello di fidanzamento al dito non avrebbe cambiato niente, non sarebbe servito a tenere Joe in vita. Del resto, lui non pretendeva niente da Kate, all'infuori di quello che voleva offrirgli di sua spontanea volontà, e lei glielo diede totalmente, come meglio poteva.

Dormirono a tratti, ora tenendosi abbracciati, ora crollando addormentati l'uno lontano dall'altra per poi svegliarsi con un sussulto, rendendosi conto che non era un sogno, che erano davvero insieme.

«Ciao», mormorò Kate con voce assonnata alle prime luci dell'alba. Per ore aveva sentito il calore che emanava da lui, e adesso, stiracchiandosi, toccò le sue gambe forti e muscolose. Joe si protese a baciarla. Quella notte era stata molto diversa da quelle cui era ormai abituato.

«Hai dormito bene?» le domandò, circondandole le spalle con un braccio mentre lei gli si rannicchiava accanto. Kate si accorse che le piaceva infinitamente svegliarsi di fianco al suo uomo.

«Continuavo a sentirti vicino, e credevo di sognare.» Nessuno dei due era abituato a dormire con un'altra persona, perciò il loro sonno non era stato profondo, per quanto fossero felici di essere insieme.

«Anch'io.» Joe sorrise pensando a come si erano amati. Avrebbe voluto assaporare ancora ogni momento passato con lei e serbarne il ricordo per sempre.

«A che ora devi partire?» gli chiese Kate con una sfumatura di tristezza nella voce. Era impossibile dimenticare che quelle ore erano solo prese in prestito.

«Devo prendere l'aereo per Washington all'una. Potrei passare dal college e lasciarti lì verso le undici e mezzo.» Lei aveva già deciso che quella mattina avrebbe saltato le lezioni, e non le importava niente delle eventuali conseguenze. Nessuna cosa al mondo avrebbe potuto costringerla a lasciarlo prima del necessario. «Vuoi mangiare qualcosa?» Ma Kate non aveva fame, se non di Joe; pochi minuti dopo cominciarono a baciarsi, mentre le mani di lui la accarezzavano, e i loro corpi si fusero un'altra volta.

Alle nove si alzarono e ordinarono la colazione. Quando la portarono, avevano già fatto la doccia e indossavano gli accappatoi di spugna forniti dall'albergo. Avevano chiesto succo d'arancia, toast, uova, prosciutto e un bricco di caffè. Per Joe era un lusso inaudito; ormai viveva delle razioni militari da così tanto tempo che aveva quasi dimenticato il sapore del vero cibo. Per Kate era tutto molto più simile al solito, ma non lo era affatto la pura gioia di avere Joe davanti a sé. Il suo viso quasi severo, dai lineamenti finemente cesellati, le apparve bellissimo mentre beveva il caffè e dedicava un minuto alla lettura del giornale. Poi Joe la guardò sorridendo.

«Proprio come nella vita normale, non trovi? Chi direbbe che siamo in guerra?» Salvo che il giornale parlava solo di quello, e non c'erano buone notizie. Joe richiuse il quotidiano e lo posò sul tavolo continuando a sorriderle. Avevano avuto una serata splendida, e ogni volta che era con lei ritrovava il pezzo mancante di se stesso, come se in lui ci fosse un vuoto del quale non si rendeva mai veramente conto finché non la vedeva. Per il resto del tempo c'erano altre cose a riempirglielo. Gli occhi di Kate erano profondi e intensi, e in lei c'era qualcosa di schietto, aperto e impavido: sembrava una cerbiatta che, annusata l'aria, trovasse piacevole ciò che vi sentiva. Era sempre piena di aspettative di fronte alla vita, come se dovesse illuminarsi di gioia da un momento all'altro, e anche quella mattina non fu diversa dal solito. Mentre posava la tazza sul piattino, d'un tratto lo guardò e rise.

«Perché sorridi in quel modo?» le domandò lui, divertito. Il buon umore di Kate era contagioso, anche per una persona dal carattere molto meno gioviale.

«Stavo pensando alla faccia che farebbe mia madre se ci vedesse.»

«Meglio non pensarci. Mi fa sentire in colpa. Quanto a tuo padre, mi ammazzerebbe, e sinceramente non potrei biasimarlo.» Soprattutto dopo quello che lei gli aveva raccontato della gravidanza. «Non sono sicuro che avrò mai la forza di guardarli di nuovo in faccia», continuò, non nascondendole di essere preoccupato.

«Beh, può darsi che tu ci sia costretto, quindi sarà meglio se cercherai di superare questa storia.» Come aveva fatto lei. Adesso, in modo particolare, dopo avere visto Joe. Quasi le dispiaceva di avere usato il diaframma, perché continuava a desiderare un figlio da lui, molto più di quanto ambisse a sposarlo. Dato che Joe non parlava mai di un loro futuro come marito e moglie, per mettersi il cuore in pace Kate aveva cominciato a ripetersi che il matrimonio era fatto per i vecchi, che tutti gli davano un'importanza spropositata e che le sue amiche convolate a nozze le sembravano bambine sciocche. Spiegava a Joe che tutte, dalla prima all'ultima, erano interessate soltanto ai regali di nozze e alle damigelle, e poi si lamentavano che i ragazzi che avevano sposato passavano troppo tempo con gli amici, o bevevano troppo, o erano gretti e meschini. Sembravano tutti finti adulti. Invece, avere un bambino da Joe sarebbe stato un legame diverso da tutti gli altri, qualcosa di reale, profondo, importante. Pur sapendo quali e quanti problemi una situazione del genere le avrebbe creato, quando era incinta si era sentita felice, perché in quel modo avrebbe avuto per sempre con sé una parte di lui, probabilmente la migliore.

Joe non ebbe difficoltà ad accorgersi che Kate in quel momento aveva pensieri teneri e dolci su di lui, e si allungò attraverso il tavolo per prenderle le mani, se le portò alle labbra e le baciò. «Non essere triste, tornerò. Questa storia non è finita. Non lo sarà mai.» In quel momento non sapeva certo di essere profetico. Ma lei era della stessa opinione.

«Abbi cura di te, questo è l'importante. Il resto non conta.» Ormai bisognava affidarsi al destino: lui era laggiù a rischiare la vita ogni giorno, era nelle mani di Dio come tutti gli altri.

Dopo avere fatto colazione si vestirono, ma rischiarono di non lasciare la camera entro l'ora stabilita. Joe si mise a baciarla e a stringerla a sé, e non riuscivano più a smettere di toccarsi, abbracciarsi, accarezzarsi. Ma lui doveva arrivare all'aeroporto in tempo, non poteva assolutamente presentarsi in ritardo alla riunione di Washington o, peggio, perdere l'aereo. Quello che l'aveva richiamato in patria dall'Inghilterra era della massima importanza per le sorti della guerra in Europa. Amava Kate, però non aveva scelta: doveva fare in modo che tutto rimanesse nella giusta prospettiva, e aveva cose importanti da fare che non includevano lei.

Mentre la riaccompagnava a scuola in macchina, Joe non parlò molto. Anche Kate taceva, continuando a osservarlo. Voleva ricordarsi che espressione aveva, qual era il suo aspetto in quel preciso momento, perché quelle immagini la confortassero nei giorni a venire. Aveva la sensazione che si stessero muovendo al rallentatore, invece arrivarono troppo velocemente al campus di Radcliffe. Scesero, e lei lo guardò con gli occhi colmi di lacrime. Non sopportava di vederlo ripartire, anche se sapeva di doversi mostrare coraggiosa.

«Cerca di stare bene», gli sussurrò mentre Joe la stringeva fra le braccia. In realtà avrebbe voluto dirgli: «Cerca di rimanere vivo». «Ti amo, Joe», aggiunse, poi non riuscì a trovare altre parole. Aveva la gola chiusa da un nodo di pianto. Non voleva rendere quella separazione più dolorosa di quanto già fosse per entrambi.

«Anch'io ti amo... E la prossima volta che ti succedere qualcosa voglio che tu me lo dica.» Non si poteva escludere la possibilità che fosse rimasta di nuovo incinta, per quanto avesse usato il diaframma: era successo a molte donne. In ogni caso, Joe apprezzava moltissimo il fatto che Kate non avesse voluto aggiungere un altro peso a quelli che lui già si sentiva gravare addosso. «Abbi cura di te. E saluta i tuoi genitori da parte mia, se pensi di informarli che mi hai visto.» Ma questo non rientrava nei piani di

Kate, perché non voleva che sospettassero che aveva dormito con lui. In cuor suo si augurava che nessuno l'avesse vista entrare o uscire dall'albergo.

Rimasero aggrappati l'uno all'altra a lungo, pregando che gli dei fossero buoni con loro, poi lei si fermò a guardarlo andare via con il viso inondato di lacrime. Era una scena familiare in quei giorni. In ogni città grande o piccola c'erano soldati tornati dalla guerra mutilati o invalidi e alle finestre delle case sventolavano bandierine in onore delle persone care che stavano combattendo in tanti luoghi lontani. C'erano giovani coppie che si dicevano addio piangendo, c'era chi gridava di gioia per il ritorno di qualcuno, c'erano bambini in visita alla tomba del padre. Loro due non erano diversi dagli altri, ed erano più fortunati di molti.

Kate rimase in camera per il resto della giornata e rinunciò alle lezioni anche nel pomeriggio. Non scese nemmeno a cena, in attesa di una telefonata di Joe che giunse alle otto, al termine della sua riunione. Le spiegò che stava per andare all'aeroporto, ma non poté riferirle le conclusioni alle quali erano arrivati in quell'incontro, né a che ora sarebbe partito il suo volo e dove fosse diretto: erano tutte notizie riservate. Lei gli augurò un tranquillo viaggio di ritorno e gli ripeté quanto lo amava, poi risalì nella sua stanza e si sdraiò sul letto pensando a lui. Era quasi incredibile che ormai si conoscessero da quasi tre anni e che fossero successe tante cose dal loro incontro al ballo a New York. Allora lei aveva solo diciassette anni e sotto molti aspetti era una bambina, ma ora, a venti, si sentiva una donna e, soprattutto, apparteneva a Joe.

Quel fine settimana Kate andò a casa dai genitori, sia per studiare in vista degli esami sia per rimanere lontana dalle compagne del pensionato. Non aveva voglia di vedere nessuno; da quando Joe se n'era andato era ridiventata pensierosa e taciturna. A sua madre non sfuggì che, a cena, non aveva detto una sola parola, quindi le domandò se stesse bene e se avesse ricevuto notizie di Joe. Lei insistette che era tutto a posto, ma nessuno le credette. Kate si sentiva più grande e più matura ogni giorno che passava; senza dubbio il college aveva contribuito in questo senso, però era stata la relazione con Joe a catapultarla da un momento all'altro nell'età adulta, e continuare a preoccuparsi per lui la faceva apparire e sentire ancora più vecchia. Erano tempi in cui tutti si ritrovavano cresciuti all'improvviso.

Quella sera, dopo essersi ritirati in camera, Clarke ed Elizabeth parlarono proprio di questo, convenendo sul fatto che Kate non fosse certo l'unica a vivere una situazione del genere.

«È un vero peccato che non si sia innamorata di Andy», osservò lei scontenta. «Sarebbe l'uomo perfetto, e per di più non è stato nemmeno richiamato nell'esercito.» Ma forse quella sarebbe stata una scelta troppo scontata per Kate, o più semplicemente priva di interesse. Nonostante la sua gentilezza, la buona educazione e l'ottima famiglia dalla quale proveniva, era assolutamente impossibile paragonare Andy a Joe, che era la personificazione dell'eroe.

Nelle quattro settimane successive Kate si impegnò a fondo nello studio e superò bene gli esami, benché si sentisse distratta. Riceveva regolarmente le lettere di Joe, e fu al tempo stesso sollevata e delusa di scoprire, venti giorni dopo la sua partenza, di non essere incinta. Sapeva che era meglio così, perché sarebbe stato un problema in più.

Quando tornò a casa per il lungo fine settimana della festa del Ringraziamento aveva un aspetto migliore rispetto all'ultima volta che era andata a trovare i suoi genitori, e sembrava anche un poco più serena. A cena parlò di Joe con gli amici di famiglia, rivelandosi straordinariamente ben informata su tutto ciò che stava accadendo in Europa. Com'era più che comprensibile, aveva opinioni molto precise sui tedeschi, e le espresse in modo schietto, senza mezze misure.

Con grande sollievo di tutti, il giorno del Ringraziamento si rivelò molto piacevole. Quella sera, quando andò a letto, Kate provò un impeto di gratitudine al pensiero di avere rivisto l'uomo che amava soltanto un mese prima. Non aveva idea di quando si sarebbero potuti ritrovare, ma le ore di intimità trascorse con lui le avrebbero tenuto compagnia fino all'incontro successivo.

Dormì male, e il suo sonno agitato fu pieno di strani sogni e strane sensazioni che la svegliarono parecchie volte. La mattina dopo ne parlò con la madre: lei la prese in giro e concluse che con ogni probabilità aveva mangiato troppo tacchino con il ripieno a base di castagne.

«Quando ero piccola andavo pazza per le castagne», le disse Elizabeth mentre preparava la prima colazione per il marito. «Eppure la nonna mi diceva sempre che mi sarei beccata una bella indigestione. Succede ancora adesso, ma mi piacciono ugualmente.» Più tardi Kate si sentì meglio e nel pomeriggio uscì con un'amica a fare spese e a bere un tè allo *Statler*. Questo le fece ricordare la notte che vi aveva passato con Joe, così quando arrivò a casa era di buon umore. Ma, benché si sentisse più serena, in quei giorni non aveva voglia di ridere, era diventata meno sbarazzina di quanto lo fosse prima di andare al college, un po' come se conoscere Joe, o forse vivere costantemente con la paura per lui, l'avessero resa più introversa. Passava molto tempo da sola, cosa che non aveva mai fatto.

Domenica sera tornò al college e nella notte ebbe altri incubi. Risvegliandosi di colpo, si rese conto di avere sognato – con una vividezza tale da sembrarle reali – tanti aerei che precipitavano intorno a lei. Fu colta da un senso di panico, allora si alzò e si vestì molto prima delle compagne e si presentò con grande anticipo in sala da pranzo per fare colazione. Sedette a tavola da sola, in silenzio.

Senza sapersene spiegare il motivo, per tutta la settimana continuò a fare brutti sogni e a non riuscire a dormire. Era esausta quando suo padre la cercò al telefono, nel pomeriggio di giovedì. Lei si stupì sentendo la sua voce, perché Clarke non l'aveva mai chiamata lì a Radcliffe. Le domandò se avrebbe avuto piacere di andare a cena a casa, quella sera, e lei gli rispose che doveva studiare, ma più cercava di non impegnarsi, più lui diventava insistente, così alla fine cedette. Però quella proposta le parve strana, e si domandò preoccupata se per caso uno dei genitori fosse malato e loro volessero dirglielo. Si augurò che non fosse così.

Appena entrò in casa capì che era successo qualcosa. Il padre e la madre la stavano aspettando in salotto; Elizabeth le voltava le spalle, così Kate non si accorse che stava piangendo.

Fu Clarke a parlare; era meno sconvolto della moglie. Appena la figlia si fu seduta vicino a loro, la guardò dritto negli occhi e la informò di avere ricevuto un telegramma quella mattina e di avere subito telefonato a Washington per cercare di sapere tutto il possibile.

«Non ho buone notizie», continuò, mentre Kate lo guardava con gli occhi spalancati. All'improvviso si rese conto che si trattava di qualcosa che non riguardava loro, ma la toccava direttamente. Aveva il cuore in gola. Non voleva sentire quello che papà stava dicendo, anche se capiva di doverlo fare. Rimase in silenzio a fissarlo. «Joe ti ha indicato come la sua parente più prossima, Kate, insieme con alcuni cugini che non vede da anni.» Era stata la mamma che si era vista consegnare il telegramma di cui tutti avevano paura, e mentre lo apriva aveva chiamato Clarke in ufficio. Lui aveva immediatamente contattato un conoscente al ministero della Guerra per ottenere maggiori particolari. Kate trattenne il respiro. «Nella mattinata di venerdì scorso è stato abbattuto sulla Germania.» Era passata quasi una settimana, e nella notte di giovedì – la mattina di venerdì in Europa – lei aveva cominciato a fare quei sogni orrendi in cui gli aerei cadevano, scendendo in picchiata nel cielo. «Hanno visto il suo apparecchio precipitare e hanno un'idea piuttosto vaga di dove possa trovarsi. Joe si è paracadutato fuori all'ultimo minuto, e potrebbe essere stato ucciso durante la discesa oppure essere stato fatto prigioniero. Ma da allora non sono riusciti a ottenere alcuna informazione sul suo conto, nemmeno attraverso le loro fonti della Resistenza. Non c'è traccia del suo nome sugli elenchi degli ufficiali catturati. In queste missioni lui volava con un nome diverso, ma né quello che usava né il suo vero nome sono venuti fuori. C'è la possibilità che sia tenuto in un luogo segreto. Credo che lui fosse al corrente di informazioni riservate, che lo farebbero diventare di considerevole interesse per i tedeschi, se si rendessero conto di chi è realmente. Con tutta la sua storia alle spalle, con una carriera di aviatore come la sua, Joe è un autentico trofeo, essendo un eroe nazionale.» Kate continuava a guardare Clarke inebetita, cercando di assimilare quello che le stava raccontando, incapace di una qualsiasi reazione. «Kate... il servizio segreto degli alleati è convinto che non ce l'abbia fatta», spiegò ancora il padre. «E anche se fosse riuscito a salvarsi, i tedeschi non lo lasceranno in vita a lungo. Probabilmente ormai è morto, perché in caso contrario gli americani o gli inglesi avrebbero ricevuto qualche notizia.» Elizabeth andò vicino alla figlia, che sembrava attonita, e le circondò le spalle con un braccio.

«Mamma... è morto?» le domandò Kate con la voce di una bambina smarrita, cercando di interpretare quello che qualcuno, che le pareva avesse parlato in una lingua straniera, le aveva appena raccontato. Non riusciva ad accettare una realtà del genere, il suo cuore si rifiutava di crederci. Era come l'eco terrificante del giorno in cui la madre le aveva detto che il suo papà era morto, e sotto certi aspetti era anche peggio: lei amava troppo Joe.

«È quello che pensano, cara», mormorò Elizabeth, straziata per la sua unica figlia. Kate era diventata livida ed era chiaramente sotto choc. Fece per alzarsi, ma poi si lasciò ricadere dov'era seduta. Clarke la guardava con occhi colmi di comprensione e dolore.

«Mi dispiace», disse tristemente il padre sull'orlo delle lacrime, non soltanto per Joe, ma anche per lei.

«No, non deve dispiacerti», ribatté Kate con asprezza alzandosi. Non avrebbe permesso che le succedesse una cosa del genere, e nemmeno a Joe. Non era possibile, non ci credeva, e non ci avrebbe mai creduto finché non ne avessero avuto la certezza. «Non è morto. Se lo fosse, qualcuno lo saprebbe», insistette. I suoi genitori si scambiarono uno sguardo desolato. Non era la reazione che si sarebbero aspettati dalla loro figlia, né quella che lei stessa aveva previsto per un momento simile. «Noi dobbiamo essere convinti che si salverà, che andrà tutto bene. Mamma... papà... è quello che lui si aspetterebbe da noi.»

«Quell'uomo è atterrato in Germania, circondato dai tedeschi che gli davano la caccia. È un famoso asso dell'aviazione. Non lo lasceranno fuggire vivo, anche nel caso che lo fosse stato quando ha toccato terra con il paracadute. Questi sono i fatti, e devi affrontarli.» La voce di suo padre era ferma. Non voleva che lei si facesse illusioni.

«Io non devo affrontare un bel niente», gli gridò Kate, poi corse fuori dal salotto, su per le scale, e si chiuse alle spalle con un tonfo la porta della camera da letto.

Elizabeth e Clarke rimasero a guardarla correre via, allibiti, senza sapere che cosa dirle. Si aspettavano che sarebbe stata annientata dalla notizia, invece lei era furiosa con loro e con il resto del mondo.

Appena entrata nella sua stanza, Kate si buttò sul letto e scoppiò in singhiozzi. Pianse per ore, pensando a Joe, a quanto fosse meraviglioso. Non poteva sopportare l'idea di quello che gli era successo, non era possibile, non era giusto; continuava a ricordare quei sogni orrendi e a pensare a come doveva essersi sentito quando lo avevano abbattuto. Ma lui le aveva assicurato di avere cento vite.

Fu solo molto più tardi che Elizabeth si azzardò finalmente a entrare nella sua camera, e quando sua figlia si voltò a guardarla si accorse subito che aveva gli occhi rossi e gonfi. Si sedette vicino a lei sul letto, e Kate si abbandonò piangendo fra le sue braccia.

«Non può essere morto, mamma...» sussurrò disperata, mentre sulle guance della madre scivolavano le lacrime.

«Neanch'io lo penso», rispose Elizabeth. Nonostante tutte le riserve che nutriva nei confronti di Joe, lo giudicava un uomo perbene, che certo non meritava di morire a trentatré anni. E sua figlia non doveva ritrovarsi con il cuore spezzato. «Non ci resta che pregare che stia bene.» Preferiva non continuare a discutere per cercare di farle capire che Joe non c'era più: lo avrebbe accettato a suo tempo. Per il momento era già abbastanza difficile rassegnarsi al fatto che lo avessero abbattuto con il suo apparecchio, ma in seguito, se non fossero riusciti a trovarlo o ad avere sue notizie, anche Kate avrebbe dovuto accettare la realtà. La mamma rimase sino a notte fonda a tenerle compagnia, accarezzandole teneramente i capelli finché si addormentò, continuando a singhiozzare sommessamente come fanno i bambini che hanno pianto troppo a lungo. Elizabeth si sentì spezzare il cuore.

«Vorrei che non amasse così tanto quell'uomo», disse a Clarke quando lo raggiunse a letto. Lui era molto angosciato e aveva preferito aspettare la moglie prima di addormentarsi. «C'è qualcosa fra quei due che mi spaventa.» Lei lo aveva visto l'anno prima negli occhi di Joe, e poteva vederlo adesso in quelli di Kate. Era qualcosa che sembrava una sfida alla ragione, al tempo e alle parole, era come una comunione di anime che neanche loro riuscivano a capire. Ma ciò che spaventava Elizabeth era che quel legame si dimostrasse tanto forte da non essere spezzato nemmeno dalla morte. Sarebbe stato un destino atroce per sua figlia.

L'indomani a colazione Kate si mostrò silenziosa e cupa e ignorò tutti i tentativi di farla parlare. Si limitò a bere una tazza di tè, poi tornò di sopra lentamente, come un fantasma. Non rientrò al college e per il resto del fine settimana non uscì mai dalla sua camera. Per fortuna le rimanevano solo pochi giorni di lezione prima delle vacanze natalizie.

Domenica sera si preparò e tornò all'università senza salutare i genitori. Sembrava ridotta al solo spirito. Al pensionato non rivolse la parola a nessuno e quando Beverly andò a salutarla e a domandarle se fosse stata malata, non le disse nemmeno che l'aereo di Joe era stato abbattuto. Non trovava il coraggio di pronunciare quelle parole, e ogni notte si addormentava piangendo.

Le studentesse di Radcliffe capirono che doveva esserle successo qualcosa di grave, ma passarono alcuni giorni prima che alcune compagne leggessero sul giornale un trafiletto con la notizia della scomparsa di Joe. Il servizio segreto inglese aveva deciso di dare pochissima pubblicità all'episodio, se non di passarlo addirittura sotto silenzio, per non demoralizzare la popolazione. Nel breve articolo si spiegava che il maggiore non era rientrato alla base dopo una missione, ma il giornalista si tenne volutamente nel vago. In ogni caso, quelle poche informazioni furono sufficienti perché le ragazze del pensionato venissero a conoscenza dell'accaduto. Tutte sapevano che Joe Allbright era andato a trovare Kate al college.

«Mi dispiace...» le sussurrava qualcuna incontrandola nel corridoio. Kate riusciva soltanto ad annuire, poi distoglieva lo sguardo. Aveva un aspetto terribile, era molto dimagrita, e quando tornò a casa per le vacanze di Natale aveva l'aria stanca e malata. Tutti gli sforzi della madre per consolarla furono inutili: lei voleva soltanto essere lasciata in pace, mentre aspettava notizie di Joe.

Pregò Clarke di ritelefonare al suo contatto di Washington prima dei giorni di festa, ma non c'erano novità. I tedeschi non avevano annunciato la cattura di Joe, anzi, quando erano stati interrogati in merito avevano negato che fosse loro prigioniero, e se avessero saputo di averlo catturato lo avrebbero ammesso apertamente, considerandola una vittoria contro gli alleati. Nessuno con il nome che figurava sui suoi documenti era improvvisamente ricomparso in qualche posto, nessuno lo aveva più visto dal momento in cui si era paracadutato fuori dall'aereo.

Quell'anno fu come se il Natale non esistesse per i Jamison. Kate fece solo gli acquisti natalizi indispensabili e disse chiaramente ai suoi di non volere regali, non dimostrò il minimo interesse per quelli che ricevette e continuò a passare quasi tutto il tempo in camera. Era capace di fare una sola cosa: pensare a lui, cercare di capire dove fosse, che cosa gli fosse successo, se fosse ancora vivo, se lo avrebbe mai rivisto. Ritornava costantemente con il pensiero ai momenti passati insieme e rimpiangeva ancora più amaramente di avere perso il bambino. Era inconsolabile, irraggiungibile, chiusa in un mondo tutto suo, non dormiva quasi più ed era di una magrezza impressionante.

Scorreva con attenzione spasmodica le pagine dei giornali per controllare se ci fossero articoli su Joe, per quanto Clarke le avesse assicurato che, prima di comunicare qualsiasi notizia alla stampa, i loro conoscenti di Washington li avrebbero avvertiti. In ogni caso, lui sospettava che questo non sarebbe mai successo: probabilmente il maggiore Allbright era morto da settimane e giaceva sepolto in chissà quale località tedesca. Ma un tale pensiero faceva quasi impazzire Kate, era come se una parte del suo essere fosse stata amputata, o avessero estirpato dal suo io più intimo e segreto qualcosa che lei non aveva mai nemmeno pensato esistesse. Stava sdraiata sul letto a fissare la parete, oppure camminava su e giù per la stanza tutta la notte, sentendosi sul punto di esplodere. Una sera si ubriacò, e i suoi genitori ci passarono sopra senza rimproverarla. Anche loro erano disperati: non avevano mai visto nessuno così sconvolto dal dolore. Kate si struggeva per il suo uomo, e non c'era niente che potesse aiutarla, se non il tempo.

Al suo ritorno a scuola, per la prima volta fu bocciata a un esame. La sua tutor la convocò per domandarle se le fosse successo qualcosa durante le vacanze. Lei le spiegò con voce strozzata che un suo carissimo amico era stato abbattuto durante una missione aerea sulla Germania. Questo, se non altro, spiegava i voti che aveva preso. La donna le espresse la sua comprensione, le fece le condoglianze e manifestò la speranza che presto si sentisse meglio. Fu molto gentile e dolce con lei; l'anno prima aveva perso un figlio in guerra, a Salerno. Ma non c'erano parole per confortare Kate; quando non si sentiva annientata dalla disperazione era divorata da una rabbia cieca contro i tedeschi, contro il destino, contro chi aveva abbattuto l'aereo di Joe, contro Joe perché aveva lasciato che gli succedesse una cosa del genere e contro se stessa perché lo amava così tanto. Si sarebbe voluta liberare di quel sentimento, ma sapeva che non sarebbe mai più stato possibile.

Quando Andy la rivide, al ritorno dalle vacanze di Natale, dapprima si mostrò molto dispiaciuto e solidale, poi, però, cominciò a rimproverarla. Le disse che in fondo lei era addolorata solo per se stessa, che aveva sempre saputo che sarebbe potuta succedere una tragedia. E, nel caso di Joe, si sarebbe potuta verificare in qualsiasi momento, in qualsiasi luogo, anche mentre si esibiva nelle acrobazie aeree, oppure durante una gara. Aggiunse che migliaia di altre donne erano nelle sue stesse condizioni, che lei e Joe non erano sposati, non avevano figli, non erano nemmeno fidanzati. Ma le sue parole riuscirono soltanto a mandarla su tutte le furie.

«E questo dovrebbe farmi sentire meglio? Sembri mia madre. Credi davvero che un anello al dito potrebbe fare qualche differenza per me? Non avrebbe nessun significato, accidenti a te se non lo capisci, Andy Scott, e non cambierebbe quello che è successo a lui. Si può sapere perché tutti sono così ossessionati dalle regole della buona società? Ma chi se ne infischia! Probabilmente Joe è finito in chissà quale orribile prigione o in un campo di concentramento, dove lo torturano per fargli dire quello che sa. E pensi che se fossimo fidanzati quella gente si comporterebbe in modo diverso? Naturalmente no. E nemmeno Joe: non servirebbe a far aumentare il suo amore per me, o il mio per lui», continuò, scoppiando in singhiozzi. «Voglio soltanto che lui torni a casa.» Si abbandonò fra le braccia dell'amico come una bambola rotta.

«Non lo farà, Kate», disse Andy stringendola al cuore, mentre lei continuava a piangere. «Lo sai. C'è una possibilità su un milione che accada.» E forse neanche quella.

«Potrebbe succedere. Magari riuscirà a fuggire.» Si rifiutava di lasciar morire la speranza.

«Forse è morto», ribatté Andy, cercando di costringerla ad affrontare la verità. Anche lei lo sapeva, ma non voleva sentirlo dire. «Posso solo immaginare quanto sia difficile per te, ma devi cercare di superarlo. Non puoi lasciarti distruggere.»

La cosa peggiore era che Kate non aveva altra scelta. Stava facendo del suo meglio, o almeno così credeva, ma si sentiva sopraffare dalla paura. Non pensava che sarebbe riuscita a vivere senza Joe. Eppure, anche nei momenti peggiori, continuava a provare l'inspiegabile sensazione che fosse ancora vivo, come se una parte di lei non l'avesse ancora lasciato andare.

Lei e Andy andarono a cena alla mensa dell'università, e l'amico la costrinse a mangiare qualcosa, poi, quel fine settimana, insistette perché assistesse alle gare di nuoto contro il MIT, alle quali partecipava anche lui. Effettivamente Kate riuscì quasi a divertirsi, a dispetto di se stessa, e per un po' dimenticò tutte le sue disgrazie. L'eccitazione salì al massimo quando Harvard vinse.

Quella sera aspettò Andy e andarono insieme al ristorante, poi lui la riaccompagnò al pensionato. Adesso Kate aveva un aspetto un po' migliore rispetto ai giorni precedenti, ma Andy provò una gran compassione per lei quando gli raccontò di avere sognato Joe. Continuava a essere convinta che fosse ancora vivo.

L'argomento diventò un punto dolente per chiunque si azzardasse ad affrontarlo con lei. Quando qualcuno le diceva di essere dispiaciuto per ciò che aveva saputo sul conto di Joe, Kate insisteva che probabilmente lo avevano internato in un campo di concentramento tedesco, così dopo un po' tutti smisero di parlargliene.

All'arrivo dell'estate Joe ormai non dava più sue notizie da sette mesi. Le ultime lettere che le aveva scritto erano arrivate circa un mese dopo l'abbattimento del suo aereo, e lei continuava a leggerle di notte, poi stava sdraiata sul letto a pensare a lui per ore e ore. Tutti non facevano che ripeterle che doveva rassegnarsi, ma il cuore di Kate rifiutava di aprirsi e di lasciar andare il suo amore. Lo conservava nel profondo del suo essere, in un luogo segreto dove sapeva che non avrebbe accolto mai più nessun altro. Capiva che la gente aveva ragione quando le consigliava di cercare di superare quella tragedia, ma non aveva idea di come fare. Joe era come un colore che lei aveva assunto, una visione che aveva avuto, un sogno che aveva fatto, e ormai non c'era più modo di separarsi da lui.

I suoi genitori la spinsero a fare un viaggio e, dopo molte discussioni, Kate finalmente acconsentì. Andò a trovare la madrina a Chicago, poi partì per la California, dove fu ospite di un'amica che frequentava l'università a Stanford. Fu una vacanza interessante, e riuscì anche a divertirsi un poco, per quanto continuasse ad avere la sensazione di fare tutto come un robot, perché gli altri esigevano che lo facesse, mentre a lei quella non sembrava più la sua vera vita. Quando prese il treno per tornare a casa fu un vero sollievo: si ritrovò ad avere tre giorni tutti per sé per guardare dal finestrino e pensare a Joe, a quello che era stato e che sperava fosse ancora. Ma a poco a poco cominciava ad arrendersi al pensiero che lui non fosse più vivo. Al suo ritorno a Boston, alla fine di agosto, l'uomo che amava era uscito dalla sua esistenza da nove mesi. Nessuno aveva più avuto sue notizie, e Washington e la RAF avevano ormai deciso di dichiararlo deceduto.

Quell'estate Kate non andò a Cape Cod: là c'erano troppi ricordi per lei. Tornò direttamente a casa dalla California, appena in tempo per cominciare l'ultimo anno di studi a Radcliffe. Aveva deciso di laurearsi in storia e in arte, ma non aveva la minima idea di quello che avrebbe fatto dopo. L'insegnamento non la attirava e nessun'altra carriera suscitava il suo interesse.

Qualche settimana dopo essere tornata al college vide Andy, che stava cominciando il terzo anno di specializzazione in giurisprudenza ed era molto impegnato, tanto che non aveva quasi più tempo per andarla a trovare. Quell'autunno parecchie sue compagne non avevano ripreso i corsi: due si erano sposate durante l'estate, una si era trasferita sulla costa occidentale, un'altra ancora era stata costretta a cercarsi un lavoro per mantenere la madre perché il padre e i due fratelli erano rimasti uccisi nel Pacifico. Sembrava che a mandare avanti il mondo fossero ormai rimaste solo le donne, che operavano nei settori più disparati e avevano sostituito gli uomini in tutti i posti prima riservati a loro. La gente ormai ci si era abituata, e Kate cominciò a scherzare con i suoi genitori dicendo che probabilmente avrebbe fatto l'autista di autobus. Disgraziatamente, non c'era nient'altro che avesse voglia di fare.

Ormai aveva ventun anni, era intelligente, molto bella, interessante, colta, simpatica. Sua madre insisteva giustamente nel farle notare che, se non ci fosse stata la guerra, a quell'ora Kate avrebbe certo avuto un marito e dei figli. Da quando Joe era morto lei non era più uscita con nessuno, nonostante le avessero fatto la corte parecchi ragazzi di Harvard, un paio di studenti del MIT e uno del Boston College. Non c'era nessuno che la interessasse, e lei continuava ad aspettare una telefonata da Washington per sentirsi dire che il suo uomo era ancora vivo, oppure che qualcuno la avvisasse che giù, nella sala delle visite, c'era qualcuno che la aspettava. Sperava sempre di vedere Joe, salendo su un autobus, svoltando un angolo, attraversando una strada.

Quell'anno le vacanze natalizie ebbero poco significato per lei, benché risultassero meno penose di quelle precedenti. Era molto più calma, dolce e gentile con i genitori, ma se la mamma insisteva perché uscisse un po', cambiava argomento o usciva dalla stanza. Suo padre e sua madre erano davvero sconfortati, ed Elizabeth confidò a Clarke che cominciava a temere che la loro figlia sarebbe rimasta zitella.

«Io invece non lo credo proprio», rise lui. «Per l'amor di Dio, ha ventun anni e siamo in guerra. Aspetta che i nostri ragazzi tornino a casa.»

«E quando succederà?» gli domandò la moglie scoccandogli un'occhiata triste.

«Presto, mi auguro.» Fino a quel momento, però, non c'era stato alcun segno in tal senso.

Ad agosto Parigi era stata finalmente liberata, la Russia continuava a ricacciare indietro i tedeschi e le sue truppe erano ormai arrivate in Polonia, ma da settembre i tedeschi avevano aumentato le incursioni aeree e i bombardamenti sull'Inghilterra; inoltre, l'offensiva alleata nella foresta delle Ardenne stava andando male, e la battaglia del Bulge, avvenuta da poco, era costata un'enorme quantità di vite umane, demoralizzando tutti.

L'ultimo giorno delle vacanze di Natale Andy Scott passò da casa di Kate con un gruppo di amici e riuscì a convincerla ad andare a pattinare con loro. Pensavano di raggiungere in macchina un laghetto nelle vicinanze, ed Elizabeth provò un gran sollievo quando la vide partire con gli altri. Continuava ancora ad augurarsi che prima o poi sua figlia dedicasse maggiore attenzione a Andy, anche se lei le aveva sempre ripetuto che erano soltanto amici. Anche Clarke nutriva qualche speranza, per quanto fosse dell'opinione che sarebbe stato meglio lasciar decidere Kate.

Passarono uno splendido pomeriggio sul laghetto, inciampando, cadendo clamorosamente, fra urti e spinte reciproche. I ragazzi organizzarono una finta partita di hockey e Kate si dedicò a disegnare cerchi eleganti e aggraziati al centro della pista ghiacciata. Le era sempre piaciuto moltissimo il pattinaggio artistico, ed era abbastanza brava. Dopo andarono tutti a bere un grog bollente, poi fecero una lunga passeggiata nella frizzante aria della sera. Kate rimase indietro rispetto al gruppo, e Andy la raggiunse. Era felice, perché l'amica sembrava in condizioni fisiche e morali migliori e finalmente si era decisa a distrarsi un po'. Gli aveva detto che le vacanze di Natale erano andate bene, per quanto non avesse fatto un granché. Lui aveva notato che, stranamente, non aveva nemmeno accennato a Joe, e sperava che questo indicasse finalmente una svolta.

«Che cosa pensi di fare l'estate prossima?» le domandò tranquillamente prendendole la mano coperta dal guanto di lana e infilandosela sotto il braccio. Per andare a pattinare Andy si era messo i paraorecchie e una calda sciarpa di lana.

«Non lo so, non ci ho ancora pensato», gli rispose lei con aria vaga. Il vapore del loro fiato saliva in sottili spirali nell'aria fredda. «E tu?»

«Mi è venuta un'idea», replicò Andy mentre continuavano a camminare seguendo il gruppo di amici. «A giugno finiremo entrambi la scuola. Mio padre dice che non dovrò cominciare a lavorare nel suo studio legale fino a settembre, allora mi sono detto che sarebbe divertente andare in luna di miele.» Lei annuì, poi aggrottò la fronte e gli lanciò un'occhiata.

«Con chi?» Per un attimo Kate trattenne il respiro. C'era una strana espressione negli occhi di Andy. Si fermarono, e lui chinò la testa a guardarla.

«Con te, forse, stavo pensando», mormorò a fior di labbra. Lei si lasciò sfuggire un lungo sospiro; credeva che ormai quella fosse acqua passata. Erano anni che lo trattava come un fratello, ma Andy aveva sempre avuto un debole per lei e, come i genitori di Kate e i suoi, continuava a ritenere che il loro sarebbe stato un buon matrimonio.

«Stai scherzando?» gli chiese con un filo di speranza,

ma lui fece segno di no. Allora Kate appoggiò la testa a quella di lui.

«Non posso farlo, Andy, e lo sai. Ti voglio bene come a un fratello.» Poi gli rivolse uno sguardo colmo di tristezza. «Sposarti sarebbe un incesto.»

«So che sei stata innamorata di Joe», disse lui con molta franchezza, «ma ormai lui non c'è più. E io ti ho sempre amata. Credo che potrei renderti felice, Kate.» Ma non come l'aveva resa felice Joe, che era stato passione, eccitazione e pericolo. Andy era cioccolata calda e pattinate sul laghetto ghiacciato. Li considerava entrambi importanti, ma in modo differente, e ormai era sicura che non avrebbe mai potuto provare per lui quello che aveva provato per Joe. Si erano fermati; gli altri erano molto più avanti e di certo non immaginavano neanche lontanamente che cosa stava succedendo alle loro spalle.

«Non credo che sarebbe onesto nei tuoi confronti», rispose lei sincera, stringendosi a lui mentre ricominciavano a camminare. Andy avrebbe voluto domandarglielo fin dalla mattina, ma non ne aveva avuto l'occasione. «Continuo a non credere che lui se ne sia andato e che non tornerà mai più.»

«Non eravate nemmeno fidanzati. Un sacco di gente ha avuto una storia d'amore prima di sposarsi. C'è anche chi ha rotto un fidanzamento quando ha incontrato qualcun altro.» Andy la guardò serio. «Pensa quante donne si ritroveranno nelle tue condizioni dopo la guerra. Ci sono vedove anche più giovani di te, e magari hanno anche dei bambini. Nessuna si potrà chiudere sottochiave per il resto dell'esistenza, dovranno ricominciare a vivere, e lo stesso accadrà anche a te. Non puoi nasconderti in eterno, Kate.»

«Sì che posso.» Quello che aveva avuto con Joe le sarebbe potuto bastare per il resto dei suoi giorni.

«Non ti fa bene. Hai bisogno di un marito, di figli, di

una buona vita, di qualcuno che ti ami e si prenda cura di te.» Queste parole sarebbero state musica per le orecchie della madre di Kate, ma non per lei.

«Tu meriti qualcosa di meglio di una ragazza innamorata di un fantasma.» Per la prima volta ammetteva di fronte a qualcun altro che Joe poteva essere morto, e Andy lo considerò un primo passo.

«Magari nella nostra vita c'è posto anche per un fantasma.» Andy si sentiva sicuro che, un giorno, Kate si sarebbe rassegnata a rinunciare a Joe.

«Non lo so», gli rispose lei con aria vaga. Però fino a quel momento non aveva detto chiaramente di no.

«Non dobbiamo sposarci l'estate prossima, Kate. L'ho detto solo per vedere che cosa avresti risposto. Possiamo aspettare tutto il tempo che vuoi. Nel frattempo potremmo cominciare a frequentarci seriamente.»

«Come la gente normale?» gli domandò guardandolo, ma non riusciva a immaginare di essere innamorata di lui. Ai suoi occhi, nonostante avesse ventitré anni, Andy continuava a essere un ragazzino. Joe aveva dieci anni esatti più di lui. Kate era stata attratta da Joe dal momento in cui lo aveva conosciuto, era stata come un'esplosione di luce nel suo cuore. Andy le era sempre sembrato un buon amico, una persona affettuosa e piena di premure. Eppure era così che, secondo sua madre, doveva essere un marito.

«Allora, cosa ne pensi?» le chiese lui speranzoso, e Kate si mise a ridere. Non riusciva a prenderlo sul serio.

«Penso che sei pazzo anche solo a volermi», rispose onestamente.

«E per quanto ti riguarda?» insistette lui con aria piena di aspettativa.

«Non lo so. Non riesco a immaginare come sarebbe essere fidanzata con te. Devo riflettere.» Negli ultimi tre anni e mezzo Kate aveva cercato diverse volte di fargli fare copia fissa con qualche compagna del pensionato universitario, ma Andy aveva sempre mostrato molto più interesse per lei. «Però mi sembra un'idea pazzesca», ribatté con un tono di voce tutt'altro che romantico, ma lui non si lasciò scoraggiare. Le cose erano andate meglio di quanto si aspettasse, e sembrava soddisfatto. Erano mesi che stava cercando di trovare il coraggio di farle quella domanda, ma aveva sempre temuto che fosse troppo presto. Ormai era passato più di un anno da quando Joe era scomparso.

«Forse non è pazzesca come credi», mormorò Andy. «Perché non vediamo come andranno le cose nei prossimi mesi?» le propose, e Kate annuì. Lo aveva sempre ritenuto un ragazzo simpatico, e forse la mamma aveva ragione.

Quella sera, dopo che Andy la ebbe riaccompagnata a casa, ripensandoci si sentì depressa. Soltanto avergli permesso di parlarle della possibilità di sposarsi le sembrava una specie di tradimento nei confronti dell'uomo che amava. Oltre tutto, in questo modo lui le mancava ancora di più. Non solo Andy e Joe erano diversi, ma esistevano in mondi differenti. Ogni cosa in Joe era eccitante, piena di fascino, capace di ipnotizzarla; era sempre rimasta incantata dai suoi racconti, e la gita in aereo era stato uno dei momenti più splendidi della sua vita. E, al di là di tutto questo, fra loro c'era sempre stata un'attrazione tacita ma potente, irresistibile quanto inspiegabile. Con Andy Scott, invece, non c'era niente del genere: lui non era una luce splendente che ardeva in un punto segreto del suo essere, era solo un posticino comodo e caldo. Sarebbe stato un cambiamento enorme. Così, quando lo rivide a scuola pochi giorni dopo, cominciò subito a tentare di spiegarglielo.

«Sssst!» ribatté lui in tono fermo, posandole un dito sulle labbra. «So che cosa stai per dire. Scordalo. Non voglio sentirlo. Sei soltanto impaurita.» Il guaio, invece, era che Kate non lo amava. Ai genitori non aveva detto una parola della proposta ricevuta; non voleva far nascere troppe speranze nel cuore di sua madre, anche perché lei non era affatto convinta, anzi, non provava neanche un po' d'entusiasmo all'idea di cominciare a frequentarlo regolarmente. Quando usciva con lui si sentiva una stupida. «Diamoci una possibilità», continuò Andy. «Ti andrebbe di cenare insieme venerdì sera? E sabato potremmo andare al cinema.» Di colpo Kate provò la sensazione che un ragazzino delle medie le proponesse di fare coppia fissa. Andy era brillante, gentile, affettuoso e disponibile, ma il fatto di essere rimasto a casa mentre tutti gli altri partivano per la guerra lo aveva reso meno maturo, almeno agli occhi di Kate. E sicuramente lo era molto meno di Joe.

A dispetto di se stessa, venerdì sera decise di vestirsi in modo elegante per andare a cena. Scelse un abitino nero che la mamma le aveva regalato a Natale, un paio di scarpe con i tacchi alti, una giacca di pelliccia e un filo di perle al collo. Era molto carina quando Andy passò a prenderla. Lui, che indossava un abito scuro, sembrava il sogno di qualsiasi laureanda. Ma non di Kate.

Dopo avere cenato in un ristorante italiano del North End, Andy la portò a ballare. Per quanto si sforzasse di prendere tutto sul serio, Kate continuò a giudicare tutto una sorta di scherzo. Avrebbe decisamente preferito mangiare qualcosa alla mensa dell'università, come facevano sempre; però evitò di dirglielo.

Andy si comportò con molto garbo quando la accompagnò a casa, e si guardò bene dal baciarla. Non voleva spaventarla, sapeva che era ancora troppo presto. La sera seguente la portò a rivedere *Casablanca*, e questo bastò a farli sentire più rilassati, poi andarono a mangiare un hamburger. Kate si meravigliò di divertirsi tanto con lui; purtroppo continuava a non trovare né emozionante né romantica la sua compagnia. Ma, se non altro, voleva sforzarsi di lasciare aperto uno spiraglio alla possibilità che qualcosa cambiasse.

Solo a San Valentino Andy tentò finalmente di baciarla. Ormai Joe se n'era andato da quindici mesi, eppure sentendo le labbra di Andy sulle proprie Kate riuscì a pensare soltanto a Joe. Le pareva che ci fosse qualcosa di sbagliato in lei, come se avesse il cuore, la testa e l'anima ottenebrati. Quando la luce di Joe si era spenta in lei, anche tutto il resto era diventato buio.

Andy sembrò non notare niente di tutto questo, e nei mesi successivi cominciarono a vedersi regolarmente, una volta la settimana. Con grande sollievo di Kate, lui non andò mai oltre un bacio: non si aspettava che lei rischiasse la propria reputazione, e certo non immaginava che avesse fatto all'amore con Joe. Le ripeteva in continuazione che la amava, e anche lei gli voleva bene, a modo suo. I suoi genitori erano molto soddisfatti che uscisse con Andy, ma lei insisteva che fra loro non c'era niente di serio. Quando suo padre la guardava negli occhi, gli si spezzava il cuore: vi leggeva facilmente quello che c'era e quello che non c'era, e ciò che vedeva era soltanto un dolore immenso, un pozzo di disperazione. Il fatto che sua figlia avesse ricominciato a chiacchierare e a sorridere non lo traeva in inganno.

Un giorno, mentre Elizabeth e Clarke stavano cenando da soli, lei cominciò a tessere le lodi di Andy, ma lui tentò di scoraggiarla: a suo giudizio quello che la moglie stava facendo era pericoloso per Kate.

«Non essere insistente, lascia che trovino da soli la loro strada.»

«A me sembra che siano ben avviati. Sono sicura che si fidanzeranno.» Ma Clarke si domandava che senso avesse: la loro figlia era stata profondamente innamorata di un uomo e ora doveva sposare qualcuno, uno qualsiasi, per sostituirlo, che lo amasse oppure no? Gli sembrava un destino tragico e crudele. Lui ed Elizabeth erano insieme da tredici anni, e si amavano come il primo giorno. Per Kate non voleva niente di meno.

«Io non penso che dovrebbe sposarlo», disse.

«Perché no?» ribatté la moglie irritata. Non voleva che lui rovinasse tutto.

«Non è innamorata, Elizabeth», le rispose Clarke senza perdere la calma. «Guardala, pensa ancora a Joe.»

«Non è mai stato l'uomo giusto per lei, e adesso non c'è più, per l'amor di Dio!»

«Questo non cambia i suoi sentimenti. Potrebbe continuare a soffrire per anni.» In effetti, cominciava a temere che sua figlia non avrebbe mai superato quel dolore, e forse sposare Andy avrebbe soltanto peggiorato le cose, soprattutto se l'avesse fatto per accontentare i genitori. C'era il rischio che quel matrimonio infrangesse irrimediabilmente la sua forza interiore o la gettasse nella disperazione più nera; allora, meglio che rimanesse sola, e non aveva importanza che Andy fosse un bravo ragazzo. «Lasciali in pace, vedrai che saranno loro a trovare la soluzione migliore», insistette, ma lei scosse la testa.

«Kate ha bisogno di sposarsi, di avere dei bambini. Che cosa ti aspetti che faccia quando si sarà laureata, a giugno?» Sembrava considerare il matrimonio e i figli una terapia, e questo lasciò Clarke di stucco.

«Preferirei che trovasse un lavoro, invece di sposare l'uomo sbagliato.» Il suo tono era fermo.

«Non c'è niente di sbagliato in Andy Scott.» Elizabeth si domandò perché mai suo marito avesse idee così strampalate. Forse anche lui era rimasto un po' abbagliato dalla personalità di Joe Allbright. In ogni caso, per quanto affascinante quell'uomo fosse, ormai se n'era andato per sempre, e sua figlia doveva continuare a vivere.

Kate continuò a uscire con Andy ogni fine settimana e a

fare del suo meglio per provare nei suoi confronti qualcosa di più dell'amicizia, ma era una lotta impari. Con l'arrivo della primavera l'attenzione generale si concentrò sull'Inghilterra, sulla Francia e sulla Germania: il vento iniziò a cambiare. A marzo le truppe americane vinsero la battaglia della Ruhr e occuparono Iwo Jima, nel Pacifico. Ad aprile Norimberga cadde nelle mani degli alleati e più o meno nello stesso periodo i russi raggiunsero i sobborghi di Berlino. Alla fine dello stesso mese Mussolini e i membri del suo governo furono destituiti e subito dopo le truppe tedesche in Italia deposero le armi. Il presidente Roosevelt morì e al suo posto fu eletto Harry Truman. Il 7 maggio la Germania si arrese e Truman dichiarò l'8 maggio giorno della Vittoria.

Kate e Andy seguivano le notizie con grande interesse e discutevano su quello che leggevano. Per lei la guerra aveva un significato più profondo di quanto lo avesse per molte ragazze della sua età: le era costata davvero molto. Altre sue coetanee, invece, continuavano a pregare che il loro uomo tornasse a casa. Ormai non si sapeva più niente di Joe da diciassette mesi, e tutti, Kate compresa, erano convinti che fosse morto. Il dossier che lo riguardava era stato archiviato, ma i record che aveva stabilito resistevano, e sarebbero rimasti imbattuti per molto tempo ancora.

Il giorno della vittoria, quando arrivò la notizia, Kate era a lezione. La porta si spalancò e una professoressa entrò con il viso rigato di lacrime. Tre anni prima aveva perso il marito in Francia. Tutte le allieve si alzarono, fra grida di gioia e abbracci. Era finita: i ragazzi sarebbero tornati a casa. Mancava ancora la resa del Giappone, ma tutti erano sicuri che fosse imminente.

Quel pomeriggio Kate andò a casa dei genitori. Suo padre era felice. Discussero un po' la situazione, e Clarke si

9

DOPO la vittoria in Europa anche la festa di laurea fu un po' scialba. Kate era splendida in cappa e tocco; i suoi genitori erano orgogliosi di lei e anche Andy partecipò alla cerimonia. Le aveva proposto di annunciare il fidanzamento quella settimana, ma lei lo aveva pregato di aspettare ancora un po'. Durante l'estate lui avrebbe fatto un viaggio, girando il Nordovest degli Stati Uniti, e in autunno avrebbe cominciato a lavorare per il padre a New York.

Pochi giorni dopo fu lei ad assistere alla laurea di Andy, che fu molto meno fastosa ma ugualmente bella, e Kate si sentì felice per lui. Era riuscita a convincerlo ad aspettare la fine delle vacanze prima di riprendere il discorso sul loro eventuale matrimonio.

Appena Andy partì, a giugno, lei si accorse che le mancava più di quanto avesse creduto, e scoprì con sollievo di provare qualcosa di profondo nei suoi confronti. Non era mai riuscita a definirlo esattamente, e sapeva che ciò dipendeva dai suoi sentimenti per Joe. Le sue emozioni non avevano più l'intensità di un tempo, come se qualcosa si fosse spento in lei, ma a poco a poco le cose stavano cambiando. Era molto grata a Andy per la pazienza e la gentilezza che dimostrava nei suoi confronti. Capiva di avergli creato mille difficoltà; adesso, però, era davvero ansiosa di rivederlo. Lui le telefonava più spesso che poteva e le mandava una cartolina da tutti i luoghi che visitava. Inizialmente si era diretto verso i Grand Tetons e il lago Louise. Aveva alcuni amici nello Stato di Washington e, sulla strada del ritorno, sarebbe passato anche da San Francisco. A quanto le raccontava, si stava divertendo moltissimo ma sentiva terribilmente la sua mancanza. Kate, resasi conto di quanto fosse vuota la sua vita senza lui, cominciò a riflettere sulla possibilità di fidanzarsi in autunno e magari di sposarsi nel giugno dell'anno successivo: come minimo, aveva bisogno di un altro anno.

Intanto, aveva ricominciato a lavorare a tempo pieno per la Croce Rossa. Ogni giorno orde di giovani rientravano dall'Europa, e le navi ospedale arrivavano cariche di feriti. A lei era stato assegnato l'incarico di lavorare nel porto, aiutando il personale medico a ricevere i soldati che scendevano a terra e a stabilire dove mandarli; molti sarebbero rimasti in cura per mesi, a volte addirittura per anni. Kate non aveva mai visto persone così felici di essere di nuovo a casa, per quanto grave fosse la loro situazione. Si inginocchiavano a baciare la terra, coprivano anche lei di baci e di abbracci, come qualunque altra donna si trovassero davanti, se la loro madre o la loro ragazza non erano lì ad accoglierli. Per quanto fosse un impegno estenuante, era anche un'opera di bene che la riempiva di gioia. Moltissimi soldati avevano riportato ferite terribili, e sembravano tutti così giovani... almeno fino a quando li si guardava negli occhi. Avevano visto troppo. Kate provava una gran voglia di piangere mentre li osservava scendere zoppicando dalla nave e buttarsi fra le braccia dei famigliari.

Passava ore con loro, tenendo mani strette nelle proprie, accarezzando la fronte degli infermi, scrivendo lettere per quelli che avevano perso la vista. Li aiutava a salire sulle ambulanze e sugli autocarri militari. Ogni giorno tornava a casa sudata, sporca e stanca, ma, se non altro, aveva la sensazione di occupare il tempo facendo qualcosa di utile.

Una sera rientrò molto tardi, dopo avere lavorato in un reparto ospedaliero strapieno. Era così in ritardo rispetto al solito che immaginava di trovare i genitori un po' in ansia per lei. Invece, nel momento in cui entrò e vide la faccia di suo padre, pensò subito che doveva essere accaduto qualcosa di molto grave. La mamma era seduta sul divano vicino a Clarke e si tamponava gli occhi con un fazzoletto. Kate immaginò che fosse morto qualcuno, anche se non riusciva a immaginare di chi si trattasse. Sentì un brivido correrle lungo la schiena.

«Che cosa c'è, papà?» gli domandò piano entrando nella stanza.

«Niente, Kate. Vieni qui a sederti.» Lei ubbidì, lisciandosi l'uniforme macchiata. Aveva anche la cuffietta messa di traverso: la giornata era stata incredibilmente lunga, e lei si sentiva accaldata ed esausta.

«Stai bene, mamma?» chiese con dolcezza, ed Elizabeth si limitò ad annuire. «Cos'è successo?» Mentre volgeva lo sguardo dal padre alla madre, calò un silenzio che le parve interminabile. Dato che i nonni e gli zii erano morti da tempo, intuì che dovesse trattarsi di un amico o, forse, di un figlio di amici; probabilmente un ferito non ce l'aveva fatta ed era morto durante il viaggio di ritorno.

«Oggi ho ricevuto una telefonata da Washington», rispose suo padre. Ma questo non aveva alcun significato per Kate; tutte le brutte notizie per lei erano già arrivate, e le erano servite per imparare a svolgere il lavoro di volontaria con maggiore sensibilità. Adesso capiva che cosa significasse perdere la persona che si amava più di chiunque altro al mondo. Continuò a fissare Clarke negli occhi, nella speranza di leggervi qualcosa che le spiegasse che cosa lo aveva sconvolto, e dopo un attimo di esitazione lui aggiunse: «Hanno trovato Joe, Kate. È vivo». Quelle parole la colpirono come pietre.

«Cosa?» riuscì a mormorare alla fine, pallidissima. «Non capisco.» Le parve di essere scioccata come la notte in cui aveva perso il bambino. «Che vuoi dire?» Dopo avere sperato per tanto tempo, ormai se n'era fatta una ragione, era arrivata a convincersi che Joe fosse morto, e ascoltando la frase che si era rassegnata a non sentire mai più provò un senso di vertigine. Era totalmente confusa.

«È stato abbattuto poco a ovest di Berlino», le spiegò il padre piangendo. «Ha avuto un problema con il paracadute e si è fratturato le gambe. Un contadino lo ha nascosto, poi Joe ha tentato di raggiungere la frontiera, ma è stato catturato e trasportato nella prigione del castello di Colditz, vicino a Lipsia. Non aveva la possibilità di mettersi in contatto con qualcuno; da quanto ci aveva riferito a suo tempo il ministero della Guerra, sappiamo che gli avevano fornito documenti falsi per fargli correre meno rischi», aggiunse asciugandosi le lacrime. Kate continuava a fissarlo con gli occhi sbarrati, tentando inutilmente di concentrarsi su quello che le veniva detto. Aveva la sensazione che Joe fosse tornato dalla terra dei morti, e lei con lui. «Lo hanno tenuto in isolamento e, per qualche strano motivo, i tedeschi non lo hanno inserito negli elenchi dei prigionieri, perciò non figurava nemmeno sotto il nome falso. Devono avere sospettato che non fosse quello giusto, così hanno cercato di strappargli con la tortura qualunque informazione utile potessero ottenere. È rimasto a Colditz sette mesi, poi è riuscito a evadere. Ormai era in Germania quasi da un anno. È arrivato fino in Svezia, dove stava cercando di salire a bordo di un cargo quando lo hanno catturato. Questa volta per fermarlo gli hanno sparato, ferendolo gravemente. Pare che sia rimasto privo di conoscenza parecchi mesi, poi lo hanno internato di nuovo al castello di Colditz. Era riuscito a procurarsi documenti falsi svedesi, per questo il suo nome non è più comparso nelle liste dei prigionieri americani. Non credo che avessero capito chi fosse. Qualche settimana fa lo hanno scoperto, ma fino a ieri lui non è stato in grado di rivelare la sua vera identità. Adesso si trova in un ospedale militare a Berlino. E, Kate...», la voce di Clarke si ruppe, mentre lui cercava di controllarla, «sembra in condizioni piuttosto brutte. Dicono che quando l'hanno tirato fuori dalla cella era in fin di vita, ma, che Dio lo benedica, finora ha resistito. Pensano che ce la farà, salvo complicazioni. Ha ancora gravi problemi alle gambe, perché ha riportato nuove fratture, e quando l'hanno trovato aveva ancora proiettili conficcati nelle braccia e nelle gambe. Per tutto questo tempo ha vissuto un inferno. Se lo rimetteranno in sesto e se sarà possibile fargli affrontare il viaggio, dovrebbe tornare a casa su una nave ospedale fra quindici giorni. A luglio, ma non so precisamente quando.»

Kate era ammutolita e, come il padre, non riusciva a trattenere le lacrime. La mamma la guardava, disperata: era ovvio che la vita di sua figlia stava per cambiare radicalmente. Andy Scott e tutto ciò che aveva da offrirle erano svaniti in un istante. E, per quanto Kate amasse Joe, Elizabeth continuava a essere convinta che quell'uomo le avrebbe distrutto la vita. D'altra parte, i suoi genitori capivano chiaramente quanto Joe significasse per lei, lo avevano visto negli ultimi due anni. Clarke voleva soltanto la sua felicità, e aveva sempre provato un profondo rispetto nei confronti di Joe.

«Posso parlargli?» domandò Kate alla fine con la voce rotta dall'emozione. Suo padre esitò: dubitava che sarebbe riuscita a telefonare. Si era fatto dare il nome dell'ospedale, ma in quei giorni le comunicazioni con la Germania erano praticamente inesistenti.

Più tardi Kate cercò di chiamare Joe, anche se ormai era notte, ma la centralinista le rispose che la comunicazione non era possibile, allora si ritirò nella sua camera e sedette alla finestra a contemplare il chiaro di luna e a pensare a lui. In quel momento riusciva a ricordare soltanto l'assoluta convinzione – nutrita per tanto tempo, fino a pochissimi mesi prima – che lui fosse ancora vivo

Nelle settimane successive le sembrò di vivere sott'acqua: ogni giorno andava a lavorare per la Croce Rossa, negli uffici o a bordo delle navi in arrivo, visitava i feriti ricoverati negli ospedali, li aiutava a mangiare, a sedersi sul letto, a bere, prestava ascolto a mille storie, una più dolorosa dell'altra. Quando Andy la chiamava, preferiva rimanere sul vago: non voleva informarlo per telefono che Joe era vivo, e non sapeva che cos'altro dirgli. Si era impegnata con tutta se stessa nel convincersi che doveva amarlo e che forse un giorno ci sarebbe riuscita, ma adesso, di fronte alla prospettiva del ritorno di Joe, riusciva a stento a parlare con Andy. E non le sembrava giusto rovinargli la vacanza dicendoglielo mentre era lontano.

Il giorno in cui la nave di Joe avrebbe attraccato in porto, Kate andò a lavorare alle cinque del mattino: sapeva che sarebbe dovuta arrivare alle sei, con l'alta marea. Nella notte l'imbarcazione si era fermata fuori del porto, e aveva comunicato la posizione in cui si trovava. Kate si era messa un'uniforme pulita e si accorse che, fissandosi la cuffietta sulla testa con uno spillone, le tremavano le mani. Non riusciva a immaginare come sarebbe stato rivederlo. Tutto cominciava a sembrarle un sogno molto strano.

Prese il tram per scendere al porto, si presentò alla capo infermiera, e insieme controllarono i rifornimenti che avevano a disposizione. Sulla nave c'erano settecento feriti;

era una delle prime provenienti dalla Germania; le altre erano per lo più giunte dall'Inghilterra e dalla Francia. Allineati lungo la banchina c'erano le ambulanze e i veicoli militari per il trasporto dei soldati negli ospedali militari situati entro un raggio di parecchie centinaia di chilometri. Lei non aveva la minima idea di dove sarebbe stato mandato Joe ma, ovunque fosse, voleva stargli vicino per quanto possibile. Nelle ultime settimane non era riuscita a mettersi in contatto telefonico con lui, e l'avevano informata che una lettera non gli sarebbe arrivata in tempo.

La nave entrò a velocità ridottissima, con i ponti affollati di soldati che si reggevano sulle stampelle e in qualche caso erano ancora coperti di bende. Già da lontano si sentivano le loro urla e i fischi di gioia, e li si vedeva sbracciarsi e salutare. Ormai era una scena alla quale Kate aveva assistito molte volte, e sempre le aveva fatto salire le lacrime agli occhi. Ma questa volta rimase immobile a osservare tutti quei ragazzi, aguzzando lo sguardo nella speranza di adocchiarlo, benché non sapesse se fosse in condizioni di reggersi in piedi. Da quello che le era stato detto, le sembrava più logico che lo avessero portato sul ponte in barella, una delle tante disposte in fila. Kate aveva chiesto alla capo infermiera il permesso di salire a bordo.

«C'è qualcuno che conosci?» Di solito le volontarie aspettavano che i soldati scendessero sulla banchina, ma di tanto in tanto ce n'era qualcuna che andava sulla nave a dare una mano. L'infermiera in pensione che dirigeva le crocerossine volontarie aveva capito la sua ansia. Non aveva mai visto un viso pallido come quello di Kate che, incorniciato dai folti capelli rosso scuro, sembrava ancora più terreo, e si meravigliò che si reggesse ancora in piedi.

«Io... il mio... il mio fidanzato», si decise finalmente a confessarle. Sarebbe stato troppo complicato spiegarle che cosa significasse Joe per lei e dove fosse stato negli ultimi due anni; le sembrò quindi più semplice dire una bugia diplomatica.

La donna le diede l'autorizzazione, poi, mentre osservavano la nave che entrava in porto le domandò: «Da quanto tempo non lo vedi?»

«Ventun mesi. Fino a tre settimane fa credevamo che fosse morto.» A quel punto la capo infermiera si voltò per osservare la ragazza: poteva capire che cosa doveva avere passato. Per quanto la riguardava, aveva vissuto un suo inferno privato, essendo vedova e avendo perso tre figli.

«E dove lo hanno trovato?» continuò, più che altro per cercare di distrarre Kate. Quella povera figliola sembrava lì lì per crollare.

«In Germania. In prigione», rispose semplicemente. Alla donna non rimase altro che immaginare l'enormità dei danni fisici e psichici che potevano essergli stati fatti. «Lo hanno abbattuto durante un'incursione aerea», aggiunse Kate, che ancora non aveva la minima idea di quali ferite Joe avesse subito.

La nave attraccò, e a uno a uno i soldati cominciarono a scendere dalle passerelle. Il porto era affollato di gente che gridava di gioia, inneggiava a quegli uomini e piangeva; sulla banchina le scene di commozione non si contavano. Contemplando quello spettacolo, questa volta Kate non versò più lacrime per loro, ma per Joe. Ci vollero ancora un paio d'ore prima che riuscisse a salire a bordo. Ormai erano pronti a portare a terra i feriti che non si reggevano in piedi, e lei accompagnò sulla nave un gruppo di portantini che salivano per svolgere quell'incarico. Dovette lottare con se stessa per dominarsi, per non aprirsi un varco fra loro a gomitate, anche perché non aveva la minima idea di dove trovare Joe su quell'imbarcazione enorme. Notò che i paramedici, aiutati anche dall'equipaggio, portavano fuori gli uomini distesi sulle barelle e li allineavano sul ponte superiore, allora cominciò a procedere cautamente tra i feriti e gli agonizzanti, mentre l'aria diventava sempre più irrespirabile, tanto era l'acre odore che emanava da quei corpi malati e impregnati di sudore. Kate si sforzò reprimere i conati di vomito.

Qualcuno tentò di allungarsi, di afferrarle la mano, di toccarle le gambe, e lei fu costretta a fermarsi ogni pochi passi per parlare con coloro che cercavano di fermarla. Indipendentemente da ciò che provava, non poteva continuare per la sua strada come se niente fosse. Passò fra loro con mille cautele, attenta a non calpestare nessuno, poi, per l'ennesima volta, fu bloccata da un uomo che non aveva più le gambe, il quale si protese per prenderle una mano. Era sfigurato, e dal modo in cui girava la testa Kate si accorse che l'occhio che gli era rimasto non vedeva più. Voleva soltanto parlarle e dirle quanto fosse felice di tornare a casa, e lei capì dal suo accento che veniva dal profondo Sud. Era ancora curva a rispondergli quando una mano dietro di lei le sfiorò dolcemente un braccio. Finì di parlare con l'uomo del Sud, quindi si voltò per vedere in che cosa poter essere utile alla persona che, toccandola, intendeva chiamarla; era disteso sulla barella e la stava guardando con un largo sorriso. Aveva la faccia scarna, pallidissima, segnata da tante piccole cicatrici, segno dei violenti pestaggi subiti a opera dei tedeschi, ma, nonostante tutto questo, lo riconobbe subito. Cadde in ginocchio al suo fianco e lui si tirò su a sedere e la prese fra le braccia. Le lacrime che gli scendevano a fiotti sulle guance si confusero con quelle di Kate. Era Joe.

«Oh, mio Dio...» riuscì a bisbigliare soltanto.

«Ciao, Kate», mormorò lui con voce spezzata. «Te l'avevo detto che ho cento vite.» Lei piangeva tanto convulsamente da non riuscire a pronunciare una parola, allora Joe le asciugò le lacrime, accarezzandole il viso con una mano ruvida. Era dimagrito in un modo spaventoso e, quando lo osservò meglio, Kate si accorse che aveva entrambe le gambe ingessate; dopo la cattura i soldati tedeschi gliele avevano rotte durante gli interrogatori, e quando lui aveva cercato di fuggire, gli avevano sparato alle gambe. Gli avevano ridotto le fratture in Germania, ma i medici non erano completamente sicuri che avrebbe camminato di nuovo. Per molto tempo la sua vita era rimasta appesa a un filo, ma alla fine era tornato da lei. Kate non riusciva a pensare alle condizioni in cui doveva essersi trovato; era difficile credere che potessero essere state peggiori di quelle in cui lo vedeva adesso, eppure era la realtà.

«Non avrei mai pensato di rivederti», le sussurrò Joe mentre i barellieri lo trasportavano giù dalla nave. Kate camminava al suo fianco, tenendogli una mano. Lui si asciugò gli occhi con l'altra.

«Neanch'io», rispose lei. Intanto la capo infermiera li aveva individuati ed era scoppiata in un pianto silenzioso, seguendoli con gli occhi mentre scendevano sulla banchina. Era una scena che aveva visto mille volte, ma questa la commuoveva particolarmente perché aveva sempre provato una grande simpatia per Kate. Qualcuno meritava di vincere in tanta tragedia, pensò, e negli ultimi quattro anni di tragedie ce n'erano state molte.

«Allora, hai trovato il tuo ragazzo. Bentornato a casa, figliolo», disse dando un colpetto affettuoso sul braccio di Joe, che stringeva convulsamente la mano di Kate. «Vuoi salire sull'ambulanza con lui?» le domandò poi. Lo avrebbero mandato in un ospedale alla periferia di Boston, e per lei sarebbe stato facile andare a trovarlo. La ruota della fortuna era finalmente girata, e Kate sapeva che, indipendentemente da quello che sarebbe successo in seguito, lei sarebbe sempre stata grata per avere ricevuto il dono della vita di Joe.

Salì sull'ambulanza e sedette vicino a lui. Aveva nella borsetta una tavoletta di cioccolata, e gliela offrì mentre partivano. Con loro viaggiavano altri tre soldati, così divise un'altra tavoletta di cioccolata fra loro. Uno scoppiò in lacrime.

Anche loro venivano dalla Germania, due erano stati prigionieri in un campo di internamento, il terzo, invece, era stato catturato mentre cercava di fuggire in Svizzera; lo avevano torturato per quattro mesi, poi lo avevano abbandonato a se stesso. Tutti avevano ricevuto un trattamento da incubo per mano dei soldati tedeschi, ed erano stati salvati dai civili.

«Stai bene?» Joe la guardava con la tenerezza di una chioccia. Non aveva mai visto qualcosa di più bello dei suoi capelli, della sua pelle e dei suoi occhi, e anche gli altri tre feriti, sdraiati nelle barelle, la divoravano con gli occhi.

«Sì. Ho sempre pensato che tu fossi vivo», mormorò Kate. «Sapevo che non eri morto, nonostante quello che dicevano.»

«Non ti sei sposata o fidanzata, spero», rise Joe, e lei scosse la testa. Ma se fosse stato via ancora un po' il rischio sarebbe stato grosso. «Hai finito l'università?» Voleva sapere tutto. Aveva pensato a lei un milione di volte, ogni sera si addormentava con la sua immagine negli occhi, domandandosi se l'avrebbe mai più riabbracciata. Per amor suo, e per se stesso, si era rifiutato di morire.

«Mi sono laureata a giugno», rispose Kate. Dopo tanto tempo, erano troppe le cose che aveva da dirgli. C'erano tanti mesi di vuoto da riempire, e ci sarebbe voluto tempo per farlo. «Adesso lavoro come volontaria per la Croce Rossa.»

«Non scherziamo su queste cose», replicò lui ridendo, anche se gli facevano male da morire le labbra piene di screpolature, quelle labbra che Kate aveva baciato e che erano le più dolci del mondo. «Pensavo che tu fossi soltanto un'infermiera premurosa.» Per un attimo non aveva creduto ai propri occhi trovandosela davanti sulla nave. Non era riuscito a mettersi in contatto con lei prima di salpare, ed era una fortuna che lo avessero mandato a Boston, invece che a New York, così Kate sarebbe potuta andare a trovarlo tutti i giorni.

Rimase con lui fino a quando lo sistemarono all'ospedale, poi fu costretta a tornare al porto per riprendere il lavoro. «Tornerò stasera», gli promise. Quando, alla fine del turno, rientrò a casa dei genitori e si fece prestare la macchina erano ormai le sei passate, e quasi le sette quando lo ritrovò, pulito e in ordine, in un letto ben rifatto e con le lenzuola fresche di bucato. Joe era profondamente addormentato. Kate gli si sedette accanto senza disturbarlo e si meravigliò quando, due ore dopo, lui si svegliò. Si voltò con una smorfia di dolore, poi avvertendo la sua presenza, aprì gli occhi.

«Sto sognando? Oppure sono in paradiso?» disse con un sorriso assonnato. «No, non puoi essere davvero qui vicino a me, Kate... non ho mai fatto niente nella vita per meritarmelo.»

«Invece sì.» Lei gli baciò dolcemente le guance, poi le labbra. «La fortunata sono io. Mia madre aveva paura che diventassi una vecchia zitella.»

«Io pensavo che avessi sposato quel ragazzo, Andy, quello che sostenevi fosse soltanto un amico. Sono i tipi come lui che alla fine portano la ragazza all'altare, quando l'eroe muore.»

«Penso proprio di no», rispose lei in tono enigmatico. «Perché l'eroe non è morto.»

«No.» Joe rotolò sul dorso con un sospiro. Aveva le gambe imprigionate da massicce ingessature. «Credevo che non sarei mai uscito da quella prigione, ero sicuro che mi avrebbero ammazzato. Ma forse si divertivano troppo con me per lasciarmi morire.» Lo avevano torturato senza pietà.

Rimase a fargli compagnia fino alle dieci passate, quindi, benché non ne avesse voglia, andò a casa, soprattutto perché lui era evidentemente molto stanco. Gli somministravano un antidolorifico, e quando lo lasciò Joe si era appisolato di nuovo. Kate si fermò ancora un minuto a osservare quel suo viso dai lineamenti forti e decisi, quel viso così singolare che aveva sognato un'infinità di volte.

Una volta arrivata a casa, trovò suo padre ancora alzato ad aspettarla.

«Come sta?» le domandò subito, preoccupato. Era ancora in ufficio quando lei era passata a prendere la macchina.

«È vivo», gli rispose raggiante, «e sorprendentemente in buona forma. Ha le gambe ingessate, e la faccia è un disastro.» Quando lo avevano tirato fuori dalla cella aveva i capelli lunghi fino alla cintola, ma glieli avevano tagliati in Germania, all'ospedale. Joe affermava che allora aveva un aspetto molto peggiore. «È un vero miracolo che oggi sia con noi, papà.» Clarke sorrise vedendo l'espressione dipinta sul volto della figlia. Da troppo tempo non la vedeva così raggiante, e si sentì scaldare il cuore di fronte alla sua felicità ritrovata.

«Se lo conosco bene, ricomincerà a pilotare in men che non si dica», osservò.

«Ho paura che tu abbia ragione», rispose lei. Bisognava però aspettare che le fratture guarissero: forse Joe avrebbe dovuto subire un'altra operazione, e c'era anche la possibilità che rimanesse zoppo. Ma c'erano stati molti altri che avevano avuto un destino peggiore; lui era tornato, e questo a Kate bastava.

Suo padre ridiventò serio per un attimo. «Mentre eri

fuori ha telefonato Andy. Che cosa hai intenzione di dirgli, Kate?»

«Niente, finché sarà via.» Ci aveva pensato mentre rientrava a casa e si era sentita piena di rimorsi nei suoi confronti, ma sperava che sarebbe stato comprensivo. «Gli dirò la verità», aggiunse. «Appena gli racconterò che Joe è tornato, capirà. E poi, non sono sicura che avrei mai avuto il coraggio di sposarlo, papà. Lui sapeva che ero innamorata di un altro.»

«Come lo sapevamo tua madre e io. Speravamo che tu riuscissi a superare il dolore, ce lo auguravamo per il tuo bene, non volevamo che tu continuassi a struggerti per il resto dei tuoi giorni. Adesso pensate di sposarvi?» le chiese. Gli sembrava ovvio che prendessero quella decisione, dopo tutto quello che avevano passato; ai suoi occhi era chiaro che ormai i due giovani si sentivano legati per la vita.

«Non ne abbiamo parlato. Sta ancora piuttosto male, papà. Non penso che sia una questione tanto importante, per il momento.»

Quando Clarke Jamison andò all'ospedale, il giorno dopo, capì subito il perché. Rimase sconvolto dall'aspetto spaventoso di Joe: era peggio di quanto avesse immaginato. Kate, invece, ormai aveva visto così tanti feriti di ogni genere che non era rimasta particolarmente colpita, anche se sarebbe stato logico il contrario. In effetti, si era addirittura aspettata di trovarlo in condizioni più gravi.

Joe fu molto contento di vederlo, e chiacchierarono a lungo. Clarke non gli domandò niente della sua esperienza in Germania, ritenendo che fosse meglio evitare l'argomento, ma a un certo punto fu lui stesso a descrivergliela, e gli raccontò come avevano abbattuto il suo aereo. Era una storia incredibile, eppure Joe era di ottimo umore. Quando vide entrare Kate i suoi occhi si illuminarono. Pochi minuti dopo Clarke li lasciò a quattr'occhi, e lei si informò subito sulle fratture alle gambe: i medici lo avevano visitato ed erano convinti che la situazione stesse migliorando. L'ingessatura che gli avevano fatto in Germania si era rivelata un buon lavoro.

Per tutto il mese successivo Kate andò a trovarlo ogni sera. Gli faceva compagnia durante il fine settimana, lo accompagnava in giardino spingendo la sedia a rotelle. Lui la chiamava il suo angelo misericordioso, e quando non c'era nessuno in giro si baciavano e si tenevano per mano. Dopo due settimane Joe cominciò a minacciarla di scappare dall'ospedale per portarla in un albergo. Lei scoppiava a ridere.

«Non andresti molto lontano con questa roba che ti porti addosso», gli rispondeva indicandogli i gessi. Ma era ansiosa di toccarlo e accarezzarlo esattamente come lo era lui. Purtroppo, per il momento dovevano accontentarsi di qualche bacio furtivo. Anche se ogni giorno riusciva a muovere un po' meglio le gambe, Joe non stava ancora abbastanza bene per andare in nessun posto. Poi, quando gli tolsero le ingessature, quattro settimane dopo il suo arrivo, cominciò a camminare, fra la meraviglia generale. All'inizio riusciva a fare solo qualche passo con le stampelle, ma la prognosi era ottima.

I Jamison andarono a trovarlo, e la madre di Kate gli portò libri e fiori. Fu molto cordiale, ma il giorno successivo a quello della visita Elizabeth bloccò la figlia in cucina e le domandò con un'espressione molto seria negli occhi: «Avete già parlato di sposarvi?» Kate sospirò, stizzita.

«Mamma, hai visto in che condizioni è? Perché non cerchiamo prima di rimetterlo in piedi?»

«Negli ultimi due anni hai versato tutte le tue lacrime per lui, Kate. E sono quasi cinque anni che lo conosci. C'è qualche motivo per cui non state facendo progetti, oppure c'è qualcosa che non so? È sposato?»

«No, naturalmente. E non ha intenzione di andare in nessun posto. Il fatto è che per me il matrimonio non è importante. Joe è vivo, ed è tutto quello che volevo, mamma.»

«Ma non è normale. E che mi dici di Andy?» Kate si sedette e assunse un'aria seria.

«Torna a casa questa settimana, e allora glielo dirò.»

«Gli dirai cosa? A me sembra che non ci sia niente da dirgli. Faresti meglio a riflettere prima di decidere che non vuoi più uscire con lui. Stammi bene a sentire: appena Joe si riprenderà non imboccherà la navata di una chiesa per accompagnarti all'altare, ma si precipiterà verso l'aeroporto più vicino. Ieri ha parlato tutto il giorno di aerei, è molto più emozionato al pensiero di volare che di stare con te. Forse dovresti affrontare la realtà, prima che sia troppo tardi.»

«È quello che ama fare, mamma.» Ma Elizabeth aveva ragione: Joe ripeteva continuamente di non vedere l'ora di volare. Il desiderio di ritrovarsi a bordo di un aereo era forte quasi quanto quello di andare a letto con Kate, ma questo a sua madre non poteva dirlo.

«E quanto ama te? Credo che questa sia una domanda molto più importante.»

«Non può amare entrambe le cose? Deve proprio fare una scelta?»

«Non lo so, Kate. Può amare tutte e due? Non ne sono sicura. Una possibilità potrebbe escludere l'altra.»

«Ma è pura follia! Io non mi aspetto che lui rinunci a volare. È la sua vita, lo è sempre stata.»

«Ha quasi trentacinque anni. E ne ha passati due vedendo in faccia la morte. Se vuole sistemarsi, prendere moglie e avere una famiglia, questo dovrebbe essere il momento buono.» Kate non poteva negare di essere d'accordo, ma nello stesso tempo non voleva fare pressioni su Joe. Non avevano ancora affrontato l'argomento, e lei presumeva che prima o poi sarebbe successo. La cosa non la preoccupava, dato che si sentiva come se fosse già sposata con lui, tanto erano dediti l'uno all'altra.

Appena tornato, Andy andò a casa Jamison. Era arrivato in treno da Chicago, dopo avere trascorso le ultime settimane di vacanza a San Francisco. Si sentiva un po' deluso che la sua ragazza non fosse andata ad aspettarlo alla stazione, ma sapeva con quanto impegno lavorasse. Era una giornata torrida, e quando rientrò Kate era estenuata. Quel giorno avevano aspettato l'arrivo di due navi con il loro carico di feriti. Andy era felice di rivederla, molto più di quanto lo fosse lei. Lui capì immediatamente che durante la sua assenza doveva essere successo qualcosa.

«Stai bene?» le domandò quando i genitori di Kate li lasciarono soli. Elizabeth salì nel suo spogliatoio e scoppiò in lacrime pensando a quello che sua figlia stava per dire a Andy. Per lui sarebbe stato un colpo durissimo, ma Kate doveva essere onesta con lui.

«Sto bene, sono solo stanca», gli rispose scostandosi i capelli dal viso. Quando suo padre e sua madre se n'erano andati Andy aveva tentato di baciarla, ma lei era impacciata e a disagio. Sapeva di non poter rimandare ulteriormente. «No, credo di non stare affatto bene... oppure io sto bene... ma noi no.»

«Che cosa significa tutto questo?» Aveva l'aria preoccupata, e aveva già intuito qualcosa. Kate era certa che la notizia del ritorno di Joe lo avrebbe lasciato di stucco, né più né meno com'era successo a lei.

Si girò per affrontarlo coraggiosamente; il pensiero di fargli del male la addolorava moltissimo, ma non aveva scelta. Il destino aveva dato loro una mano di carte bruttissime, e a Joe ne aveva distribuite di splendide: evidentemente aveva stabilito che il futuro di Kate non potesse essere con Andy, ed entrambi dovevano accettarlo. Certo, per lei sarebbe stato più facile. Tutti i suoi sogni erano diventati realtà, mentre quelli di Andy stavano per essere infranti. Ancora prima di sentire le sue parole, gli bastò guardarla per capire.

«Che cos'è successo esattamente mentre ero via?» le chiese con voce strozzata.

«Joe è tornato a casa», rispose lei semplicemente. Ma per Andy era come se avesse detto tutto. Fra loro era finita. Non nutriva illusioni sui veri sentimenti di Kate.

«È vivo? E come ce l'ha fatta? Era internato in un campo di prigionia?» Sembrava impossibile che il ministero della Guerra lo avesse dato per morto per quasi due anni e adesso lui fosse ricomparso.

«È stato in pigione, sotto falso nome, poi è scappato ma lo hanno catturato di nuovo, però non sono mai riusciti a scoprire la sua vera identità. È un miracolo che sia vivo, anche se è ferito in modo abbastanza grave.» Negli occhi della ragazza Andy riusciva a leggere solo quello che lei provava per Joe. Per lui, invece, non c'era niente.

«E questo dove ci porta, Kate? O forse non è nemmeno il caso che te lo domandi? Immagino che non ce ne sia bisogno, vero? È un uomo fortunato. Non hai smesso di amarlo neanche per un momento. Io questo l'ho sempre saputo, ma credevo che con il tempo ce l'avresti fatta a dimenticarlo. Non mi è mai passato per la testa che tu potessi avere ragione e lui fosse vivo. Pensavo che tu non volessi affrontare la realtà della sua morte. Mi auguro che sappia fino a che punto lo ami.»

«Credo che lui mi ami altrettanto», mormorò Kate con un filo di voce. Non sopportava l'espressione degli occhi di Andy; si stava comportando da autentico gentiluomo, ma era come annichilito.

«Avete intenzione di sposarvi?» Voleva saperlo, e avrebbe preferito che lei glielo avesse confessato prima del suo ritorno a casa, per quanto capisse il motivo per cui non l'aveva fatto. Sentirselo dire per telefono sarebbe stato un trauma ancora più grande. Lui aveva passato tutta l'estate pensando a Kate e facendo progetti per il loro fidanzamento e il successivo matrimonio. Aveva anche progettato di scegliere l'anello da regalarle, appena fosse tornato a Boston.

«Per il momento no. Più avanti probabilmente sì. Non è questo che mi preoccupa.»

«Auguro tutta la fortuna possibile», disse Andy nobilmente, «non solo a te, ma a tutti e due. Ti prego di fare a Joe le mie congratulazioni.» Poi esitò un istante. Kate gli tese la mano, ma lui non gliela strinse. Uscì in silenzio, salì in macchina e si allontanò.

10

Joe lasciò l'ospedale due mesi dopo, camminando con le stampelle sulle gambe ancora irrigidite, che però a poco a poco stavano migliorando. I medici erano convinti che entro Natale avrebbe camminato normalmente. Tutti stentavano a credere che fosse riuscito a riprendersi così in fretta, e Kate meno di tutti. Le sembrava ancora incredibile riaverlo con sé.

Due giorno dopo Joe ricevette i documenti relativi al congedo dall'esercito. Lui e Kate avevano già passato un pomeriggio al *Copley Plaza.* Ora che abitava in casa dei genitori, lei non si sarebbe potuta assentare per un'intera notte, e Joe aveva accettato il cortese invito di essere ospite di Clarke ed Elizabeth Jamison, ma si rendeva perfettamente conto che non poteva prolungare all'infinito quello stato di cose. Inoltre, voleva anche stare un po' in intimità con Kate, loro due soli.

Già molto prima di lasciare l'ospedale aveva telefonato a Charles Lindbergh, e meditava di andare a New York per rivederlo. Il suo mentore aveva alcune idee interessanti da discutere con lui, e voleva presentarlo a varie persone, così

Joe sarebbe rimasto a New York parecchi giorni, per poi tornare a Boston.

La settimana successiva a quella in cui era stato dimesso dall'ospedale, Kate lo accompagnò in macchina alla stazione mentre andava alla Croce Rossa. Era ormai la fine di settembre, e la guerra era terminata ad agosto con la vittoria sul Giappone. L'incubo sembrava davvero svanito.

«Divertiti a New York», gli disse Kate, poi lo baciò. Aveva trovato il modo di sgusciare nella camera di Joe, di notte, senza svegliare i genitori, perché per lui era troppo difficile e complicato andare da lei. Mentre chiacchieravano sotto voce nel letto di Joe si sentivano come due ragazzini che stavano combinando una grossa birichinata.

«Tornerò fra pochi giorni. Ti telefonerò. E, per favore, mentre sono lontano non rimorchiare qualche soldato.»

«E tu non stare via troppo», lo avvertì, e lui la minacciò con il dito. Kate non riusciva ancora a convincersi di essere così fortunata. Joe era sempre stato meraviglioso con lei, e ora anche la mamma sembrava un po' ammansita. Lui era una persona responsabile e chiunque, osservandolo mentre era con Kate, capiva subito quanto ne fosse innamorato. Elizabeth e Clarke si aspettavano l'annuncio del fidanzamento da un giorno all'altro. Kate non aveva più visto né sentito Andy; sapeva che aveva cominciato a lavorare con il padre a New York e sperava che si fosse un po' ripreso dal duro colpo che gli aveva inferto e che prima o poi la perdonasse. Le mancava la sua presenza: sentiva di avere perso il suo migliore amico, ma continuava a essere convinta che un'amicizia calda e affettuosa come quella di Andy non sarebbe bastata a farglielo amare. Evidentemente, le cose si erano risolte nel modo più giusto.

Alla stazione, Kate salutò Joe con grandi gesti della mano mentre lui si avviava zoppicando verso il treno, poi risalì in macchina e partì per andare alla Croce Rossa; per il resto della giornata la sua mente rimase concentrata sui soldati che assisteva.

Sperava che quella sera Joe la chiamasse, ma non lo sentì fino alla mattina seguente.

«Come vanno le cose?» gli domandò.

«È tutto molto interessante», le rispose in tono enigmatico. «Ti spiegherò ogni cosa al mio ritorno.» Aveva fretta perché lo aspettavano a una riunione, e Kate doveva andare alla Croce Rossa. «Ti telefono stasera. Promesso.» E questa volta lo fece. Aveva dedicato l'intera giornata a una serie di incontri con alcune persone presentategli da Charles Lindbergh. Con grande gioia di Kate, rientrò a Boston per il fine settimana, e lei rimase strabiliata sentendo quello che aveva da raccontarle.

Gli uomini che Charles gli aveva fatto conoscere volevano mettersi in società con lui per progettare e costruire aerei all'avanguardia. Fin dall'inizio della guerra avevano acquistato i terreni, ristrutturato un vecchio stabilimento e ottenuto l'autorizzazione a costruire una pista privata. La base era stata fissata nel New Jersey, e a Joe si chiedeva non soltanto di occuparsi dell'impresa, ma anche di pensare ai progetti e ai collaudi dei velivoli. Dapprima avrebbe avuto molte responsabilità diverse, poi, una volta che le cose si fossero sistemate, avrebbe diretto tutta l'operazione. Gli altri avrebbero fornito il denaro necessario, lui sarebbe stato il cervello dell'iniziativa.

«È la sistemazione perfetta, Kate», le disse mentre un sorriso estatico illuminava il suo bel viso. «Io diventerei proprietario al cinquanta per cento, e nel caso in cui la società fosse quotata in Borsa metà delle azioni sarebbe mia. È un'ottima proposta, almeno per quanto mi riguarda.»

«E c'è un mucchio di lavoro», aggiunse lei. Ma il progetto sembrava tagliato su misura per l'uomo che amava.

Quella sera Joe lo spiegò anche a Clarke, il quale ne rimase impressionato. Conosceva di nome chi avrebbe investito il capitale nell'impresa, e gli assicurò che erano tutte persone molto serie. Per Joe era un'occasione irripetibile.

«Quando pensi di cominciare?» gli domandò con interesse.

«Dovrò essere nel New Jersey lunedì prossimo. Non è un brutto posto, ed è a meno di un'ora da New York. Probabilmente nei primi tempi non mi allontanerò molto dallo stabilimento, anche perché dobbiamo apportare alcuni cambiamenti alla pista.» Aveva già la mente in tumulto al pensiero di tutto quello che avrebbe dovuto fare. L'esperienza del passato gli sarebbe stata molto utile, e Clarke si schierò entusiasticamente con la figlia per confermargli che, in effetti, era la soluzione migliore per lui.

Mentre il padre di Kate gli faceva le congratulazioni, la madre intervenne inaspettatamente nel discorso, lasciando tutti stupefatti.

«Questo significa che voi due vi sposerete presto?» domandò. Joe si girò verso Kate e nella stanza calò il silenzio.

«Non lo so, mamma», rispose lei cercando di prendere tempo, ma Elizabeth si era già stancata, e da molto, di aspettare che fosse Joe ad avanzare quella proposta. Per quanto la riguardava, era il momento di chiedergli senza giri di parole quali fossero le sue intenzioni nei confronti della loro figlia. Kate era arrossita e Joe, imbarazzato quanto lei, non sapeva che cosa dire.

«Perché non lasci che sia Joe a rispondere? A quanto pare ti hanno fatto un'offerta splendida, e non solo di carattere temporaneo. Quali sono i tuoi progetti per Kate?»

«Non lo so, signora Jamison. Kate e io non ne abbiamo discusso», disse lui, evitando di guardare negli occhi sia Kate sia sua madre. Si sentiva in trappola, nonostante la sincerità e la profondità dei suoi sentimenti; Elizabeth lo stava trattando come un bambino ribelle e irresponsabile, non come un uomo degno di rispetto.

«Ti consiglierei di rifletterci. Se la notizia che il tuo aereo era stato abbattuto non l'ha fatta morire sul colpo, c'è mancato poco. A me pare che meriti un piccolo riconoscimento per la lealtà e il coraggio che ha dimostrato. Ti ha aspettato molto tempo.»

Joe era arrabbiato, si sentiva in colpa, e quelle parole gli fecero venire anche una gran voglia di scappare.

«Lo so», rispose con calma. «Non mi ero reso conto che il matrimonio fosse importante per Kate.» Lei non gliene aveva mai parlato, e adesso vivevano notti meravigliose infilandosi di soppiatto l'uno in camera dell'altra. Ma il peso della colpa che la madre di Kate gli stava scaricando addosso era micidiale, anche se la sua espressione non lo lasciava capire.

«Non so se il matrimonio sia importante per lei», riprese Elizabeth mentre Clarke la guardava sbalordito; gli aveva rubato il posto di primo attore sulla scena, però non poteva essere in disaccordo con lei. L'approccio di sua moglie era un approccio più diretto rispetto a quello che avrebbe scelto lui, sempre che avesse deciso di affrontare la questione. «Ma se per lei non lo è, dovrebbe esserlo per te, Joe. E forse è ora che lo ricordiamo a tutti e due. Questo sarebbe il momento migliore per annunciare il vostro fidanzamento.» Joe non aveva nemmeno chiesto a Kate di sposarlo, e non sembrava particolarmente soddisfatto di essere messo con le spalle al muro, anche se non sottovalutava il punto di vista dei genitori di lei. Nella sua mente non c'era il minimo dubbio: sapeva di amarla, e forse avrebbero dovuto saperlo anche loro. Però non si sentiva pronto a fare quello che volevano. La sua libertà era qualcosa che sentiva di dover offrire spontaneamente, non qualcosa che gli potevano portare via. E, per il momento, la teneva saldamente in pugno.

«Se non le dispiace, signora Jamison, preferirei aspettare a fidanzarmi fino a quando mi sarò ambientato nel nuovo lavoro e sarò saldamente al timone del progetto. Ci vorrà un po' di tempo, ma soltanto allora avrò realmente qualcosa di valido da offrire a sua figlia. Pensavo che potremmo abitare a New York e io farei il pendolare con il New Jersey.» Stava già meditando sui piani per il futuro, ma non aveva ancora iniziato la nuova attività e non era pronto per il matrimonio. Kate lo sapeva, e non le sfuggì l'espressione di panico nei suoi occhi. Lui non era il tipo d'uomo che si potesse chiudere in gabbia.

«Mi sembra ragionevole», commentò Clarke. Gli pareva che il discorso avesse preso connotazioni da Inquisizione spagnola, e si affrettò a fare un cenno alla moglie perché non insistesse. Ormai aveva detto chiaro e tondo quello che pensava, e tutti l'avevano capito. D'altra parte, anche quello che sosteneva Joe aveva un senso; in fondo non c'era nessuna fretta, e prima lui si sarebbe dovuto sistemare. L'impegno che avrebbe assunto era di proporzioni imponenti.

La serata si concluse quasi subito dopo e quando raggiunse Joe nella sua camera, più tardi, in piena notte, Kate era furiosa.

«Non riesco a credere che mia madre si sia comportata in quel modo. Ti chiedo scusa per lei. Papà avrebbe dovuto farla smettere.»

Joe si mostrò magnanimo. «Va tutto bene, tesoro. Ti vogliono bene, si preoccupano per te e vogliono assicurarsi che io sia una persona seria e che ti renderò felice. Se tu fossi mia figlia avrei fatto la stessa cosa. Non mi ero assolutamente reso conto che per loro è una grossa preoccupazione. Lo è anche per te?» le domandò abbracciandola e baciandola. Adesso non era più nervoso come quando Elizabeth gli aveva dato quella strigliata.

«No, per niente. E tu sei troppo generoso. Io l'ho trovata ignobile. Sono davvero dispiaciuta.» Kate aveva l'aria profondamente addolorata, e questo per lui fu un grande sollievo.

«Non esserlo. Le mie intenzioni sono onorevoli, signorina Jamison, lo giuro. Però, se sei d'accordo, nel frattempo non mi dispiacerebbe approfittare di te.» Mentre le toglieva la camicia da notte, lei scoppiò in una risatina convulsa. In quel momento il matrimonio era l'ultimo dei suoi pensieri: si sentiva immensamente felice stando con lui, desiderava il suo amore e non voleva tenerlo al guinzaglio.

La scena che si stava svolgendo nella camera da letto dei suoi genitori era decisamente meno romantica. Clarke rimproverò aspramente la moglie per avere afferrato il toro per le corna.

«Non vedo perché tu debba prendertela tanto», rispose lei. «Qualcuno doveva pur domandarglielo, e tu non ti decidevi a farlo.» Aveva un tono accusatorio al quale il marito, negli anni, aveva imparato a non reagire.

«Quel poveretto è appena tornato dal regno dei morti. Dagli l'opportunità di rimettersi in sesto, Elizabeth. Non è giusto avere fretta.» Lei, però, non era d'accordo. Ormai considerava quel matrimonio una vera e propria missione, e non si sarebbe lasciata distrarre.

«Non è un ragazzino, Clarke, è un uomo di trentaquattro anni, è tornato da due mesi e si è visto con Kate ogni giorno. Ha avuto mille occasioni per chiederle di sposarlo, e non lo ha fatto.» Per lei questo era molto significativo, anche se il marito la pensava diversamente.

«Innanzi tutto lui vuole sistemarsi con il nuovo lavoro. Mi sembra una posizione assolutamente ragionevole e rispettabile, e io la approvo.»

«Vorrei essere sicura come te che Joe stia facendo la cosa giusta. Secondo me, una volta che si sarà rimesso ai comandi di un aereo si dimenticherà tutti i suoi progetti di sposarla. Non voglio che Kate rimanga ad aspettare in eterno che lui si decida.»

«Sono pronto a scommettere che fra un anno saranno sposati, forse anche prima», affermò Clarke sicuro, mentre Elizabeth lo guardava come fosse tutta colpa sua. Ma ormai lui ci era abituato.

«Se non altro, è una scommessa che sarò felice di perdere», ribatté la moglie, e lui le sorrise. Sembrava una leonessa scattata in difesa della cuccioletta, e Clarke non poteva fare a meno di ammirarla per questo, benché non fosse sicuro che Kate e Joe fossero del suo stesso parere. Sotto l'attacco diretto di Elizabeth, Joe era sembrato particolarmente imbarazzato, più a disagio di quanto l'avesse mai visto. Si sentì dispiaciuto per lui.

«Perché non ti fidi di lui?» le domandò mentre andavano a letto. Sapeva che quella era la verità, e sua moglie non ne aveva mai fatto un segreto.

«Secondo me gli uomini come Joe non si sposano», gli spiegò, «e se lo fanno è un disastro. Non sanno veramente che cosa sia il matrimonio, per loro è qualcosa di cui si interessano nel tempo libero, quando non si divertono con i loro giocattoli e con i loro amici. Non sono cattivi, ma nella loro vita le donne hanno un'importanza relativa. A me Joe piace molto, è una persona perbene e so che ama Kate, ma non sono sicura che le dedicherà tutta l'attenzione necessaria. Per il resto dei suoi giorni continuerà a giocare con gli aerei, e adesso sarà anche pagato per farlo. Se il nuovo progetto sarà un successo, non la sposerà mai.»

«Io invece penso di sì», ribatté Clarke con fermezza. «E in questo modo, almeno, sarà in grado di mantenerla. Anzi, presto comincerà a fare un mucchio di soldi. Non credo che tu abbia ragione, Elizabeth. Lui può occuparsi degnamente sia della moglie sia della carriera, è un uomo capace e brillante, è un genio con gli aerei, e Dio sa quanto è bravo a pilotarli. Basterà che lui scenda a terra di tanto in tanto per renderla felice. Si amano, e questo dovrebbe essere sufficiente.»

«Qualche volta non lo è», replicò lei con tristezza. «Mi auguro per loro che sia come dici. Hanno passato momenti terribili, e adesso meritano un po' di felicità. Io voglio solo vedere Kate sistemata con un uomo che la ama, in una bella casa, con i suoi bambini.»

«Succederà. Joe è pazzo di lei.» Clarke ne era sicuro.

«Lo spero anch'io», mormorò Elizabeth con un sorriso mentre si infilava a letto, rannicchiandosi contro il marito. Desiderava che sua figlia fosse felice come lo era lei, e sapeva di chiedere moltissimo: gli uomini come Clarke Jamison erano rari.

Ma Kate, nella camera di Joe, fra le sue braccia, appagata, si stava stringendo più forte a lui, mentre a poco a poco si abbandonavano al sonno.

«Ti amo», bisbigliò, e lui le rivolse un sorriso assonnato.

«Anch'io ti amo, tesoro... amo perfino tua madre.» Lei scoppiò in una risatina irrefrenabile e un minuto dopo entrambi dormivano profondamente, come Elizabeth e Clarke. Una coppia di amanti, una coppia di coniugi. Sarebbe stato difficile dire quale fosse la più felice, quella notte.

11

QUANDO Joe partì per il New Jersey promise a Kate che, una volta sistematosi, l'avrebbe chiamata per trascorrere il fine settimana con lui. Pensava che ci sarebbero voluti quindici giorni, invece passò un mese prima che riuscisse a trovare un appartamento. Nelle vicinanze c'era un albergo in cui Kate avrebbe potuto prendere una camera, lo stesso dove lui aveva alloggiato in quel periodo, ma la verità era che non aveva tempo da dedicarle. Era impegnato tutti i giorni fino a mezzanotte passata, sabato e domenica compresi, e qualche volta dormiva in ufficio, sul divano.

Stava assumendo il personale, predisponendo l'entrata in funzione dello stabilimento e riprogettando completamente le piste per gli aerei. Si era buttato a capofitto nel progetto e l'industria aeronautica cominciava a interessarsi seriamente al suo lavoro. L'impianto che stavano costruendo sarebbe stato altamente innovativo, e la stampa aveva già pubblicato parecchi articoli sull'argomento. Aveva a malapena il tempo di telefonare a Kate, la sera, così quando finalmente la invitò per un fine settimana era passato un mese e mezzo dalla sua partenza da Boston. Lei arrivò con l'aria esausta, e quando Joe le spiegò tutto quello che stava facendo rimase enormemente impressionata. Era un'operazione grandiosa, e lui fu felice che la sua donna la apprezzasse.

I due giorni che passarono insieme furono splendidi e, anche se rimasero quasi sempre nello stabilimento, riuscirono a effettuare un breve volo a bordo di un nuovo aereo progettato da Joe. Tornata a Boston, Kate descrisse tutto al padre, il quale non le nascose di morire dalla voglia di vederlo con i suoi occhi. Nel mondo degli affari si iniziava a capire che Joe, con le sue idee, stava facendo la storia.

Quindici giorni più tardi Joe andò a passare la festa del Ringraziamento con i Jamison. Purtroppo aveva qualche problema di lavoro, e il venerdì mattina fu costretto a tornare indietro. Si era accollato responsabilità che non erano mai state sue, e a volte gli pareva di sentirsi gravare addosso il peso del mondo. Se la cavava bene, ma non aveva tempo libero, così quando si arrivò alle vacanze natalizie, per quanto entusiasta del lavoro del suo uomo, Kate cominciò a lamentarsi. Lo aveva visto solo due volte in tre mesi, e le mancava moltissimo. Ogni volta che glielo diceva, lui si sentiva dilaniato dai sensi di colpa, ma non poteva fare niente per cambiare le cose.

Kate cominciava a pensare che sua madre avesse ragione, che si sarebbero dovuti sposare. In quel modo, almeno, sarebbero stati insieme, invece di vivere a chilometri e chilometri di distanza. Fu quello che spiegò anche a Joe, quando andò da loro a Natale, e lui sembrò sorpreso.

«Adesso? Io rimango in casa sì e no cinque ore per notte. Non sarebbe molto divertente. E per il momento non posso trasferirmi a New York.» Il matrimonio continuava a non avere alcun senso per lui.

«Potremmo vivere nel New Jersey. Se non altro saremmo insieme», obiettò lei. Era stanca di abitare con i genitori, e non voleva cercare un appartamentino per sé a Boston.

Le pareva di vivere come se fosse sempre sospesa a mezz'aria, in attesa che lui organizzasse la sua impresa e avesse il tempo di condurre un'esistenza normale. Ma non era facile per Joe; soltanto adesso cominciava a rendersi conto di quanti sforzi sarebbero stati necessari perché tutto funzionasse a dovere. In tre mesi aveva solo gettato le fondamenta del progetto, anche lavorando centoventi ore la settimana, se non di più.

«Penso che sarebbe una sciocchezza sposarci adesso», le spiegò la vigilia di Natale, dopo essere sgattaiolato nella sua camera da letto. Kate iniziava a considerare assurda e frustrante la loro situazione. Ormai la maggior parte delle sue amiche si era sposata: quelle che non lo avevano fatto prima o durante la guerra ci stavano arrivando, e molte avevano già anche un figlio. D'un tratto si scoprì ansiosa di vivere nello stesso modo anche lei, o almeno di poter stare con Joe. «Lasciami il tempo di organizzare le cose, poi troveremo un appartamento a New York e ci sposeremo. Te lo prometto.» Un anno prima Joe era prigioniero in Germania e ora si ritrovava a capo di un impero. Era un cambiamento enorme, e non voleva pensare al matrimonio finché non fosse stato sicuro di avere tempo da dedicare a Kate, altrimenti non sarebbe stato corretto nei suoi confronti. Ma nemmeno ciò che stava faceva adesso lo era.

Passò un bellissimo Natale con la famiglia di lei e rimase a Boston tre giorni. Lui e Kate fecero anche un bel volo insieme e passarono un'intera giornata a letto in un albergo, e quando Joe ripartì lei si accorse di sentirsi meglio. Sì, aveva ragione lui, era più logico aspettare fino a quando avesse avuto sotto controllo la situazione lavorativa. Nel frattempo il volontariato alla Croce Rossa stava diventando sempre meno necessario, così Kate decise di cercarsi un impiego. Subito dopo Capodanno trovò qualcosa che le piaceva. Aveva passato quel giorno di festa nel New Jersey con Joe, e di nuovo si era resa conto di quanto fossero fortunati. L'anno prima aveva versato tutte le sue lacrime per lui, credendo che se ne fosse andato per sempre, e ricordava che avrebbe dato qualsiasi cosa per quello che aveva adesso. Anche se si vedevano di rado, avevano davanti una vita intera e un futuro roseo.

Gennaio fu un mese difficile per entrambi: lei si stava abituando al nuovo lavoro in una galleria d'arte e lui dovette scontrarsi con i sindacati. Febbraio fu ancora peggio. Joe non riuscì a liberarsi dagli impegni per il giorno di San Valentino, anzi, se ne dimenticò completamente. Non erano riusciti a ottenere il permesso definitivo per la pista d'atterraggio, che era di cruciale importanza, quindi per averla fu costretto a passare tre giorni facendo la corte agli uomini politici ed esercitando qualche pressione sui funzionari ministeriali di levatura più modesta. Si ricordò che esisteva la festa di San Valentino, e che era passata, soltanto quando Kate gli telefonò due giorni dopo, in lacrime. Ormai non si vedevano da sei settimane, così lui le promise che avrebbe cercato di farsi perdonare per quella lontananza e le propose di raggiungerlo nel fine settimana.

Vissero momenti bellissimi insieme. Lei lo aiutò a organizzare l'ufficio e Joe riuscì anche a portarla a cena fuori. Rimase a dormire in albergo con lei, e quando Kate tornò a Boston, la domenica sera, era sorridente e felice. Si era divertita tanto che aveva deciso di tornare ogni fine settimana, cosa che a lui andava benissimo, dato che soffriva di solitudine e sentiva la mancanza della donna che amava. Era pieno di rimorsi nei suoi confronti, ma per il momento non vedeva altre prospettive. Aveva l'impressione di essere continuamente su un'altalena, intrappolato fra il senso di colpa che provava verso di lei e la necessità di dirigere un'impresa che gli succhiava ogni momento libero, e peggio si sentiva nei confronti di Kate, meno tempo gli pareva di avere.

La situazione era assurda, tanto che venti giorni dopo, disperato, le chiese di andare da lui per una settimana. Si meravigliò vedendo come tutto filava liscio quando lei volle aiutarlo nel lavoro d'ufficio. Riuscivano a stare insieme ben poco, eppure Kate sembrava infinitamente felice. Così, almeno, potevano dormire insieme e fare colazione la mattina al bar. Quanto al resto della giornata e dei pasti, lui li consumava alla scrivania, oppure mentre era in giro. A tratti aveva l'impressione di essere tirato contemporaneamente in diecimila direzioni diverse, ed era proprio così.

Fino a maggio le cose non presero un buon ritmo, ma a quel punto Kate lasciò l'impiego nella galleria d'arte per lavorare con Joe durante l'estate. Andò tutto a meraviglia. Per quanto avesse sempre una camera in un hotel, più che altro per salvare le apparenze, Kate rimase quasi sempre nell'appartamento di Joe. Non era mai stata così felice in vita sua, e anche lui dovette ammettere che quella situazione gli andava a pennello, anche se i genitori di Kate non erano dello stesso parere. Le visite che faceva a Joe nel New Jersey non li trovavano affatto d'accordo; d'altra parte la loro figlia aveva ventitré anni, e a loro diceva di stare in albergo.

Joe era tornato da un anno, ma nessuno dei due parlava di fidanzamento. Erano troppo impegnati a pensare al lavoro. Fu soltanto quando lui prese una settimana di vacanza e raggiunse i Jamison a Cape Cod che il padre di Kate lo prese da parte e gli fece un discorso molto serio. Ormai Elizabeth era furibonda non soltanto con Joe, ma anche con la figlia. Sospettava che i due giovani vivessero insieme, e lo disapprovava totalmente. Che cosa sarebbe successo se Kate fosse rimasta incinta? In quel caso lui si sarebbe deciso a sposarla? Ogni volta che posava gli occhi su Joe ribolliva d'ira, e il suo comportamento faceva sentire Joe un bambino cattivo. Appena la vedeva provava una gran voglia di scappare; anche se Elizabeth non diceva una parola, aveva addosso il peso delle sue continue critiche. Quanto a Kate, era divisa fra Joe e i genitori.

Anche Clarke, però, non era più soddisfatto della situazione. La faccenda stava andando troppo per le lunghe, come spiegò a Joe durante una passeggiata sulla spiaggia. Joe era arrivato dal New Jersey a bordo uno splendido aereo costruito su suo progetto, che l'azienda stava per lanciare e nel quale avevano investito somme enormi. La sua vita, adesso, si svolgeva in un luogo e sotto forme ben diversi da quando lo avevano trasportato a terra, nel porto di Boston, dalla nave ospedale: stava diventando un uomo molto ricco ma talmente occupato da non avere il tempo di respirare. E Clarke cominciava a preoccuparsi per sua figlia e anche per lui, essendogli molto affezionato.

Joe lo portò a fare un giro sul nuovo apparecchio. Decisero di non dirlo a Elizabeth, più furiosa di prima perché sapeva che spesso sua figlia accompagnava Joe durante i voli. Nonostante la sua storia di asso dell'aviazione e gli anni in cui era stato un eroe di guerra, lei continuava a essere convinta che un giorno o l'altro avrebbe avuto un incidente nel quale sarebbero rimasti uccisi entrambi. Quando aveva scoperto che Joe aveva cominciato a dare lezioni di volo alla figlia aveva perso la testa. Era stata colpa di Kate se l'aveva saputo, le era sfuggito mentre chiacchierava con lei e Clarke. Joe, invece, la riteneva un'ottima allieva. Era stato un buon maestro, anche se Kate, essendo troppo occupata, non aveva ancora trovato il tempo di dare l'esame per prendere il brevetto.

Clarke rimase molto colpito dall'aereo, che trovò favoloso, poi, mentre tornavano a casa, si fermarono a bere qualcosa in un bar lungo la strada. Era una torrida giornata estiva, e Joe era molto soddisfatto delle prestazioni del nuovo modello. Il padre di Kate, però, aveva parecchie cose in mente, come la felicità della figlia e la serenità della moglie, e voleva offrirgli qualche consiglio paterno. Era soprattutto per quella ragione che aveva accettato l'invito ad andare in volo con lui.

«Tu lavori troppo, figliolo», cominciò. «In questo modo rischi di farti sfuggire la vita, e alla velocità cui ti muovi potresti commettere qualche grosso errore che, alla lunga, ti costerebbe molto.» Joe capì all'istante che alludeva a Kate, ma sapeva che fra loro tutto filava liscio. Era la madre di lei a essere in preda a una costante frenesia perché non si decidevano a sposarsi.

«Entro poco tempo le cose si sistemeranno; l'azienda è ancora giovane», rispose Joe fiducioso.

«Sei giovane anche tu, ma non lo rimarrai ancora per molto. Dovresti goderti adesso la vita.»

«Ma è così! Mi piace quello che faccio.» Era vero, e lo dimostrava. Ma era anche innamorato di sua figlia, e Clarke ne era sicuro, abbastanza da sentirsi giustificato a infrangere la promessa fatta a Elizabeth anni prima di non parlare del suicidio di suo marito né del fatto di non essere lui il padre naturale di Kate con chi non li aveva conosciuti in quel periodo. Quando aveva adottato la bambina, la moglie gli aveva spiegato che non voleva che il suicidio di John Barrett incombesse su Kate come una nuvola nera per il resto della sua esistenza. Clarke, però, sapeva meglio di Elizabeth che, sia pure silenziosamente, purtroppo era così. Ora pensava che Joe dovesse saperlo, perché era una parte importante di Kate e non poteva essere ignorata. Non sarebbe stato onesto nei suoi confronti, e nemmeno verso Joe. Non solo, ma Clarke pensava che forse la verità avrebbe aperto gli occhi e il cuore dell'uomo che aveva di fronte.

«C'è qualcosa che secondo me dovresti sapere sul conto di Kate», cominciò a bassa voce dopo che avevano finito il secondo giro di birre ed erano passati al gin. Sapeva che

Elizabeth non sarebbe stata contenta se si fossero presentati a casa ubriachi, ma al momento non gliene importava niente. Aveva preso la decisione di raccontare tutto a Joe e aveva bisogno di trovare il coraggio di farlo.

«Sembra qualcosa di misterioso», rispose il giovane con un sorriso. Clarke gli era simpatico, e in genere si era sempre sentito più a proprio agio in compagnia degli uomini. Kate era l'unica donna con la quale fosse riuscito a essere aperto e disinvolto, eppure di tanto in tanto perfino lei lo impauriva, soprattutto quando era tesa e nervosa o si offendeva, anche se per fortuna erano momenti rari. Ma quando capitava, una manifestazione di stizza o anche solo una critica avevano il potere di farlo scappare. Non lo aveva mai spiegato a Kate; pensava che confessarglielo lo avrebbe reso ancora più vulnerabile. Dopo gli anni dell'infanzia e dell'adolescenza trascorsi a sentirsi ripetere dai cugini quanto fosse sciocco e non valesse niente, bastava un'allusione del genere a fargli venire voglia di fuggire. Era quello che succedeva con Elizabeth, ogni volta con risultati spiacevoli.

«È misterioso», gli confermò Clarke. «O meglio, è oscuro. E non voglio che mia moglie e Kate sappiano che ne abbiamo parlato. Dico sul serio, Joe», aggiunse infervorato quando furono al secondo bicchierino di gin. Iniziava a sentirsi un po' sbronzo, e Joe non faceva che ridere. Diventava sempre espansivo quando beveva, perché riusciva ad allentare le pressioni alle quali era sempre sottoposto.

«Allora, quale sarebbe questo tenebroso mistero?» gli domandò Joe con un sorriso da ragazzino. Aveva sempre provato un grande affetto per Clarke, e lo giudicava un brav'uomo. Fin dal principio si erano sempre reciprocamente rispettati.

«Io non sono il padre di Kate», disse Clarke piano, e d'un tratto si ritrovò sobrio. In tredici anni non aveva mai pronunciato quelle parole. Guardò Joe e vide che il suo sorriso si spegneva.

«Che significa? Non ha senso.» Sembrava turbato. Intuiva che stava per affiorare qualcosa di brutto.

«Elizabeth era già stata sposata, prima. A lungo, quasi trent'anni. Noi stiamo insieme soltanto da quattordici, anche se a volte mi sembra di essere suo marito da sempre», rispose con un sorriso, e Joe rise. Sapeva quanto Clarke amasse Elizabeth, non poteva essere diversamente, dato che riusciva a sopportare le sue intemperanze. «Suo marito era un mio amico, un uomo buono, amabile e gentile, e proveniva da un'ottima famiglia. Suo fratello e io andavamo a scuola insieme, ecco come ho conosciuto John. Perse tutto nel crollo della Borsa del '29, non solo il suo patrimonio e quello della sua famiglia, ma anche il denaro delle persone per le quali faceva investimenti, e anche parte dei beni di Elizabeth. Fortunatamente la famiglia di lei aveva tenuto saldamente in mano quasi tutto il capitale, così dopo quel disastro lei si è ritrovata con gran parte delle sue sostanze ancora intatta.» Era una storia che a Clarke non faceva piacere raccontare, e all'improvviso Joe cominciò ad avere paura di quello che stava per ascoltare. «Non ho mai conosciuto un uomo che avesse più senso dell'onore di lui, e quello che era successo lo annientò. Passò due anni chiuso a chiave in camera da letto, al buio. Cercò di uccidersi a furia di bere, ma non funzionò, allora, nel '31, si sparò. Quando morì, Kate aveva otto anni.»

«E lei era presente? Lo ha visto?» Joe era inorridito di fronte all'immagine evocata da quelle parole, ma Clarke scosse la testa.

«No, grazie a Dio. Fu Elizabeth a trovarlo. Credo che Kate fosse a scuola, e quando tornò a casa ormai era tutto finito. Però ha saputo com'è morto suo padre. Io conoscevo John praticamente da sempre e Kate fin dalla nascita. In seguito cercai di fare quello che potevo per loro, senza altro motivo, vorrei aggiungere, se non quello di dare una mano a Elizabeth, che era sotto choc. Io avevo perso mia moglie parecchi anni prima. Alla fine le cose fra Elizabeth e me presero un'altra piega, e credo di essermi innamorato di Kate prima ancora di innamorarmi di lei. Dopo la morte del padre era una bambina con il cuore spezzato, sconvolta e impaurita. Pensai che non sarebbe mai più stata la stessa. L'anno seguente sposai Elizabeth e quello successivo adottai Kate, quando aveva dieci anni. Ce ne vollero altri due prima che riuscissi a farla uscire dalla caverna buia dove si era andata a nascondere dal giorno in cui John si era ammazzato. Sono convinto che per molti anni non abbia avuto una vera fiducia in me, o nei confronti di chiunque altro, in particolare degli uomini. Quanto a Elizabeth, adorava la sua bambina, ma non sono sicuro che sapesse davvero trovare un punto di contatto con la figlia, anche perché la morte di John era stata un colpo durissimo per lei. C'è stato un momento terribile quando Elizabeth si è ammalata, subito dopo che ci eravamo sposati. Era soltanto una brutta influenza, ma avresti dovuto vedere il panico di Kate: era terrorizzata al pensiero di perdere la madre. Non sono del tutto certo che sua madre questo lo abbia veramente capito. A Kate ci è voluta tutta la vita per diventare la donna che è, forte, sicura di sé, allegra, divertente, capace. La donna che ami è stata per molto tempo una creaturina timorosa, annientata; credo che per anni abbia temuto che anch'io la abbandonassi, come il suo papà. Povero disgraziato, John non ce l'ha fatta a trovare la forza di riprendersi, non aveva l'energia per superare quello che gli era capitato, e non aveva importanza che Elizabeth fosse ancora ricca. La rovina finanziaria aveva distrutto tutto il rispetto che provava per se stesso, il suo orgoglio, la sua virilità.

Ma quando si è ucciso ha distrutto Kate, o ci è andato maledettamente vicino.»

«Perché me lo sta raccontando?» gli domandò Joe insospettito, con l'aria ancora esterrefatta.

«Perché è una parte importante di Kate. Voleva bene a suo padre, e lui la adorava. Poi ha riversato il suo affetto su di me, e adesso ama te. Sei partito per la guerra e lei ti ha creduto morto per quasi due anni. Sarebbe stata una tragedia per qualsiasi ragazza, ma per Kate è stato anche peggio, ha riaperto tutte le sue vecchie ferite, potevo leggerglielo negli occhi ogni giorno. Del resto, era una perdita di quelle che avrebbero potuto distruggerla, se non fosse stata la creatura forte che è. Poi, come per un miracolo, tu sei tornato dal mondo dei morti. Questa volta la vita è stata buona con lei, però Kate ha dentro un pezzo rotto che tu devi vedere, se hai intenzione di amarla. Ogni volta che la lasci, oppure la respingi, o in qualche modo le dai la sensazione di abbandonarla, le fai tornare in mente tutto quello che ha perso. È come una cerbiatta ferita, devi essere gentile con lei e darle una casa sicura. Se tu sarai gentile con lei, lei sarà buona con te per sempre, Joe. Ma bisogna che tu sappia che c'è quel pezzo rotto, un po' come un uccello con un'ala spezzata, e non ha importanza che tu sia convinto che possa ugualmente volare benissimo. Devi essere pieno di garbo con quell'ala. Kate è l'uccellino più bello che io abbia mai visto, e con te sarà in grado di volare più lontano e più in alto di quanto abbia fatto con chiunque altro. Basta non spaventarla, e tu non lo farai, se sai quello che ha passato.» Joe rimase in silenzio a lungo, ponderando le parole di Clarke. Era una dose massiccia di realtà da dividere con qualcuno in una giornata d'estate scolandosi un paio di bicchierini di gin. Però Clarke aveva ragione: era un pezzo importante di Kate, e gli spiegava moltissime cose. Quando lui rimaneva lontano, in lei nasceva un senso di panico. Non lo esprimeva mai apertamente ma glielo vedeva sempre nello sguardo. E a volte quell'espressione lo aveva spaventato: era come l'ombra del guinzaglio al quale lui aveva cercato di fuggire per tutta la vita.

«Che cosa vuole dirmi, Clarke?» Ma, soprattutto, si stava chiedendo perché gliene aveva parlato.

«Penso che dovresti sposarla, Joe. Non per le ragioni che sostiene Elizabeth. Lei desidera gran pompa, rispettabilità, un sontuoso ricevimento e l'abito bianco. A me importa che abbia una sicurezza. La merita più della maggior parte delle ragazze. Suo padre le ha portato via qualcosa che nessuno di noi sarà mai più in grado di restituirle. Tu invece puoi darle, anche se non tutto, quanto basta a fare la differenza per il resto della sua vita. Voglio che lei si senta tranquilla e abbia il conforto di sapere che tu le rimarrai vicino, che non la abbandonerai.»

Joe provò una gran voglia di urlare: «E io? A me non pensa nessuno?» Sposarla era proprio quello che gli metteva più paura. Un guinzaglio. Una gabbia. Non importava quanto la amasse, e la amava; era il matrimonio in sé e per sé che ai suoi occhi costituiva un'enorme minaccia, più di quanto Clarke potesse sospettare.

«Non sono sicuro di poterlo fare», rispose onestamente, con l'aiuto del gin.

«E perché no?»

«Mi dà la sensazione di una trappola, o di un nodo scorsoio intorno al collo. Mio padre e mia madre mi hanno abbandonato in un altro modo: sono morti e mi hanno lasciato a persone che mi detestavano e si sono comportate vergognosamente con me, così ogni volta che penso al matrimonio o alla famiglia mi viene voglia di scappare.»

«Sarà buona con te, Joe. La conosco bene. È una brava ragazza. E ti ama più della vita.»

«Anche quello mi spaventa», replicò lui con franchezza.

«Non voglio essere amato così tanto.» Clarke, che lo guardava negli occhi, si accorse che vi balenava la paura. «Non sono certo di poterle dare l'amore di cui ha bisogno, che desidera. Non voglio deluderla né renderla infelice, non credo che sopporterei il senso di colpa se dovessi fallire. La amo troppo per farle una cosa simile.»

«Tutti noi falliamo, ma ci serve per imparare. Lei è un bene per te. Imparerete l'uno dall'altra, anche se a volte potrà essere difficile. L'amore cura moltissime ferite. Elizabeth ha guarito tante delle mie.» Questo era un lato di Kate al quale Joe non aveva mai pensato, ma era disposto a credere a Clarke. Era chiaro che aveva passato molti brutti momenti. «Ti ritroverai completamente solo, un giorno, se non permetterai a qualcuno di amarti. Ed è uno scotto molto alto da pagare per esserti concesso di scappare.»

«Può darsi», rispose Joe con il tono di chi non vuole impegnarsi, fissando il bicchiere.

«Avete bisogno l'uno dell'altra, Joe. A Kate occorre la tua forza, le serve sapere che non la pianterai in asso, che la ami tanto da volerla sposare. E tu hai bisogno della sua forza e del suo calore umano. Fa freddo là fuori quando si è soli. Io l'ho provato per molto tempo, dopo che mia moglie è morta. È una vita triste. Una ragazza come Kate non ti lascerebbe mai essere triste, se le concedessi di aprirsi un piccolo varco nel tuo cuore. Qualche volta ti farà andare su tutte le furie ma non ti farà mai soffrire, perché tu sei molto più forte di quello che credi. Non sei più un ragazzino, nessuno può farti quello che ti hanno fatto i tuoi cugini. Ormai sei un uomo, Joe, e adesso loro se ne sono andati per sempre, non sono che fantasmi. Non permettere che siano loro a dirigere la tua esistenza.»

«E perché no? Finora ha funzionato. Mi pare di avere avuto una vita abbastanza buona.» Il suo sorriso era cinico.

«Ecco il punto al quale volevo arrivare. Avresti una vita

migliore se la dividessi con lei. Sarai un uomo triste se dovessi perderla. E potrebbe capitarti. Le donne sono strane in quel senso, ti lasciano quando meno te lo aspetti. E se ti metti d'impegno a stancare una persona, puoi farla scappare. In ogni caso lei non ti lascerà, a meno che sia tu a costringerla. Ti ama troppo. Tienitela stretta, per il bene di entrambi. Fidati di me, figliolo. Se le darai l'opportunità di crescere e maturare, ti ritroverai accanto una brava donna. Secondo me lei probabilmente ha paura che prima o poi tu te ne andrai.»

«Potrei anche farlo», dichiarò Joe guardando Clarke negli occhi.

«Spero di no. Ma nel caso tu lo facessi, spero che sarai abbastanza uomo da tornare e darvi un'altra possibilità. Quello che avete è raro. Non riuscirai a dare un taglio netto al vostro legame, indipendentemente da quello che farai e da quanto lontano scapperai, perché è troppo forte e radicato in voi. Lo leggo nei tuoi occhi e nei suoi.» In un certo senso era una specie di condanna a vita per Joe, eppure, dietro le proprie paure, anche lui intuiva che il padre di Kate aveva ragione.

«Ci penserò», disse piano, e Clarke annuì. Non c'era altro che potesse dire. Aveva parlato con il cuore, per l'affetto che provava verso i due ragazzi.

«Lei deve ancora crescere un po'. Offrile l'opportunità di farlo, Joe. E non raccontarle quello che ti ho confidato oggi sul conto di suo padre. Credo che ne provi una certa vergogna. Un giorno sarà lei stessa a dirtelo.»

«Sono contento di saperlo.» Anche se, a dire il vero, gli complicava le cose. Essere a conoscenza di quello che Kate provava per il suicidio del padre e di quello che sentiva riguardo alla possibilità che lui la abbandonasse gli faceva piombare sulle spalle un fardello ancora più pesante. In un certo senso non era onesto, lui aveva già i suoi problemi, che risalivano al passato. Ma riconosceva la verità di una delle cose dette da Clarke: non aveva mai amato nessuno nella sua vita quanto Kate, e altrettanto valeva per lei. Non era difficile convincersi che quello che avevano non si sarebbe mai più ripetuto. Eppure l'ironia della sorte voleva che lui sentisse il bisogno di fuggire, di essere libero, mentre lei aveva bisogno di rimanere attaccata a lui per la vita e per la morte. Era una specie di tiro alla fune, e chissà chi avrebbe vinto. Nello stesso tempo, Joe intuiva che se ognuno dei due avesse mollato la presa, forse il loro rapporto sarebbe durato. Però, sapendo quello che ora sapeva di lei, Joe si domandò se Kate ne sarebbe mai stata capace. E lui? Come minimo, imparare la comprensione e l'armonia necessarie a vivere insieme avrebbe richiesto tempo, come Clarke immaginava. Ma di tempo loro ne avevano in abbondanza, erano giovani. La domanda che il padre di Kate si poneva era se fossero entrambi abbastanza saggi da rimanere uniti e da non lasciarsi prima di avere imparato a far funzionare la loro unione. Non gli restava che pregare che fosse così. In caso contrario, tutti e due avrebbero avuto troppo da perdere.

Fu Joe a mettersi al volante della macchina per tornare a casa, anche se aveva bevuto molto. Quanto a Clarke, gli confessò di sentirsi totalmente sbronzo. Appena entrarono Elizabeth se ne accorse ma non fece commenti. Il marito le si avvicinò per abbracciarla, e una volta tanto Joe provò un gran sollievo accorgendosi che lei non li copriva di rimproveri. Anzi, dopo una risata corse a prendere due tazze di caffè fumante per offrirle ai due uomini. Clarke ne accettò una con aria dispiaciuta, osservando che se c'era una cosa che non sopportava era guastare una bella bevuta, poi strizzò l'occhio a Joe. In quel pomeriggio era nata fra loro un'amicizia più profonda e Joe pensò che, qualunque cosa fosse successa fra lui e Kate, avrebbe sempre avuto un debole per Clarke.

Quella sera dopo cena Joe e Kate fecero una passeggiata sulla spiaggia. L'indomani sarebbero tornati nel New Jersey. Joe la stupì quando le mise un braccio intorno alle spalle e la baciò con uno sguardo pieno di tenerezza. Quello che Clarke gli aveva raccontato aveva cambiato la situazione in un modo sottile e indefinibile. Certo, continuava a temere che impegnarsi fosse come mettersi la corda al collo, ma nello stesso tempo voleva proteggerla non solo dal mondo, ma anche da se stessa. Riusciva a percepire la presenza della bambina solitaria in lei, quella il cui padre si era suicidato. E, indipendentemente dai segni esteriori, che con il loro falso luccichio potevano confondere, adesso si accorgeva di scoprire in Kate l'uccellino con l'ala spezzata che era stata da piccola, e per certi versi questo gliela faceva amare di più. Era cresciuta e diventata più forte, e ora sapeva volare bene, almeno per quello che riguardava i rapporti con il mondo esterno, ma dentro di sé era ancora una bimbetta spaventata, proprio come lui era stato un ragazzino troppo solo. Era stato il destino a farli incontrare, e si erano sentiti attratti per qualche profonda ragione, perché così doveva essere. Joe ricordava ancora molto bene come Kate lo avesse abbagliato la sera in cui si erano conosciuti. Forse, dopo tutto, quella era la loro sorte.

«Certo che oggi devi avere fatto bere un bel po' mio padre, eh?» rise Kate mentre camminavano mano nella mano.

«Ci siamo divertiti.»

«Mi fa piacere.» Joe si domandò se, un giorno, sarebbe diventata come la madre, e in tal caso come sarebbe stata la vita per lui. Eppure, nonostante i timori, era difficile non dare peso alla saggezza della parole di Clarke, che gli avevano toccato il cuore.

«Credo che uno di questi giorni dovremmo sposarci», disse allora in un tono che poteva sembrare casuale, e lei si fermò di colpo e lo fissò sorpresa.

«Sei ancora sbronzo?» Non era sicura che fosse serio.

«Probabilmente. Ma perché no, Kate? Il nostro potrebbe essere un matrimonio riuscito.» Non sembrava completamente convinto ma, per la prima volta in trentacinque anni, era disposto a fare un tentativo.

«Che cosa ti ha fatto decidere? È stato mio padre a darti una tirata d'orecchie?»

«No. Mi ha semplicemente detto che uno di questi giorni finirò con il perderti, se non mi faccio furbo. E probabilmente ha ragione.»

«Non mi perderai, Joe», gli mormorò mentre si sedevano sulla sabbia e lui la attirava a sé. «Ti amo troppo. Non devi sposarmi.» Era quasi dispiaciuta: ormai aveva capito quanto la libertà fosse importante per lui.

«Magari voglio sposarti. Che ne pensi?»

«Penso che sarebbe magnifico», gli rispose sorridendogli; e lui si accorse di non averla mai amata tanto come in quel momento. «Magnifico, davvero magnifico. Sei sicuro?» Era stupefatta. Finalmente il momento era arrivato.

«Abbastanza sicuro», rispose lui onestamente. Clarke aveva fatto discorsi molto sensati, e vedeva in quella situazione molti aspetti che Joe stesso poteva riconoscere quando si sentiva abbastanza coraggioso da guardarsi dentro con attenzione. «Non credo che dovremmo precipitarci a decidere», aggiunse guardingo. «Forse fra sei mesi, un anno o giù di lì. Ho bisogno di tempo per abituarmi all'idea. Perché per il momento non lo teniamo per noi?»

«Va bene, sono d'accordo», mormorò lei. Per un po' rimasero seduti accanto senza parlare, poi si incamminarono verso casa, mano nella mano.

12

TORNARONO nel New Jersey a lavorare fianco a fianco; ma da quando avevano deciso di sposarsi fra loro le cose erano cambiate impercettibilmente. Kate si sentiva più sicura di sé, più fiduciosa; quanto a Joe, l'idea continuò a piacergli per un po'. Parlavano dei loro progetti, della casa che intendevano acquistare, della luna di miele. Ma dopo parecchi discorsi di questo tipo Joe cominciò ad avere l'aria seccata quando lei affrontava l'argomento. A furia di discuterne si innervosiva.

Non aveva il tempo di riflettere sul matrimonio. Avevano in programma la costruzione di un secondo stabilimento e gli affari stavano aumentando di giorno in giorno. Quando arrivò l'autunno, le nozze erano l'ultimo dei suoi pensieri.

Entrambi erano sempre più impegnati, tanto che non andarono nemmeno a Boston per la festa del Ringraziamento; riuscirono però a passare una settimana con i genitori di Kate fra Natale e Capodanno. A quel punto Elizabeth era così sconvolta per il fatto che non si erano ancora fidanzati ufficialmente che nessuno si azzardava più a parlare di matrimonio. Ma Kate stava cominciando a rendersi conto che, se poteva vivere con lui, non aveva una particolare fretta di sposarsi. Joe aveva talmente tanto per le mani che non se la sentiva di fargli fretta e di costringerlo a occuparsi dei loro progetti personali. Era anche troppo spaventato dall'impegno che aveva preso, e lei lo percepiva: subito dopo averle fatto la proposta aveva iniziato a tirarsi indietro.

Kate non disse niente fino all'arrivo della primavera. Ormai erano nel 1947, e lei stava cominciando a domandarsi se Joe avesse veramente voglia di prendere moglie. Glielo accennò un paio di volte, ma lui era sempre troppo preoccupato per affrontare il discorso. Lei aveva appena compiuto ventiquattro anni, mentre Joe ne aveva trentasei ed era l'uomo più importante nel mondo dell'aviazione. L'azienda che un anno e mezzo prima aveva contribuito a fondare, si era trasformata in una miniera d'oro.

Quando Clarke andò a trovarli, Joe lo portò a fare un volo di prova su uno dei suoi modelli più nuovi. Kate continuava sempre a tentare di salvare la faccia sostenendo che alloggiava in albergo, e suo padre fu tanto discreto da non chiedere spiegazioni in quel senso, ma era preoccupato per lei. Sembrava che Joe trascorresse tutto il tempo in riunione oppure pilotando un aereo. Aveva offerto a Kate l'assunzione, così adesso lei si occupava delle pubbliche relazioni e guadagnava un buono stipendio. Ma non erano i soldi ciò di cui aveva bisogno, perché i Jamison ne avevano più che abbastanza anche per lei. Per quanto li riguardava, a Kate occorreva un marito.

Ormai Clarke era persuaso che il discorso fatto a Joe durante l'estate precedente non fosse servito a niente, ed Elizabeth continuava a fare pressioni sulla figlia perché tornasse a Boston a vivere con loro. All'arrivo dell'estate, ormai erano mesi che Joe non diceva più una parola su un eventuale matrimonio.

Erano passati due anni dal suo ritorno a casa e uno da

quando le aveva chiesto di sposarlo, quando Kate si decise a costringerlo ad ascoltarla, facendolo sedere davanti a lei e domandandogli la verità nuda e cruda. Qualunque cosa Joe pensasse in proposito, lei voleva saperla.

«Ci sposeremo mai? Forse hai deciso di rinunciare?» Anche lui doveva ammettere con se stesso di non avere fatto che evitare la questione. Quando aveva parlato con Clarke l'idea gli era piaciuta e vi aveva anche trovato qualche merito, soprattutto per Kate, considerata la sua storia, ma adesso gli sembrava inutile. Inoltre, come finalmente ammise di nuovo, la verità era che lui non voleva figli. Ci aveva riflettuto, ed era certo che una cosa del genere non facesse per lui. No, semplicemente non era quello che desiderava dalla vita. Lui voleva soltanto gli affari e gli aerei, e Kate dalla quale tornare a casa la sera. Non voleva un bambino e non aveva bisogno del matrimonio; quello che stava facendo era troppo emozionante, troppo bello. La prospettiva di pargoli urlanti e di pannolini da cambiare lo faceva inorridire. Aveva odiato la propria infanzia e non aveva alcun desiderio di dividere quell'esperimento con qualcun altro, e tanto meno di doversi assumere l'impegno di crescere dei figli. «Mi stai forse dicendo che, se dovessimo sposarci, non vorresti avere bambini?» Kate aveva sempre saputo che l'idea non lo entusiasmava, però non le era mai balenato per la mente che la sua fosse una decisione irremovibile. D'altra parte, prima di quel giorno lui non gliel'aveva mai espressa in un modo così esplicito; aveva pensato che fosse meglio evitarlo. Non solo, ma lei gli era straordinariamente utile in azienda, e non voleva perdere la sua collaborazione costringendola a badare ai marmocchi. Il matrimonio gli sembrava già abbastanza minaccioso, senza aggiungerci anche l'eventualità dei figli.

«Sì, credo proprio di sì», le rispose francamente. Non le aveva mai mentito, si era sempre limitato a non discutere dell'argomento. «Anzi, lo so di sicuro. Non voglio bambini.» Ecco la decisione che gli aveva fatto mettere in dubbio l'eventualità di sposarsi, a dispetto di ciò che Clarke gli aveva detto un anno prima.

«Ah», mormorò lei lasciandosi andare contro la spalliera della poltrona. Le parve di essere stata schiaffeggiata. «Io ho sempre desiderato averli.» Era un sacrificio enorme quello che le chiedeva, ma lo amava troppo e non voleva perderlo, non dopo essere stata separata forzatamente da lui per due anni durante la guerra. Poi si domandò se Joe avrebbe cambiato idea sulla questione dei figli, una volta che si fossero sposati. Era un rischio che si sentiva di correre, ma adesso lui non le stava nemmeno più proponendo di ufficializzare la loro unione. «Che ne pensi, Joe?» gli chiese.

«Di che cosa?» La guardava, imbarazzato. A furia di domande lo stava facendo sentire con le spalle al muro.

«Del matrimonio. Hai escluso anche quello?» Era rimasta sconvolta di fronte alla sua confessione di non volere figli, le sembrava che fosse stato scorretto non dirglielo prima, però bisognava ammettere che era indaffarato e aveva tante cose per la testa. In quei giorni pensava soltanto al suo impero in continua crescita.

«Non lo so», replicò lui in tono vago. «È proprio necessario? Se non abbiamo intenzione di avere figli, perché sposarci?» Improvvisamente aveva rialzato tutte le barriere. Negli occhi di Kate balenò un lampo di panico.

«Dici sul serio?» Lo fissava con gli occhi sgranati come se fosse un estraneo, e cominciava a pensare che lo fosse diventato realmente. Non sapeva con certezza quando, ma tutto era cambiato, e Kate non poté fare a meno di domandarsi se la decisione di non dire a nessuno, l'anno precedente, che avevano stabilito di sposarsi fosse stata ispirata dal pensiero che, in quel modo, Joe avrebbe potuto cambiare idea. A quanto pareva, così era stato.

«Dobbiamo proprio parlarne adesso? Ho una riunione molto presto, domattina.» Sembrava seccato, e voleva che quel discorso finisse. Solo a parlarne si sentiva in trappola, anzi, peggio, colpevole di non volerla sposare, e i sensi di colpa erano l'unica cosa che Joe non riusciva a sopportare. Toccavano la corda della paura nel suo cuore, ed era una sofferenza più atroce di qualsiasi altra, perché gli facevano riaffiorare alla memoria tutti gli incubi del passato, specialmente l'eco delle voci dei cugini che ripetevano instancabilmente, in modo spietato, come fosse «cattivo» da bambino.

«Stiamo parlando della nostra vita, del nostro futuro», insistette Kate, «e a me pare che sia importante.» La sua voce aveva una sfumatura stridula alle orecchie di Joe, come quando un'unghia graffia una lavagna, e gli fece subito venire in mente Elizabeth.

«Dobbiamo proprio risolvere la questione stasera?» ribadì stizzito. Ma lei lo era ancora di più. Sentiva che Joe si stava tirando indietro, e questo le provocava un desiderio lancinante di non farselo sfuggire, di aggrapparsi a lui con tutte le forze, ottenendo però il risultato opposto. Erano come imprigionati in una danza di morte: Kate aveva la sensazione che lui la abbandonasse e Joe, che lo intuiva e immaginava il panico che ciò avrebbe potuto scatenare, voleva scappare.

Sì, voleva darsela a gambe e nascondersi in qualche posto a leccarsi le ferite. Ma lei non si dimostrò abbastanza saggia da lasciarlo in pace. Il panico era una forza potente, che non riusciva a controllare.

«Forse non abbiano da risolvere proprio niente», osservò con aria infelice, e il suo tono di voce fece sentire Joe più colpevole e più ansioso di squagliarsela. In quel momento per lui il senso di colpa era un fatto fisico, come se l'avessero schiaffeggiato. «Forse tu hai appena sistemato tutto», continuò Kate. «Mi stai dicendo che non vuoi figli e non vedi nessun valido motivo per sposarci. Non ti sembra che sia un notevole cambiamento d'idea? O sbaglio?» Si accorse di sentirsi ancora più impaurita. Per due anni aveva aspettato con pazienza che per Joe venisse il momento giusto, ma ora, d'un tratto, aveva capito che per quanto lo riguardava il momento giusto non c'era e non ci sarebbe mai stato. E lei si sarebbe dovuta adeguare.

«Io ho un'azienda da mandare avanti. Non so quanta energia mi rimarrebbe per una moglie e dei figli. Probabilmente nessuna.» Stava freneticamente cercando una via di scampo, e in un certo senso la paura che provava era la stessa di Kate. Nel suo caso, però, si traduceva in un comportamento gelido e distaccato, che la spaventava esattamente come il suo modo di affrontare la questione spaventava Joe.

«Vorrei cercare di capire che cosa mi stai dicendo esattamente», riprese Kate mentre le salivano le lacrime agli occhi. Joe stava distruggendo tutto quello in cui aveva sperato, tutti i suoi sogni di un futuro comune. Era andata nel New Jersey per aiutarlo in modo da rendere più facile la loro vita insieme, per affrettare le cose perché potessero finalmente sistemarsi, ma adesso lui era innamorato del suo lavoro. E degli aerei, come sempre. Non esistevano altre donne nella sua vita: gli aerei erano le sue amanti, i suoi figli e le sue mogli.

«Sto cercando di spiegarti come stanno le cose, mi sembra», rispose alla fine, visto che lei non cedeva. «Quello che ho mi basta, non ho bisogno del resto. Non ho bisogno di sposarmi, Kate, non posso e non voglio farlo. Ho bisogno di essere libero. Abbiamo il nostro rapporto, che differenza vuoi che faccia un pezzo di carta? Che cosa significa?» Niente per lui, ma moltissimo per Kate.

«Significa che tu mi ami, hai fiducia in me, vuoi occuparti di me e stare con me per sempre, Joe», ecco la questione chiave per lei. Ma «per sempre» era un'espressione che lo spaventava. «Significa che ti fai avanti e affermi di credere in me, e io di credere in te. Significa che siamo orgogliosi l'uno dell'altra. In un certo senso è qualcosa che ci dobbiamo reciprocamente.» Queste parole erano penose per lui, come se Kate stesse tentando di inchiodarlo al pavimento o sulla croce. Si sentiva travolto e oppresso, ed era deciso a proteggersi a ogni costo, anche se ciò avrebbe significato perderla.

«Noi non ci dobbiamo niente, salvo essere qui se vogliamo esserci, giorno dopo giorno. E se non lo accetteremo più, non lo vorremo più, faremo qualcos'altro. Non ci sono garanzie», le urlò Joe, e questo la offendeva e la impauriva. Era il suo modo di cercare di tenerla a distanza di sicurezza. Stava per scappare. Kate, invece, sentiva che lui la stava abbandonando, proprio come aveva fatto suo padre, e questo bastava perché si sentisse aizzata a perseguitarlo ancora di più.

«Quando è successo tutto questo?» gli domandò alzando la voce più di quanto intendesse. Ma Joe l'aveva spinta al limite estremo, e adesso lei aveva la sensazione di precipitare vorticando in un abisso. Era disperata, terrorizzata, priva di ogni controllo. «Quando hai deciso di non sposarti?» insistette in tono lamentoso. «Quando sono cambiate le cose? E perché non ho capito che ci stavi pensando? Perché non me l'hai detto?» Scossa dai singhiozzi, faticava anche a respirare. «Perché mi stai facendo questo?» Lui provò una gran voglia di scomparire: si sentiva trafitto dalle sue parole come se fossero state coltelli.

«Perché non lasci che le cose vadano come devono andare?» la supplicò.

«Perché ti amo», rispose lei, profondamente infelice. Ma Joe non era più sicuro di amarla. Oppure, se mai ne fosse stato capace, di poterla ricompensare e consolare per la perdita del padre. Era disperato come Kate, che continuava a cercare ogni mezzo per evitare di essere abbandonata.

«Adesso possiamo andare a letto? Sono stanco.» Gli sembrava di affogare, e così anche a lei. Erano come due bambini terrorizzati che si aggrappavano l'uno all'altro con le unghie e con i denti, e nessuno dei due era capace di mostrarsi tanto adulto da smettere.

«Sono stanca anch'io», replicò Kate con la voce rotta dalla disperazione. Mai, in vita sua, si era sentita così sola. Andò a fare una doccia e rimase sotto l'acqua scrosciante molto a lungo. Si sentiva annientata, non amata, e non poté fare a meno di piangere. Quando si infilò nel letto, Joe dormiva già. Rimase a guardarlo a lungo, domandandosi chi fosse. Gli accarezzò i capelli piano, un po' guardinga, come se avesse paura di vedersi aggredire di nuovo; lui mormorò qualcosa nel sonno e si girò dall'altra parte. Nonostante quello che le aveva detto, Kate sapeva che l'amava, e anche lei amava lui, forse fino al punto di rinunciare a tutti i suoi sogni. Ma non riusciva più a capire come sarebbe potuto succedere: lui aveva paura di quell'amore, si sentiva più sicuro scappando. Lei, invece, aveva un solo desiderio: stargli vicino.

Ma quella notte, sotto la doccia, aveva preso una decisione. Doveva lasciarlo, prima che arrivassero a distruggersi reciprocamente. Lui non l'avrebbe mai sposata. Era venuto il momento di andarsene. Sua madre aveva avuto ragione fin dal principio.

Glielo disse la mattina dopo, mentre facevano colazione, a voce bassa, in tono tranquillo e ragionevole e nel modo più asciutto possibile. «Me ne vado, Joe.» I loro occhi si incontrarono, e lui sembrò confuso. Soffriva ancora per il dolore che si erano causati.

«Perché?» Aveva l'aria sconvolta, ma non la pregò di rinunciare alla sua decisione.

«Dopo quello che hai detto ieri sera non posso più rimanere. Ti amo. Con tutto il mio cuore, con tutta la mia vita. Ti ho aspettato due anni, senza riuscire a convincermi che tu fossi morto. Non credevo che avrei potuto amare un altro dopo di te, e non lo credo ancora adesso. Non come amo te, non ne sarò mai capace, ma voglio un marito, dei figli, una vita vera. Tu non desideri le stesse cose.» Aveva gli occhi pieni di lacrime, ma si sforzò di rimanere calma, anche se in fondo allo stomaco provava un panico crescente, la sensazione di affondare e di avere il cuore trafitto da un pugnale. Avrebbe voluto che Joe si rimangiasse le parole della sera precedente, invece tacque.

Finì la colazione in silenzio, poi la guardò. Fu uno di quei momenti atroci che si ricordano per sempre, non solo per quello che si ha davanti agli occhi, ma anche per quello che si dice. «Ti amo, Kate, ma devo essere onesto con te. Penso che non vorrò mai sposarmi, non voglio essere legato a nessuno all'infuori dei miei aerei. Non voglio essere proprietà di nessuno. Qui c'è spazio per te, se vuoi dividere il lavoro con me. Ma è tutto quello che posso darti: me stesso e i miei apparecchi. Probabilmente li amo quanto amo te. Certi giorni, forse, di più. Non posso amarti più di tanto, ecco quello di cui ho paura. Sono fatto così, non voglio avere figli, non c'è posto per loro nella mia vita. Non ne ho bisogno, e non li voglio.» In quel momento, sia pure con dispiacere, Joe si rese conto di non volere neanche lei. Rappresentava una minaccia troppo grande. Voleva la sua impresa e i suoi aerei, e Kate veniva dopo tutto questo. Lei, invece, era una giovane donna che voleva dei bambini, un marito e una vita con lui, non soltanto l'opportunità di lavorare al suo fianco. Quello che Joe aveva appena finito di dirle la colpì duramente e confermò le sue peggiori paure.

«Io non voglio una società commerciale, voglio dei bambini, voglio te. Ti amo, ma torno a casa. Immagino che avrei dovuto farti queste domande molto tempo fa.» Si sentiva infinitamente sciocca e sopraffatta da una perdita immensa.

«Non credo di avere capito quello che provavo quando abbiamo fondato questa azienda. Adesso lo so. Fa' quello che devi fare, Kate.»

«Ti lascio», gli rispose con semplicità, guardandolo negli occhi.

«Vale la pena di lasciare gli affari?» Non riusciva a immaginare che potesse farlo, pensava che fosse una pazzia. Come faceva Kate a non capire quello che lui stava facendo? Era una cosa mai fatta prima, e voleva dividerla con lei. Era il meglio che potesse dare. Ma in quel momento a Kate non importava più.

«La società non è mia, Joe, è tua.» Lui a questo non aveva pensato. Gli chiariva le cose, o almeno così credeva.

«Vuoi delle azioni?»

Lei sorrise. «No. Voglio un marito. Credo che la mamma avesse ragione: alla fin fine ha importanza. Ne ha per me, comunque.»

«Capisco», disse lui, ed era convinto di capire, voleva capire. Ma entrambi avevano molto da imparare. Joe prese la sua cartella di cuoio e guardò Kate. «Mi dispiace.» Dopo tutto quello che erano stati l'uno per l'altra per sette anni, sotto varie forme e in vari modi, adesso lui doveva lasciarla andare. Esteriormente, nella vita pubblica, era diventato un personaggio di spicco, ma nel profondo del suo cuore continuava a sentirsi un bambino solo e spaventato.

«Dispiace anche a me», bisbigliò lei.

13

I GENITORI di Kate si resero subito conto che era tornata a casa per sempre, ma non ne capirono il motivo. Lei non lo spiegò mai a nessuno dei due, non parlò di Joe né di quello che era successo nel New Jersey: si sentiva troppo ferita, troppo distrutta per avere voglia di discutere la situazione con loro. E si sentì anche più distrutta quando lui smise di telefonarle; aveva continuato a sperare che da un momento all'altro si riscuotesse e si accorgesse di soffrire in modo insopportabile per la sua mancanza, e che alla fine l'avrebbe chiamata per dirle che voleva sposarla e avere dei figli.

Invece Joe aveva parlato sul serio. Qualche settimana dopo le mandò una piccola cassa con i suoi vestiti e altri oggetti che aveva dimenticato nel suo appartamento, ma senza aggiungere nemmeno un biglietto. Clarke ed Elizabeth si accorsero di quanto soffrisse ma non insistettero per sapere qualcosa, anche se la mamma ormai sospettava quello che doveva essere successo. Kate passò tre mesi nell'inverno di Boston facendo lunghe passeggiate e piangendo tutte le sue lacrime. Quel Natale fu doloroso per lei. Pensò di telefonare a Joe almeno mille volte, perché era quello che desiderava con tutto il cuore, ma non era disposta a vivere con lui come un'amante. Alla lunga si sarebbe sentita una specie di reietta. Andò a sciare qualche giorno, poi tornò a passare Capodanno con i suoi. Aveva la sensazione che, quando lo aveva lasciato, una parte di sé fosse morta, e continuava a non riuscire a immaginare una vita senza di lui. Eppure, ormai, doveva farlo. Aveva scelto una via d'uscita coraggiosa, e ora doveva convivere con la decisione presa e rassegnarsi.

Si sforzò di ritrovare qualche vecchia amicizia, ma le pareva di non avere più niente in comune con loro. Per troppi anni la sua esistenza era stata strettamente intrecciata a quella di Joe. Non sapendo che cos'altro fare e determinata a rimettersi in sesto, a gennaio decise di trasferirsi a New York e di accettare un impiego al Metropolitan Museum come assistente del curatore dell'ala egizia. Se non altro, avrebbe sfruttato gli studi di storia dell'arte che aveva seguito a Radcliffe, anche se a poco a poco si accorse di sapere molto di più sugli aerei. All'inizio non riuscì a mettere né entusiasmo né cuore nel lavoro, ma dopo un po' scoprì con sorpresa che gli piaceva molto più di quanto si fosse aspettata. A febbraio trovò anche un appartamento; adesso non le rimaneva che affrontare il resto della sua vita, una prospettiva tetra, deprimente e incredibilmente vuota senza Joe. Le mancava tutto di lui, notte e giorno, lo pensava continuamente e leggeva sempre le notizie che lo riguardavano. Sette anni prima i giornali avevano parlato di lui per i record di volo che aveva stabilito; ora il mondo intero lo conosceva come costruttore di apparecchi di qualità eccezionale. E quando non li progettava, li pilotava.

A giugno lesse sul giornale che aveva vinto un premio all'esposizione aeronautica di Parigi. Ne fu felice per lui. Quanto a se stessa, si sentì sola e disperata. Ormai aveva venticinque anni, era più bella che mai, ma conduceva una vita più noiosa di quella di sua madre.

Non accettava inviti da parte di uomini che volevano corteggiarla, e se qualcuno le proponeva di uscire diceva di essere già impegnata. Tutto si stava ripetendo esattamente come quando l'aereo di Joe era stato abbattuto. D'estate non andò a Cape Cod, perché c'erano troppi ricordi. D'altra parte, qualsiasi cosa glielo ricordava: parlare, vivere, muoversi, respirare, perfino andare al ristorante e cucinare. Era assurdo, e lo capiva, ma Joe era diventato una parte integrante del suo essere. Ormai si stava convincendo che tutto quello che poteva fare era aspettare che passasse il resto dell'esistenza per dimenticarlo. Era possibile, se lo ripeteva, ma non era sicura di poterlo fare. Ogni mattina si svegliava con la sensazione che qualcuno fosse morto, poi si ricordava chi: lei.

Era a New York da quasi un anno e un giorno entrò in un negozio di generi alimentari per comprare del cibo per cani. Aveva appena preso un cucciolo che le tenesse compagnia, anche se era arrivata al punto di ridere di se stessa e di ammettere che una scelta del genere aveva qualcosa di patetico. Stava facendo un confronto fra le diverse marche quando, alzando gli occhi, trasalì. Di fronte a lei c'era Andy. Erano passati tre anni dall'ultima volta che l'aveva visto, e le sembrò che avesse un'aria molto adulta, bello ed elegante con un abito scuro e un impermeabile. Era appena uscito dall'ufficio ed evidentemente stava facendo la spesa. Pensò che fosse sposato, per quanto non lo sapesse con certezza.

«Come stai, Kate?» le domandò lui con un largo sorriso. Si era ripreso da un pezzo dal duro colpo che gli aveva inflitto, benché per tanto tempo anche solo pensare a lei lo facesse soffrire, e aveva buttato via tutte le sue fotografie. Ma adesso era tornato quello di prima.

«Bene. E tu cos'hai fatto in questi anni?» Non gli disse che aveva sentito la sua mancanza. Era difficile trovare buoni amici, e ormai da molto Kate non aveva più nessuno come lui con cui chiacchierare.

«Sono stato molto impegnato con il lavoro. Che ci fai da queste parti?» Sembrava felice di rivederla.

«Vivo qui. Lavoro al Metropolitan. È divertente.»

«Ottimo. In questi giorni leggo in continuazione articoli su Joe. Ha creato un impero straordinario. Avete già dei bambini?» Kate rise. Era stata la cosa più logica da pensare, invece non solo era sbagliata, ma addirittura fuori del tempo.

«No. Ho un cucciolo.» Gli mostrò il cibo per cani. Poi, in nome dei vecchi tempi, decise di fargli riaggiustare il tiro. «Non sono sposata.» Lui rimase sbalordito.

«Tu e Joe non vi siete sposati?»

«No. Lui è sposato con i suoi aeroplani. È stata una buona decisione, per quanto lo riguarda.»

«E per quanto riguarda te?» Era una domanda onesta. Andy era sempre stato molto schietto con lei, e quello era uno dei lati del suo carattere che gli piacevano di più. «Voglio dire, com'è stata la sua decisione per te?»

«Non proprio favolosa. L'ho lasciato. Mi ci sto abituando. Ormai è passato circa un anno.» Veramente erano trascorsi quattordici mesi, due settimane e tre giorni, ma pensò che fosse più opportuno risparmiargli i particolari. «E di te che cosa mi racconti? Sei sposato? Hai figli?»

«Donne con le quali c'è del tenero, molte. E più sicuro, non ti spezzi il cuore.» Non era cambiato per niente, e Kate rise alla sua risposta.

«Buon per te. Cercherò di trovartene altre. Al museo lavorano tante ragazze carine.»

«Anche tu, fra le altre. Hai uno splendido aspetto, Kate.» Si era tagliata i capelli, più che altro perché non sapeva che cosa fare e aveva voglia di cambiare un po'. Le grandi emozioni della sua vita, in quel periodo, erano andare dal parrucchiere, farsi fare la manicure e seguire il cagnolino.

«Grazie.» Era passato talmente tanto tempo dall'ultima volta che aveva avuto occasione di parlare con un uomo della sua età per più di cinque minuti che quasi non sapeva che cosa dirgli.

«Ti andrebbe di andare al cinema una volta o l'altra?»

«Sì, mi piacerebbe», gli rispose mentre spingevano lentamente i carrelli verso la fila delle casse. Lui aveva comprato i fiocchi d'avena e acqua gasata, notò Kate, e aveva già con sé una bottiglia di scotch appena acquistata in un negozio di liquori. Cibi da scapolo. «Non credi che dovresti almeno comprare del pane o un cartoccio di latte?» gli suggerì, e lui rise. No, nemmeno Kate era cambiata. «Oppure ti accontenti di mettere lo scotch sui fiocchi d'avena? Bisogna che provi anch'io.»

«Lo bevo liscio, come ammazzacaffè.»

«E con l'acqua gasata che cosa ci fai?»

«La uso per pulire i tappeti.»

Si stavano divertendo in quel botta e risposta che ricordava a entrambi i giorni lontani della scuola, poi Andy insistette per pagare il cibo per cani che lei aveva comprato. Era sempre stato generoso e cortese nei suoi confronti, un vero cavaliere.

«Lavori sempre per tuo padre?» gli domandò Kate mentre uscivano dal negozio.

«Sì, abbiamo trovato una buona soluzione. Lui mi passa tutti i casi di divorzio, perché li odia.»

«Che allegria. Beh, se non altro quello mi è stato risparmiato.»

«Forse ti è stato risparmiato qualcosa di più, Kate. Gli uomini come lui non sono mai facili. Troppo brillanti, troppo creativi, troppo complicati. Eri talmente innamorata che, secondo me, non te ne sei accorta.» Invece sì, se n'era accorta, ma le piaceva infinitamente. Per quanto bene avesse voluto a Andy come amico, non le era mai sembrato un tipo abbastanza stimolante e provocatorio. Joe era come una stella splendente, al di là della sua portata, irraggiungibile, l'amore che avrebbe voluto, forse ancora di più proprio perché le sfuggiva sempre.

«Vuoi forse insinuare che sto cercando un cretino?» Era divertita dal discorso di Andy, ma quando lui le rispose non scherzava.

«Forse qualcuno un po' più umano, semplicemente. Era difficile essere sempre alla sua altezza e troppo impegnativo stargli dietro. Tu meriti qualcosa di meglio.» Gli fu grata per la gentilezza con cui la rassicurava. Era un uomo meraviglioso, buono e gentile, ed era stupita che non si fosse sposato. «Ti telefono», disse lui quando si avviarono in direzioni opposte. «Come faccio a trovarti?»

«Sono sull'elenco del telefono, oppure puoi cercarmi al museo.»

La chiamò due giorni dopo e la invitò al cinema. E poi a pattinare sulla pista del Rockfeller Center. E a cena fuori. Quando Kate tornò a casa per le vacanze di Natale, tre settimane più tardi, erano stati quasi sempre insieme. Non raccontò ai genitori di averlo visto, non voleva che la mamma si emozionasse troppo. Ma fu proprio Elizabeth a rispondere quando, la mattina di Natale Andy le telefonò, e lei fu felice di sentirlo. Le sembrava quasi che fossero tornati i vecchi tempi, salvo che adesso Andy le piaceva di più. Era un uomo simpatico, un compagno piacevole e pieno di premure. Non era brillante come Joe, però le voleva bene e, come lei non era mai riuscita a dimenticare Joe, Andy non era riuscito a superare completamente il fatto che lei l'avesse lasciato.

«Mi manchi», le disse. «Quando torni?»

«Fra un paio di giorni», gli rispose, tenendosi sul vago.

Era delusa perché non aveva avuto notizie di Joe per Natale. Avrebbe potuto almeno chiamarla. Era come se si fosse dimenticato completamente di lei, come se non fosse mai esistita.

Aveva pensato di cercarlo, ma poi si era detta che era meglio di no: sarebbe servito soltanto a farla sentire più depressa, a farle tornare in mente tutto quello che avevano avuto e poi perso.

«Quando hai ricominciato a vedere Andy?» le domandò la mamma con interesse quando lei riattaccò.

«L'ho incontrato per caso qualche settimana fa in un negozio.»

«È sposato?»

«Sì, e ha otto figli», rispose in tono malizioso per burlarsi della madre.

«Ho sempre pensato che sarebbe stato adatto a te.»

«Lo so. Siamo soltanto amici. È meglio così, non si fanno danni né da una parte né dall'altra.» Tre anni prima lei gli aveva fatto molto male. Da parte sua, si sentiva ancora ferita, e aveva il sospetto che lo sarebbe rimasta a lungo. Forse per sempre. Era impossibile dimenticare Joe. Avevano avuto troppo, insieme, e poi lui rappresentava un terzo della sua esistenza.

Tornò a New York un paio di giorni dopo e si rallegrò di rivedere il suo cucciolo, che aveva affidato a una vicina di casa. Era praticamente appena entrata nel suo appartamento quando Andy la chiamò.

«Hai per caso un radar?»

«Ti sto facendo pedinare.» La invitò al cinema quella sera, e lei accettò.

Passarono insieme l'ultimo dell'anno bevendo champagne a *El Morocco*. Le sembrò una scelta molto raffinata e matura, e glielo disse.

«Sono cresciuto anch'io», ribatté lui divertito. Era diventato molto elegante, e Kate non poté fare a meno di confrontarlo con Joe.

Joe era molto bello, ma a volte metteva in imbarazzo per la sua goffaggine, eppure in lui aveva amato anche quello. Andy aveva un comportamento da uomo di mondo più consumato, affabile e disinvolto, in tanti sensi che a Joe non interessavano per niente.

«Io ho saltato in pieno la fase della maturità», gli confidò dopo la terza coppa di champagne. «Sono passata direttamente alla senilità. A volte mi sento più vecchia di mia madre.»

«Migliorerai. Il tempo aggiusta tutto», commentò lui con aria saggia.

«Quanto tempo ci hai messo a fartela passare quando ti ho piantato?» gli domandò Kate, accorgendosi di essere un po' su di giri. Ma sembrava che Andy non ci badasse.

«Forse dieci minuti.» Ci erano voluti due anni, ma si guardò bene dal confessarglielo. E non gli era ancora passata del tutto, ecco perché stava trascorrendo con lei la notte di San Silvestro. C'erano cinque o sei ragazze che frequentava in quel periodo furiose per essere state lasciate in disparte. «Dovevo metterci di più?»

«Probabilmente no», rispose lei triste. «Non me lo meritavo. Mi sono comportata in un modo ignobile.» Stava diventando imbronciata, con tutto lo champagne che aveva bevuto e, anche se si sforzava di non farlo, continuava a domandarsi dove fosse Joe, che cosa facesse e con chi fosse quella sera.

«Che cosa potevi farci, Kate? Era più forte di te», disse Andy, e parlava sul serio. «Lui era il grande amore, tu eri pazza di lui, ed è tornato quando tutti lo credevano morto. È difficile avere la meglio con uno del genere. Del resto, è meglio così che se ci fossimo sposati.»

«Sarebbe stato terribile», osservò lei inorridita.

«Sì, è vero. Di conseguenza penso che siamo stati fortunati. Non solo, ma tu avevi bisogno di eliminarlo dalla tua vita una volta per tutte.»

«E se non dovessi riuscirci mai?» replicò Kate avvilita, e lui le rise in faccia.

«Ci riuscirai. Ma non se diventi un'alcolizzata. Sei davvero sbronza.»

«Nossignore, non sono sbronza.» Assunse un'aria offesa, ma era un po' intontita.

«Invece sì, ma sei carina ugualmente. Forse dovremmo ballare, prima che tu svenga o ti ubriachi ancora di più.»

Fu una serata divertente, e il giorno dopo Kate si ritrovò con un mal di testa atroce, ma Andy le portò a casa aspirine, croissant e succo d'arancia. Lei inforcò un paio di occhiali neri mentre preparava la colazione anche per lui.

«Perché non hai portato lo scotch e i fiocchi d'avena? Sarebbero stati senz'altro meglio», disse lamentosa, perché la testa le doleva da impazzire.

«Stai diventando un'ubriacona», ribatté lui sorridendo mentre giocava con il cagnolino.

«Capita, quando hai il cuore spezzato.» Fece bruciare i croissant, rovesciò il succo d'arancia e quando tentò di prepargli le uova al tegamino ruppe i tuorli, ma lui mangiò tutto, poi la ringraziò. «Come cuoca sono terribile», gli confessò Kate.

«È questo il motivo per cui lui ti ha piantata?» Era la prima volta che glielo domandava.

«Sono stata io a piantare lui», lo corresse, con gli occhi ben nascosti dietro le lenti scure. «Non voleva sposarmi, e neanche avere bambini. Te l'ho detto, è sposato con i suoi aerei.»

«Adesso è un uomo molto ricco», disse Andy ammirato. Erano molte le cose ammirevoli in Joe, la sua perizia, il suo genio, il suo talento, ma non il suo comportamento con le donne. Andy era convinto che fosse stato un imbecille a non sposare Kate, ma era contento che non l'avesse fatto.

«Perché tu non ti sei ancora sposato?» gli chiese lei, buttandosi sul divano e decidendosi a togliere gli occhiali.

«Non lo so. Troppo impaurito, troppo giovane, troppo indaffarato. Non c'è stato nessuno di davvero importante dopo di te. Per un po' mi sono crogiolato nel dolore, poi ho cominciato a divertirmi. Ma ho tempo, e ce l'hai anche tu. Non avere fretta. Nel nostro studio legale vedo una quantità esagerata di divorzi.»

«Secondo mia madre no, non ho tempo, ecco. Ha una paura matta, lei.»

«Se fossi nei suoi panni l'avrei anch'io. Non è facile liberarsi di una come te. Però guardati bene dal cucinare per gli eventuali pretendenti. Lascia che se ne accorgano dopo. Mi ero dimenticato che cuoca schifosa sei, altrimenti mi sarei preparato la colazione da solo.»

«Non fare la lagna, hai mangiato tutto.»

«La prossima volta scotch e fiocchi d'avena.»

Nel pomeriggio uscirono a fare una passeggiata in Central Park. L'aria era frizzante e per terra c'era un sottile strato di neve. Quando tornarono da lei Kate si sentiva meglio. Avevano portato anche il cucciolo; sembrava tutto così confortevole e normale. Stare con Andy era facile, proprio come ai vecchi tempi. La sera andarono al cinema. Stavano passando molto tempo insieme, e d'un tratto lei si accorse di sentirsi meno sola.

Nelle sei settimane successive si videro molto spesso: cene, cinema, feste, amici. Ogni giorno Andy andava al museo per pranzare con lei e il sabato andavano a fare la spesa insieme. Era piacevole avere qualcuno con cui fare le cose. Kate si rese conto che, in tutti gli anni trascorsi con Joe, lui non aveva mai avuto tempo per niente di tutto questo, era sempre stato troppo impegnato a creare la sua azienda, anche se lei era stata felice di vederla nascere e crescere con lui. Ma la compagnia di Andy era divertente, aveva più tempo da dedicarle ed era felice di stare con lei.

Il giorno di San Valentino lui si presentò alla porta del suo appartamento con due dozzine di rose scarlatte e un'enorme scatola a forma di cuore piena di dolci.

«Dio mio, che cosa ho fatto per meritarmi tutto questo?» gli domandò Kate con un gran sorriso. Per tutto il giorno aveva sentito la mancanza di Joe e si era ripetuta che doveva dimenticarlo una volta per tutte. Ma, anche dopo tanto tempo, continuava a sembrarle una sfida impossibile.

Le pareva incredibile che un uomo amato tanto a lungo e tanto profondamente riuscisse a vivere benissimo senza di lei. Era così sbagliato, dopo tutto quello che avevano affrontato insieme, che lei e Joe non fossero stati capaci di trovare una soluzione per stare insieme. Invece erano rimasti invischiati nelle loro paure. Era deprimente dover ammettere che le favole non avevano un lieto fine; la vita non sarebbe dovuta essere così.

«Perché hai quell'aria così tetra?» Andy glielo leggeva negli occhi. A lui non poteva nasconderlo.

«Sono ricaduta nella solita autocommiserazione.»

«Che noia. Prendi un cioccolatino. O mangia i fiori, quello che preferisci. Va' a vestirti, ti porto fuori a cena.»

«E tutte le tue innamorate?» Si sentiva in colpa a monopolizzarlo come stava facendo, perché amava ancora Joe, e non le sembrava corretto nei confronti di Andy. Ma stare con lui le piaceva più di quanto fosse disposta ad ammettere. Da parecchio tempo non si sentiva più triste.

«Le altre mie ragazze ci raggiungeranno a cena. Vedrai che ti piaceranno tutte e quattordici.»

«Dove hai intenzione di andare?»

«È una sorpresa. Metti qualcosa di elegante, e questa volta cerca di non sbronzarti.»

«Quella era la sera di Capodanno, stupidone. A parte il fatto che è un mio diritto.»

«No, per niente. Ormai comincia a mancarti il tempo. A parte il fatto che lui ama i suoi aeroplani più di quanto ami te. Ricordatelo.»

«Ci provo.» Ma negli ultimi tempi non le importava più, perché aveva ricominciato a pensare moltissimo a Joe, domandandosi se avesse preso la decisione giusta. Forse non aveva importanza che lui la sposasse, né avere dei figli. Magari stare con lui poteva meritare quel sacrificio. Ma non lo disse a Andy, perché non ne era affatto sicura.

Lui aspettò che si cambiasse e quando uscirono trovarono un'antiquata carrozza ad aspettarli in strada. Kate rimase affascinata: era incredibilmente romantico. Mentre percorrevano il tragitto verso il ristorante accompagnati dal *clip-clop* degli zoccoli del cavallo, tutti i passanti e gli automobilisti li guardavano. Nella cabina chiusa, sotto una pesante coperta, Kate si trovò piacevolmente a suo agio e si godette il calduccio.

La carrozza svoltò nella Cinquantaduesima Strada e li lasciò davanti al *21*.

«Tu mi vizi», disse a Andy sorridendo.

«E tu lo meriti», le rispose lui mentre entravano nel ristorante. Kate si meravigliò vedendo quanti si giravano a osservarli. Erano una coppia molto bella. Dopo pochi minuti furono accompagnati a un tavolo del piano superiore, in un angolo tranquillo.

La serata fu bellissima e la cena squisita; quando arrivò il dessert stavano chiacchierando tranquillamente, a bassa voce. Andy aveva ordinato una piccolissima torta a forma di cuore tutta per lei. Quando vi affondò la forchetta, Kate sentì dentro qualcosa di duro, scostò con la forchetta la pasta soffice e vide che era un astuccio da gioielliere.

«E questo che cosa sarebbe?» domandò sconcertata.

«Sarà meglio aprirlo, così lo vedi. Magari c'è dentro qualcosa di buono. A me sembra abbastanza carino.» D'un tratto Kate si accorse di avere il cuore in gola. Quando alzò gli occhi a guardarlo, Andy stava sorridendo. Le disse piano: «Va tutto bene, Kate, non avere paura... Andrà tutto bene, vedrai.»

«E se invece non andasse bene?» Aveva capito quello che lui stava facendo ed era spaventata. Joe l'aveva ferita, e lei a sua volta aveva fatto del male a Andy. Non voleva che si ripetesse quello che era successo, commettendo un errore del quale entrambi si sarebbero pentiti.

«Andrà bene, lo faremo andare bene. Dipende soltanto da noi, non dal caso.» Era tutto ciò che lei aveva sperato, solo che non succedeva con la persona che desiderava. Eppure, chissà, forse avrebbe funzionato. Nella vita non si ottiene sempre tutto quello che si vuole, a volte lo si ha solo in parte. Ormai lei non credeva più nel lieto fine, e la versione di Andy era più lieta di tante altre.

Aprì l'astuccio con cura, dopo essersi leccata via dalle dita qualche briciola di torta, e si trovò davanti uno scintillante anello con un diamante. Un anello di fidanzamento di Tiffany. Andy glielo infilò al dito. «Vuoi sposarmi, Kate? Questa volta non ti permetterò di scappare. Credo che questa sia la cosa migliore per tutti e due... e, a proposito, ti amo.»

«A proposito? Che razza di proposta è la tua?»

«Una proposta vera. Facciamolo. So che saremo felici.»

«Mia madre ha sempre sostenuto che tu fossi il ragazzo giusto.»

«Mia madre ha detto che tu eri una puttanella quando

mi hai piantato», rise Andy, poi la baciò, e Kate scoprì che era più piacevole di quanto ricordasse.

Mentre ci rifletteva, si rese conto di amarlo. Non come Joe, perché in quel modo non avrebbe amato mai più. Questo amore era diverso, era semplice, facile e divertente. Sarebbero stati due buoni compagni di viaggio per il resto dei loro giorni. Forse non si poteva avere tutto nella vita: un grande amore, una passione e i sogni. Forse, alla fine, ci si sentiva meglio con un amore piccolo e nessun sogno. Fu quello che disse a se stessa ricambiando il bacio.

«Tua madre aveva ragione sul mio conto. Mi sono comportata in un modo orribile con te, e mi dispiace molto», gli ripeté dopo che Andy la ebbe baciata di nuovo.

«Dovresti essere dispiaciuta. Ho intenzione di farti passare il resto della tua esistenza a scontare quello che mi hai fatto. Sei in debito verso di me, e molto.»

«Giuro. Ti metterò lo scotch nei fiocchi d'avena per sempre. Ogni mattina.»

«Ne avrò bisogno, se sarai tu a preparare la colazione. Questo significa che mi sposerai?» Aveva l'aria speranzosa e felice.

«Devo sposarti», rispose lei. «L'anello mi piace, e credo che quello sia l'unico modo in cui mi permetterai di tenerlo.» Lo aveva infilato al dito, e le stava benissimo. Andy le sorrise e le diede un altro bacio.

«Ti amo, Kate. Odio dirlo, ma sono contento che con Joe non abbia funzionato», ammise, e lei sentì una fitta al cuore. Non era contenta, ma doveva imparare a convivere con tutto quello che era successo, e forse Andy l'avrebbe aiutata. Così sperava, almeno.

«Ti amo anch'io», sussurrò. Poi, guardandolo con un sorriso: «Quando ci sposiamo?»

«A giugno», disse lui deciso, e lei rise e gli buttò le braccia al collo. Era felice, e sentiva di avere preso la decisione giusta. O forse l'aveva presa lui.

«Aspetta che lo dica a mia madre!» esclamò scoppiando a ridere.

«Aspetta che io lo dica alla mia!» ribatté Andy alzando gli occhi al cielo.

14

IL giorno dopo Kate telefonò ai genitori e, com'era prevedibile, loro furono molto contenti. La madre era praticamente in estasi e le domandò subito che progetti avessero per le nozze e quando la figlia le rispose che intendevano sposarsi a giugno fu ancora più felice. Questa era una decisione seria, finalmente.

Nei quattro mesi successivi Kate ed Elizabeth si occuparono di tutti i particolari della cerimonia nuziale. Kate voleva soltanto tre damigelle: Beverly e Diana, sue compagne a Radcliffe, e una vecchia amica dei tempi della scuola elementare. Per loro scelse un incantevole vestito di organza celeste, e la mamma andò a New York per aiutarla nell'acquisto dell'abito da sposa. Ne trovarono uno elegante e semplice, che le stava a meraviglia. Alla prima prova Elizabeth scoppiò in lacrime, e anche Clarke si ritrovò con gli occhi lucidi quando percorse al fianco di Kate la navata della chiesa.

In quel periodo di preparativi ci furono anche feste e ricevimenti organizzati soprattutto dagli amici dei genitori di Andy a New York, poi ce ne fu tutta un'altra serie a Boston, a maggio. E non mancarono pranzi e cene durante i quali la sposa fu subissata di regalini da parte delle amiche. Kate non aveva mai provato tanta eccitazione in vita sua. Avevano deciso di trascorrere la luna di miele a Parigi e a Venezia. Era tutto molto romantico, e lei continuava ripetersi di essere una ragazza molto fortunata.

Dopo l'annuncio del fidanzamento una parte segreta del suo cuore continuava a nutrire la speranza di ricevere notizie da Joe, come se lui avesse potuto intuire la decisione che Kate stava per prendere e avesse deciso di farsi vivo per impedirglielo oppure per reclamarla come la propria sposa. Per fortuna Kate aveva abbastanza buon senso da non illudersi che succedesse e, tutto sommato, non si aspettò mai davvero che lui le telefonasse o si mettesse in contatto con lei in qualche altro modo. Probabilmente era meglio così: sentire di nuovo la sua voce avrebbe potuto ferirla profondamente. Cercava di imporsi di non pensare a lui troppo spesso, ma Joe si insinuava nella sua mente la sera tardi e la mattina, quando era ancora a letto. Quello era stato il momento della giornata che preferivano. Lui era sempre lì, ai margini della sua vita, e Kate continuava a domandarsi se avesse fatto la cosa giusta, perché non riusciva a smettere di amarlo. Ma non lo confessò mai a Andy, né a chiunque altro.

Il matrimonio fu perfetto, e Kate stupenda. L'abito da sposa di satin, lungo fino ai piedi, la faceva somigliare a Rita Hayworth, e dietro di lei scivolava, sfiorando il suolo, un lungo ed elegante strascico di pizzo e il velo che scendeva fino a terra.

Quando Andy la guardò negli occhi al momento in cui lo raggiunse sull'altare, vi scorse qualcosa di tenero e triste che gli toccò il cuore.

«Andrà tutto bene, Kate... Ti amo», sussurrò mentre due lacrimucce scendevano sulle guance della sposa. Non poteva dirlo a nessuno, e sapeva di sbagliare comportandosi così, ma per tutta la mattina non aveva fatto che struggersi di desiderio per Joe. Aveva la sensazione di lasciarlo un'altra volta. Eppure era sicura che con Andy avrebbe avuto una vita serena: si amavano, senza passionalità, ma con tenerezza e comprensione, e Kate voleva mettersi d'impegno perché il loro matrimonio fosse felice.

Avevano organizzato il ricevimento al *Plaza*, dove poi passarono la notte in una suite favolosa affacciata su Central Park. Fu romantico e incantevole, ma alla fine della giornata gli sposini si ritrovarono esausti, tanto che non fecero nemmeno all'amore fino alla mattina seguente. Andy non voleva essere precipitoso; in fondo, avevano tutto il resto della loro esistenza.

Prima di sposarsi non erano mai andati a letto insieme e lui aveva preferito non domandarle se fosse vergine. Non era mai voluto entrare nei particolari per quello che riguardava il suo lungo legame con Joe, e non ci teneva neanche adesso. E Kate non gli aveva mai raccontato niente in proposito. Non era un argomento di cui le paresse giusto parlare con il marito, e Andy da parte sua non riusciva a capire se le sarebbe riuscito penoso o no. Però quando fecero all'amore piacque a tutti e due. Kate sembrava ingenua, timida e vagamente guardinga, e Andy concluse che lo si poteva spiegare con la mancanza di esperienza. Invece a lei sembrava stranissimo trovarsi nell'intimità con lui. Poi però, con un po' di tempo e un piccolo sforzo, scoprì che si trovava completamente a suo agio. Andy era gentile, scherzoso, tenero e innamorato pazzo. Quando partirono per raggiungere l'aeroporto sembravano più giovani amanti che vecchi amici. Per Kate significava moltissimo sentirsi bene e disinvolta quando era con lui; sapeva di potersi fidare totalmente e che il suo cuore avrebbe corso meno rischi che con Joe.

Elizabeth aveva avuto il sospetto che la figlia non fosse

pazzamente innamorata di Andy, ma non se n'era preoccupata. Ne aveva accennato durante una prova dell'abito da sposa, ripetendole che una passione simile a quella che Kate aveva provato per Joe era pericolosa: se ti lasciavi andare si impossessava di te, ti controllava totalmente. Kate si sarebbe trovata meglio, le assicurò la mamma, sposata con il suo migliore amico.

La luna di miele fu esattamente come sarebbe dovuta essere: cenette romantiche da *Maxim* e nei piccoli bistrot sulla Rive Gauche, una visita al Louvre, un giro di negozi, una quantità di acquisti e lunghe passeggiate lungo la Senna. Era la stagione ideale, il tempo era caldo e soleggiato, e Kate si rese conto di non essere mai stata più felice. Andy si stava dimostrando un amante esperto e dolce. Quando arrivarono a Venezia, le parve di sentirsi come se stessero insieme da anni.

Ormai lui sospettava che non fosse stata vergine al momento delle nozze, ma fu un discorso che preferì non affrontare mai: meglio non saperlo e non domandarle cose che potessero ricordarle Joe. Intuiva, pur senza averne la certezza, che quell'uomo rappresentava ancora un punto dolente e sospettava che lo sarebbe stato ancora per molto tempo. Ma adesso Kate era sua.

Venezia fu persino più romantica di Parigi: girovagarono per la città ammirando i paesaggi da una gondola che Andy aveva noleggiato e si baciarono passando sotto il Ponte dei Sospiri, perché gli era stato detto che portava fortuna.

Poi tornarono a Parigi per una notte e infine ripartirono in aereo per New York. Erano rimasti lontano venti giorni e arrivarono a casa felici, rilassati, in perfetta armonia e impazienti di vivere insieme a lungo e felicemente.

Il giorno successivo a quello del loro ritorno Andy riprese a lavorare e Kate si alzò per preparargli la colazione.

Dopo essersi fatto la doccia, rasato e vestito, quando entrò in cucina, vide che lei gli aveva messo sul tavolo una scodella di fiocchi d'avena e una bottiglia di scotch.

«Tesoro, te ne sei ricordata!» esclamò, buttandole le braccia al collo in una buffa imitazione di un divo del cinema, poi sgranocchiò una cucchiaiata di fiocchi d'avena e si scolò un bicchierino. Sapeva stare allo scherzo e aveva uno spiccato senso dell'umorismo. «Mio padre penserà che mi hai fatto diventare alcolizzato se mi presento in ufficio puzzando di scotch. Abbiamo una serie di riunioni che ci terranno impegnati tutto il giorno.»

Poi uscì per andare in ufficio e lei rimase a casa a mettere un po' d'ordine. Il mese precedente alle nozze aveva presentato le dimissioni al museo. Andy non voleva che lei lavorasse, e in quel periodo era stata impegnatissima, ma adesso non aveva niente di cui occuparsi fino al suo ritorno a casa, nel tardo pomeriggio. E quando lui arrivò, Kate era talmente annoiata che lo trascinò a letto, poi gli propose di uscire a cena anche se lui era stanco. Gli parlò dell'eventualità di riprendere l'impiego al Metropolitan, dato che la vita coniugale le lasciava troppo tempo a disposizione.

«Vai a fare shopping, a visitare i musei, divertiti, esci a pranzo con le amiche», le suggerì lui, ma tutte le sue amiche lavoravano oppure erano impegnate con i figli. E lei si sentiva disorientata.

Avevano valutato la possibilità di cercare un appartamento più grande, però quello di Andy piaceva a entrambi e, almeno per il momento, bastava a soddisfare le loro esigenze. C'erano due camere da letto, quindi anche se avessero avuto un bambino ci sarebbe stato spazio per tutti.

Venti giorni dopo il loro ritorno dall'Europa, una sera a cena Kate sorrise un po' timida a Andy e gli annunciò che doveva dargli una notizia. Lui immaginò che si trattasse di qualcosa di divertente che aveva fatto, oppure che volesse riferirle una conversazione avuta con la madre o un'amica, perciò rimase sbalordito quando lei gli disse che era sicura di essere incinta. Erano sposati solo da un mese e mezzo, e pensava che potesse essere successo il giorno dopo il matrimonio, la prima volta che avevano fatto all'amore.

«Sei andata da un medico?» Andy era emozionato e preoccupato: sparecchiò, insistette perché non si stancasse, le domandò se si sentisse bene o volesse sdraiarsi un po' sul letto, e Kate rise.

«No, ancora non sono andata da un medico, ma ne sono certa.» Si sentiva esattamente come cinque anni prima, quando portava in grembo il bambino di Joe, ma non poteva dirglielo. Non l'avrebbe mai fatto. «Non è una malattia terminale, per l'amor di Dio, sto bene.»

Quella notte fecero all'amore e Andy fu più gentile che mai, perché aveva paura che qualcosa potesse fare del male a lei o al bambino, e insistette perché Kate si facesse visitare al più presto. Non nascose la delusione quando lei gli vietò di raccontarlo ai loro genitori, per il momento.

«Perché non vuoi?» Per quanto lo riguardava sarebbe voluto salire sul tetto per gridarlo a tutti, cosa che Kate trovò molto dolce. Andy era ancora più emozionato di lei, e questo le fece un grande piacere. Voleva un figlio; dopo tutto, era una delle ragioni per cui aveva lasciato Joe, e avrebbe creato un ulteriore legame con suo marito. Questo era ciò che aveva desiderato, una vita coniugale vera e propria. Eppure, nello stesso tempo, nonostante la felicità che provava e l'amore per Andy, c'era sempre un vuoto in lei che le pareva di non riuscire a colmare, indipendentemente da tutti i suoi sforzi. Sapeva che cosa fosse, ma non come curarlo. Era Joe. Sperava con tutta se stessa che il piccolo in arrivo avrebbe riempito l'immensa voragine che Joe aveva lasciato in lei.

«E se dovessi perderlo?» rispose alla domanda di Andy. «Sarebbe terribile se qualcuno lo sapesse già.»

«Perché dovresti perderlo?» Sembrava perplesso. «Hai la sensazione che ci sia qualcosa che non va?» Era una possibilità che non l'aveva nemmeno sfiorato.

«No, assolutamente», lo tranquillizzò con aria felice. «Voglio soltanto essere sicura che vada tutto bene. Dicono che nei primi tre mesi c'è sempre il rischio di un aborto.» Soprattutto se ti investe un ragazzo in bicicletta. Andy non sapeva che i primi tre mesi di una gravidanza fossero così delicati.

Qualche giorno dopo Kate andò dal ginecologo, il quale le assicurò che era tutto a posto. Gli raccontò dell'aborto che aveva avuto cinque anni prima e lui la rimproverò perché non aveva voluto ricevere le cure mediche del caso, ma pensava che quello fosse stato un incidente isolato, non prodotto da qualche problema congenito. Le raccomandò di comportarsi con cautela, di riposare, mangiare bene e non commettere sciocchezze come fare una passeggiata a cavallo o mettersi a saltare alla corda, e questo la fece ridere. Poi le prescrisse delle vitamine, le diede una lista di istruzioni da far leggere anche al marito e le consigliò di tornare un mese dopo. Il bambino sarebbe nato ai primi di marzo.

Tornò a casa a piedi, camminando senza fretta lungo Central Park e continuando a pensare quanto fosse felice: era amata, sposata, aveva uno splendido marito e aspettava un figlio. Tutti i suoi sogni si erano avverati.

Diedero la notizia del bambino ai genitori di Kate quando andarono da loro a Cape Cod per una settimana alla fine di agosto. La madre non stava più nella pelle per l'emozione, e Clarke fece a entrambi le congratulazioni.

«Te l'avevo detto che sarebbe stato l'uomo perfetto per

lei», disse Elizabeth raggiante al marito dopo che la coppia fu ripartita per New York.

«Perché? Perché l'ha messa incinta?» la stuzzicò lui. Per quanto avesse sempre provato simpatia per Joe, doveva convenirne: Andy era il marito giusto per Kate, ed era davvero felice per loro.

«No, perché è un brav'uomo. E avere un bambino le farà un gran bene. La aiuterà a sistemarsi definitivamente, a mettere radici, la farà sentire più vicina a Andy.»

«E le darà un gran daffare!» rise Clarke. Ma Kate non aveva altri impegni, era pronta ad avere una famiglia. Aveva ventisei anni, quindi era già adulta abbastanza, ed era più vecchia della maggior parte delle sue amiche quando avevano avuto il primo figlio. Quasi tutte le sue ex compagne di scuola ne avevano già due o tre. Subito dopo la guerra c'era stata un'ondata di matrimoni fra giovani, che adesso ogni anno mettevano al mondo un bambino per recuperare il tempo perduto.

Kate continuò a sentirsi bene durante l'intera gravidanza. A Natale Andy cominciò a dire che sembrava un pallone. Era incinta di quasi sette mesi, e lei stessa si trovava già enorme. Però non aveva messo su peso nel resto del corpo e non aveva perso l'aspetto snello ed elegante. Faceva lunghe passeggiate, dormiva molto, seguiva un'alimentazione equilibrata e sprizzava salute da tutti i pori. C'era stato solo un piccolo spavento la sera di Capodanno. Erano andati a ballare a *El Morocco*; in quel periodo avevano una vita sociale molto intensa e frequentavano soprattutto amici di Andy o persone che lui aveva conosciuto per motivi professionali.

Quando tornarono a casa, alle due del mattino, lei cominciò ad avere le contrazioni. E a sentirsi colpevole perché aveva ballato parecchio e bevuto diversi bicchieri di champagne. Andy telefonò al medico, il quale raccomandò che lo raggiungessero subito all'ospedale. Dopo un primo controllo, disse che preferiva farla rimanere lì per il resto della notte, più che altro per accertarsi che non le cominciassero le doglie. Kate era terrorizzata; Andy le assicurò che sarebbe rimasto con lei, e un'infermiera gli preparò una branda vicino al suo letto.

«Come ti senti?» le domandò quando furono entrambi distesi.

«Spaventata», gli rispose onestamente. «E se il bambino nascesse prima del tempo?»

«Non credo, piuttosto penso che forse hai esagerato un po' a ballare. Secondo me è stata tutta colpa di quell'ultimo mambo.» Lei scoppiò a ridere, seguita da lui.

«È stato divertente.» Lo era sempre con Andy.

«A quanto pare, il piccolo non è dello stesso parere. O forse sì.»

«E se dovesse succedere qualcosa e lo perdessimo?» Si girò su un fianco a guardarlo e lui si tirò su, le prese una mano e la strinse nella sua.

«E se tu la smettessi di tormentarti per qualche minuto? Che ne dici?» Poi le fece una domanda alla quale lei non era preparata. Ma Andy se lo stava già chiedendo da un po'. «Si può sapere perché ti preoccupa tanto l'idea di perdere il bambino?» La guardò dritto negli occhi. I suoi avevano il colore del cioccolato, i capelli scuri erano arruffati, e a Kate sembrò molto bello seduto sulla branda con gli occhi alzati verso di lei.

«Penso sia la preoccupazione di tutte», gli rispose sfuggendo quello sguardo così diretto.

«Kate?»

Ci fu una pausa. «Sì?»

«Sei già stata incinta prima?» Lei non voleva rispondere, ma non voleva nemmeno mentire.

Questa volta la pausa fu ancora più lunga. «Sì», ammise

con tristezza. Non voleva ferirlo, invece era proprio quello che temeva di veder succedere.

«Come pensavo.» Non sembrava troppo sconvolto dalla notizia. «Che cos'è successo?»

«Sono stata investita da una bicicletta a Radcliffe e ho abortito.»

«Me lo ricordo, l'incidente della bicicletta, voglio dire», fece lui pensieroso. «Hai anche avuto la commozione cerebrale. Da quanto tempo eri incinta?»

«Da due mesi e mezzo. Avevo deciso di tenere il bambino. Non ho mai detto a Joe che ero incinta, e nemmeno ai miei. A lui l'ho detto molto più tardi, quando è tornato a casa in licenza.»

«Chissà come sarebbero stati contenti tuo padre e tua madre», commentò Andy fissandola. Ma non aveva importanza, salvo che gli dispiaceva per le sofferenze che Kate aveva dovuto affrontare. Ma adesso lei era accanto a lui. Sorrise alla vista del suo pancione. «Questa volta andrà tutto bene, vedrai. Nostro figlio sarà bellissimo.» Si allungò a darle un bacio e lei pensò che forse ora si sarebbe definitivamente liberata del pensiero di Joe.

Lasciarono l'ospedale la mattina dopo, mano nella mano, e lei passò il resto della settimana nel più completo riposo. Nei mesi seguenti si sentì di nuovo bene come prima, e non ebbe più contrazioni fino alle prime ore di una mattina di domenica. Erano già due ore che, sdraiata a letto al suo fianco, mentre lui dormiva aveva continuato a calcolare il ritmo a cui le venivano. Alla fine si decise a svegliarlo.

«Mmm... Sì? È l'ora dello scotch e dei fiocchi d'avena?»

«Molto meglio.» Gli sorrise, sentendosi singolarmente tranquilla. «È l'ora del bambino.»

«Adesso?» Lui si mise a sedere di scatto, in preda al panico, e Kate lo guardò ridendo. «Devo vestirmi?»

«Penso che saresti un po' strano se venissi all'ospedale così come sei, però sarebbe carino.» Lui dormiva nudo.

«Va bene, va bene, mi sbrigo in un minuto. Hai telefonato al dottore?»

«Non ancora.» Lo osservò divertita girare qua e là per la stanza ora raccogliendo un capo di vestiario ora lasciandolo cadere. Lei sembrava una Monna Lisa, e Andy aveva l'aria nervosa e disorganizzata e faceva tenerezza.

Mezz'ora più tardi Kate aveva fatto una doccia, si era vestita e aveva i capelli accuratamente pettinati; lui, invece, continuava ad avere l'aria pesta, gli abiti in disordine ed era scarmigliato ma pieno di premure. Le teneva un braccio intorno alla vita e le portava la valigia. Quando fecero il primo controllo, arrivati all'ospedale, l'infermiera disse che i progressi di Kate erano buoni, e subito dopo mandarono fuori Andy.

Lui si ritirò nella sala d'aspetto a fumare con gli altri padri. «Quanto ci vorrà?» domandò innervosito all'infermiera prima di lasciare la moglie.

«Non sarà tanto presto, signor Scott», gli rispose lei chiudendo con fermezza la porta alle sue spalle e tornando dalla paziente. Kate cominciava a sentirsi a disagio e avrebbe voluto Andy vicino, ma non era permesso. Allora, per la prima volta, si accorse di essere spaventata.

Tre ore dopo, a mezzogiorno, la situazione procedeva lentamente e ormai Andy aveva i nervi a pezzi, e ogni volta che cercava di informarsi lo ignoravano; sembrava che il bambino ci mettesse un'eternità a venire al mondo.

Alle quattro la portarono in sala parto. Lei piangeva disperata e voleva Andy, il quale, da parte sua, non aveva mangiato un boccone e aveva visto altri padri arrivare e andarsene, anche se qualcuno aveva aspettato molto più di lui. Gli sembrava che la cosa andasse avanti da un tempo incalcolabile, e il suo unico desiderio era di stare accanto a Kate.

Il bambino era molto grosso e il parto si presentava difficile. Alle sette i medici presero in esame l'eventualità di un taglio cesareo, ma alla fine decisero di far resistere Kate ancora un po' nella speranza che tutto avvenisse naturalmente, e due ore più tardi venne al mondo Reed Clarke Scott. Gli avevano dato i nomi dei loro padri, pesava poco meno di cinque chili e aveva un ciuffo di capelli scuri come quelli del papà. Andy, invece, era convinto che somigliasse alla mamma, e gli parve di non avere mai visto niente di più bello di sua moglie distesa nel letto con i capelli ben pettinati, un golfino rosa e il piccolo che dormiva stretto fra le braccia.

«È così perfetto», bisbigliò Andy. Quelle dodici ore in sala d'aspetto, a tormentarsi per loro, lo avevano quasi fatto impazzire. Sua moglie sembrava straordinariamente calma e serena, nonostante la stanchezza. Ora aveva tutto quello che desiderava.

Rimase in ospedale cinque giorni, poi Andy li portò a casa con la bambinaia che avevano assunto per un mese. Aveva riempito la casa di fiori e tenne il figlio in braccio mentre Kate si metteva a letto nella camera matrimoniale. Il dottore voleva che ci rimanesse venti giorni, la convalescenza abituale. Avevano messo una culla vicino al loro letto, e ogni volta che il piccolo si svegliava lei lo allattava e Andy li osservava affascinato.

«Come sei bella, Kate.» Stava pensando che era valsa la pena di aspettarla. E il bambino, roseo, paffuto. bello, era delizioso.

Alla nascita di Reed, Kate aveva ventisette anni e sapeva di essere pronta per un figlio, si sentiva calma e matura. Era un'ottima madre e le piaceva allattarlo. Le sembrava di avere aspettato una vita intera quel momento, e se la godeva in pieno, come suo marito. Non erano mai stati così felici.

15

REED aveva due mesi e mezzo quando, una sera di maggio, Andy tornò a casa dall'ufficio con aria emozionata e felice. Lo avevano nominato membro di una Commissione che sarebbe dovuta andare in Germania ad ascoltare le testimonianze nei processi per i crimini di guerra che vi si stavano svolgendo già da qualche tempo. L'impegno sarebbe durato alcuni mesi. Nello studio legale del padre Andy si era fatto un'esperienza in vari rami della giurisprudenza e considerava un grandissimo onore essere stato scelto.

«Posso venire con te?» Anche Kate era elettrizzata: era un compito difficile e interessante, e avrebbe voluto essere vicino al marito per vederlo lavorare.

«Non credo proprio, tesoro. Ci hanno detto che dovremo alloggiare nelle caserme. La nostra sistemazione, a quanto mi pare di avere capito, sarà ridotta all'osso, però il lavoro dev'essere splendido.» Era raggiante, anche se gli dispiaceva lasciare lei e Reed.

«Quanto tempo ci rimarrai?» Kate sospettava che non sarebbe stato un viaggetto di un paio di giorni, e forse nemmeno di un paio di settimane.

«Ecco le dolenti note», disse lui in tono di scusa. Infatti

ci aveva meditato con attenzione prima di accettare. D'altra parte, chi gli aveva fatto la proposta voleva avere subito una risposta, e in ogni caso lui era convinto che la moglie avrebbe voluto vederlo partecipare a un evento così eccezionale. Era un'opportunità che aveva molto desiderato e non si era mai aspettato di vedersi offrire. «Dovrò stare via tre o quattro mesi.» Aveva l'aria infelice. Kate trasalì.

«Accidenti! È tantissimo, Andy.» Si sarebbe perso tanti progressi del bambino.

«Ho provato a chiedere se potremmo venire via qualche giorno, più che altro per staccare un po', magari a metà dei lavori, ma mi hanno detto che sarà impossibile. Se vado, ci rimango. E nessun collega porta con sé la moglie. Non ci sono gli alloggi per loro.» Sarebbe stato un po' come fare il soldato, ma non essendo stato chiamato alle armi, Andy aveva la sensazione che questa fosse un'opportunità per servire il proprio Paese. «Mi dispiace, piccola. Al mio ritorno faremo qualcosa di carino insieme. Potremmo prenderci una bella vacanza.» Voleva portarla in California, perché a lui era piaciuta moltissimo.

«Allora credo che dovrò cercare di tenermi occupata.»

«Secondo me ci penserà il principino a non lasciarti un momento libero.» Reed era un impegno a tempo pieno per Kate, e la faceva correre in continuazione per allattarlo e badare a tutto quello di cui aveva bisogno. Fortunatamente aveva lui, altrimenti si sarebbe sentita molto sola durante l'assenza del marito. «Vuoi trasferirti a Boston dai tuoi genitori?»

Lei scosse la testa. «Alla mamma piacerebbe moltissimo avere Reed vicino, ma mi farebbe impazzire. Rimarremo qui a tenere acceso il focolare domestico. Vedi solo di non dimenticarti di prendere sempre lo scotch con i fiocchi d'avena al mattino.»

«Grazie di affrontare così sportivamente la situazione, Kate.» Le diede un bacio e sentì di amarla più che mai.

«Ho un'altra scelta? Posso mettermi a piagnucolare?» Sorrise. Sapeva che Andy le sarebbe mancato, ma era contenta per lui.

«Potresti, ma sono felice che tu non lo faccia. Voglio davvero accettare la proposta. È un lavoro importante.»

«Lo so.» Lo stimava molto per quella scelta e non avrebbe alzato un dito per impedirgli di partire. «Quando devi andare?»

«Fra quattro settimane», replicò lui con una smorfia, e Kate gli scaraventò contro un guanciale.

«Stupidone. Rimarrai lontano tutta l'estate.» La partenza era fissata per il 1° luglio, e tutti i membri della commissione erano stati informati che non dovevano aspettarsi di tornare negli Stati Uniti prima della fine di ottobre. Gli avvocati e i giuristi sarebbero arrivati da ogni Stato del Paese per raggiungere la Germania a bordo di un aereo militare.

Durante le settimane successive, mentre aiutava Andy a raccogliere carte e documenti e a fare i bagagli, Kate cominciò a rendersi conto della solitudine che la aspettava in quell'appartamento vuoto, con il suo bambino. Erano sposati da un anno, ormai lei si era abituata ad avere il marito accanto e non riusciva a immaginare di poter stare senza di lui. Quattro mesi le sembravano un'eternità.

Due giorni dopo, in occasione del loro primo anniversario, Andy le regalò uno splendido braccialetto di diamanti di Cartier. Lei gli aveva comprato un orologio da Tiffany, ma non si poteva nemmeno paragonare a quell'oggetto stupendo.

«Tu mi vizi!» Era commossa, e lui ne fu molto contento. Era felice di circondarla di premure e di affetto, di stare con lei, molto più di quanto si fosse mai aspettato. Kate era una compagna splendida e una madre meravigliosa. Gli piaceva infinitamente fare all'amore con lei, ridere con lei, ed erano davvero amici.

«No, è un regalo perché sei stata così brava quando ti ho dato la notizia.»

«Chissà, forse dovresti partire più spesso», ribatté lei sorridendogli. Stavano passando una bella serata allo *Stork Club*.

Quando lui partì erano tristi tutti e due. Kate lo accompagnò all'aeroporto e portò anche il bambino. Da New York partivano cinque membri della commissione; gli altri arrivavano tutti da altre località. Andy la baciò e la tenne stretta a sé per un lungo momento prima di lasciarla. Disse che avrebbe cercato di telefonarle, ma pensava che non ne avrebbe avuto la possibilità molto spesso.

«Ti scriverò», promise, ma lei immaginava che non ne avrebbe avuto il tempo. Quei quattro mesi senza di lui sarebbero stati lunghi. Andy baciò lei e il piccolo, e poi corse a prendere l'aereo. Era il più giovane del gruppo in partenza da New York, e le altre mogli sorrisero a Kate mentre usciva dal terminal portando con sé il piccolo. Reed aveva tre mesi e mezzo, e quando Andy lo avrebbe rivisto sarebbe stato capace di fare un sacco cose nuove. In ogni caso, aveva promesso al marito che gli avrebbe mandato tantissime fotografie.

Kate passò il 4 luglio a New York, dove faceva un caldo soffocante. Lei e il bambino non uscivano molto, perché avevano l'aria condizionata, e anche il resto del mese non andò molto meglio. Aveva preso l'abitudine di portare Reed al parco molto presto, cercando di tornare entro le undici, poi rimanevano a casa tutto il pomeriggio e solo verso sera, quando le strade cominciavano a rinfrescarsi, facevano un altro giretto per prendere una boccata d'aria. Purtroppo, nonostante la compagnia del bambino e gli sforzi che faceva per tenersi occupata, si sentiva sola senza Andy. Le mancava moltissimo.

Un pomeriggio, dopo essere stati allo zoo, stava spingendo la carrozzina di Reed oltre la piazzetta davanti all'*Hotel Plaza* per scendere lungo la Quinta Avenue a guardare le vetrine; aveva appena attraversato la strada quando qualcuno, procedendo in senso opposto e di gran furia, le finì addosso urtandola bruscamente. Lei rimase un po' scombussolata e si chinò sul piccolo per controllare che non si fosse fatto niente. Rialzandosi, si trovò a fissare dritto negli occhi Joe Allbright. Rimase lì un minuto a guardarlo. Aveva pensato a lui molto spesso, però non si sarebbe mai aspettata di rivederlo, se non in fotografia sui giornali.

«Ciao, Kate.» Fu come se si fossero visti quella mattina. Niente era cambiato. Lui sembrava quello di sempre, salvo che nella sua espressione non c'era più traccia della durezza, della crudeltà e del disappunto che ci aveva visto quell'ultimo giorno. Davanti a sé Kate aveva soltanto quel volto dai lineamenti fini e quegli occhi azzurri che si fissavano penetranti nei suoi, che la guardavano come se si fosse aspettato di ritrovarla, ma lei sapeva che questa era un'illusione. Avrebbe potuto cercarla, eppure non lo aveva mai fatto. C'erano stati momenti in cui, per quanto timido fosse, Joe aveva dimostrato di essere straordinariamente affascinante. Come le sembrava anche adesso.

La luce cambiò al semaforo, e si ritrovarono circondati da automobili che strombazzavano furiosamente, allora Joe la prese per un braccio, mentre lei spingeva la carrozzina, e la scortò fino all'angolo. La aiutò a salire sul marciapiede, poi sorrise al neonato.

«E questo chi è?» le domandò con aria divertita mentre il piccolo rideva gorgogliando e lo guardava come se fosse felice di vederlo.

«Mio figlio Reed», gli rispose fiera. «Ha tre mesi.»

«È bellissimo», disse lui con aria meditabonda, poi le sorrise gentilmente. «Ti somiglia davvero tanto, Kate. Non sapevo che ti fossi sposata, o non è così?» Una domanda del genere sarebbe stata offensiva da parte di chiunque altro, ma per lui se una donna aveva un figlio non significava automaticamente che dovesse avere anche un marito. Aveva idee avanzate, o forse invece arretrate. A volte era difficile decidere.

«Sono sposata da un anno.»

«Non hai perso tempo ad avere un bambino», commentò lui. La cosa non lo stupiva, sapeva che lei lo aveva sempre desiderato. Non la vedeva da quasi tre anni, ma non gli parve per niente diversa. Anzi, forse era più bella di prima. E anche lui era in ottima forma; aveva trentanove anni, però nessuno avrebbe indovinato la sua vera età, con quell'eterna aria da ragazzo e il ciuffo di capelli che gli cadeva sugli occhi. Lo buttò indietro, come sua abitudine, con un gesto che Kate aveva sempre trovato irresistibile. Ci pensava mille volte la notte, quando piangeva per lui. E adesso eccolo lì di fronte a lei, e questo le dava una sensazione strana, triste, di vuoto. Le sarebbe piaciuto poter dire che non gliene importava niente, che il fatto di rivederlo la lasciava indifferente, invece avvertiva ancora quella strana morsa alla bocca dello stomaco, come una pietra che girava lentamente su se stessa. Aveva sempre creduto che volesse dire che era innamorata. Con Andy non aveva mai provato niente del genere. Kate si accorse di sentirsi intollerabilmente nervosa. Si disse che era solo un pezzo del suo passato, ma era un pezzo molto grande, e guardandosi negli occhi fra loro scoccava la stessa elettricità di un tempo. Si domandò se quei sentimenti sarebbero mai scomparsi.

«Chi è il fortunato?» le domandò Joe in tono casuale. Sembrava non avere intenzione di separarsi da lei.

«Andy Scott, il mio amico che studiava ad Harvard.»

«Tua madre diceva sempre che avresti dovuto sposarlo. Dev'essere contenta.» Nella sua voce c'era una sfumatura di durezza. Sapeva che Elizabeth lo aveva odiato.

«Infatti», rispose Kate sentendosi stordita, come se da lui emanasse uno strano profumo che la ipnotizzava. Cominciava già a sentirsi suggestionata, e pensò che avrebbe fatto meglio ad andarsene. Ma si sentiva paralizzata, cullata dalla sua voce, e non si allontanò di un passo. «Vuole un gran bene al bambino.»

«È carino. A proposito, la mia impresa sta andando a gonfie vele.» Lei sorrise, perché Joe stava minimizzando la realtà: l'azienda era diventata una delle più importanti degli Stati Uniti e Andy le aveva detto più di una volta che Joe doveva avere guadagnato milioni di dollari. L'ultima notizia che aveva letto sul suo conto era stata che aveva fondato una compagnia aerea di nome AllWorld.

«Ho letto molto su di te. Continui a pilotare spesso come prima?»

«Più che posso, però me ne manca quasi sempre il tempo. Continuo a collaudare personalmente gli aerei progettati da me, ma quello è un modo diverso di volare. Adesso stiamo sviluppando le compagnie aeree commerciali in grado di trasvolate atlantiche. Poche settimane fa Charles e io siamo andati insieme a Parigi. Ma per la maggior parte del tempo mi ritrovo inchiodato al tavolo da disegno o nel mio ufficio. Adesso ho anche un posto in città.» Sembravano vecchi amici che, dopo non essersi visti per tanto tempo, riallacciavano i rapporti e si ragguagliavano sul passato, fermi all'angolo di una strada a chiacchierare, salvo che loro due erano tutt'altro. Il vento che stavano sollevando era impetuoso, e c'erano correnti pericolose nelle acque che stavano guadando. Kate cercò di dirsi che non era vero, ma istintivamente sapeva il contrario. «Abbiamo un palazzo per i nostri uffici qui, uno a Chicago e uno a Los Angeles. Io vado spessissimo sulla costa occidentale, ma per lo più sto a New York», le spiegò Joe senza che lei lo avesse pregato di darle tutte quelle informazioni. E infatti lui stava proprio lasciando il suo ufficio quando avevano avuto quello scontro all'angolo della Cinquantasettesima Strada.

«Sei un uomo importante.» Ricordava quando lui non aveva niente in mano, e quanto lo aveva amato allora. Sotto certi aspetti adesso era diverso, circondato dall'aura dell'uomo che ha conquistato il potere, eppure quando lo guardava le pareva sempre lo stesso, goffo, timido, esitante. In quel momento Joe la fissò dritto negli occhi e fu come se fosse riuscito a guardarle in fondo all'anima e a capire che cosa stava pensando. Non c'era modo di evitare la potenza del suo sguardo.

«Hai bisogno di un passaggio, Kate? Fa troppo caldo per stare fuori con il bambino.»

«Volevamo soltanto prendere un po' d'aria. Abito pochi isolati più avanti. Non mi dispiace camminare.»

«Vieni», disse prendendola per un braccio, senza aspettare la sua reazione. Una macchina lo aspettava sull'altro lato della strada; Joe fece attraversare impetuosamente la strada alla carrozzina e lei lo seguì. Prima ancora di rendersene conto si ritrovò sul sedile posteriore dell'auto con Reed in braccio, mentre l'autista metteva la carrozzina nel baule e Joe la raggiungeva, andando a sedersi di fianco a lei. «Dove abiti?» Gli diede l'indirizzo e lui lo ripeté all'autista. Kate si lasciò andare contro la spalliera del sedile, sempre con il bambino stretto fra le braccia. «Io abito vicino a te. In un attico, perché mi dà la sensazione di volare. Allora, cosa mi racconti? Che cos'hai intenzione di fare quest'estate?»

«Non lo so... Noi... Io...» Cominciava a sentirsi sopraffatta. Joe era così forte e indomabile da trascinare con sé chiunque volesse, come un'onda di marea. A Kate parve di essere sul punto di precipitare dalle cascate del Niagara dentro una botte. Del resto, lui le aveva sempre fatto quell'effetto. C'era in lui un'intensità interiore di tale potenza da lasciarla senza respiro. Riusciva sempre a ottenere che le persone facessero quello che voleva lui, soprattutto ora che era al culmine del successo. Era abituato ad avere tutto ciò che desiderava. «Non abbiamo ancora fatto progetti», rispose vaga, cercando di non perdere la lucidità mentale. Stare con Joe era come prendere una droga, e mentre erano seduti lì insieme in quell'auto le sembrò di essere tornata totalmente dipendente come in passato. Doveva resistere: adesso era sposata.

«Sarei dovuto partire per l'Europa la settimana prossima», disse lui mentre si dirigevano verso il centro, «ma ho annullato tutto. Ho troppo da fare qui. Ci ritroviamo ad avere gli stessi problemi sindacali che abbiamo avuto agli inizi, nel New Jersey.» Subito era riuscito ad attirarla in un'atmosfera familiare, parlandole di cose delle quali lei era al corrente e alle quali aveva partecipato. Era un modo intelligente di ricordarle che era stata sua, prima di essere di Andy. Poi, Joe la guardò con quel sorriso che l'aveva affascinata dal momento in cui si erano conosciuti. Lui non si rendeva conto di quello che stava facendo, era istintivo, esattamente come l'attrazione che provava verso Kate. Erano come due animali che annusassero l'aria e girassero in cerchio osservandosi. «Una volta o l'altra tu e Andy dovreste fare un giro in aereo con me. Credi che gli piacerebbe?» Probabilmente. Con chiunque, all'infuori di Joe. Suo marito era tutt'altro che indifferente in merito, e con validi motivi. Sapeva meglio di chiunque altro quanto quell'uomo fosse stato importante per lei, ed era ben consapevole che, se non l'avesse lasciato, Kate non si sarebbe mai decisa a sposare lui.

Non sapeva che cosa rispondere, e alla fine gli disse la verità. Erano bastati pochi minuti, e lui l'aveva già ammaliata. Ma, appena pronunciate quelle parole, si pentì. Non era saggio fornire troppe notizie a Joe, perché lui era abile a usarle.

«Andy è in Germania. Fa parte della commissione sui crimini di guerra.»

«Però! Dev'essere un buon avvocato», ammise Joe, ma i suoi occhi non lasciavano mai quelli di Kate e facevano altre domande, alle quali lei non aveva risposte. E anche se le avesse avute non gliele avrebbe date.

«Sì, certo», disse orgogliosa. In quel momento la macchina di fermò davanti al palazzo dove abitava. Scese più in fretta che poteva. Dopo un minuto l'autista tirò fuori dal baule la carrozzina e lei ci sistemò Reed, mentre Joe la osservava. Non faceva che osservarla. Vedeva ogni cosa, come sempre, anche quello che lei non voleva mostrargli. Ma, da parte sua, lo conosceva altrettanto bene. Era come se fossero l'uno dentro l'altra, due metà che formano un tutto, tenute insieme da una potente forza magnetica alla quale prima non avevano mai potuto resistere. Adesso, però, lei intendeva farlo. Joe era uscito dalla sua esistenza, e ne sarebbe dovuto rimanere fuori per sempre. Per amore di se stessa e di Andy. Gli tese la mano con aria formale, ringraziandolo per il passaggio. D'un tratto cominciò a comportarsi freddamente, con distacco. Non era onesto, in realtà; era arrabbiata con lui per quello che provava e aveva provato nei suoi confronti, ma in cuor suo tentò di rassicurarsi ripetendosi che adesso non significava più niente per lei.

«Sai dove trovarmi», disse Joe con un po' di arroganza. Mezzo mondo sapeva dove trovarlo. «Telefonami, andremo a fare un volo.»

«Grazie», gli rispose, sentendosi di nuovo una ragazzina. Indossava una gonna, una camicetta e un paio di sandali, e a lui non era sfuggito che, anche dopo il parto, la sua figura continuava a essere perfetta. La rammentava molto bene. Tre anni non avevano offuscato i ricordi, né i sentimenti. «E grazie ancora per avermi accompagnata», aggiunse Kate, e Joe rimase a guardarla mentre spingeva la carrozzina all'interno del palazzo. Lei non si voltò nemmeno a salutarlo con la mano. Si augurava che le loro strade non si incontrassero mai più. Quando rientrò nel suo appartamento con Reed le mancava il fiato. Rivederlo l'aveva fatta sentire a disagio. Avrebbe voluto parlare con qualcuno, aggrapparsi a qualcosa di solido, spiegare che non aveva provato niente, che Joe faceva parte del suo passato ed era contenta di avere sposato Andy e di avere un figlio, come se sentisse il bisogno di trovare delle scuse o una difesa per quello che era successo. Ma sapeva che sarebbero state soltanto bugie. Tutto era come era sempre stato da dieci anni a quella parte.

16

LA mattina dopo essersi imbattuta in Joe, Kate si svegliò di umore plumbeo. Per tutta la notte aveva fatto brutti sogni, e quando suo figlio si era messo a piangere aveva aperto gli occhi provando una sensazione spiacevole, come se avesse tradito Andy. Poi, mentre beveva una tazza di caffè dopo avere risistemato Reed nella culla, si disse che non aveva fatto niente di male. Non si era comportata in modo sconveniente, non aveva mostrato il minimo interesse per lui, non lo aveva incoraggiato in alcun modo, non gli aveva detto che gli avrebbe telefonato. Eppure, si sentiva in colpa anche soltanto per averlo visto, come se fosse stata lei l'unica responsabile di quell'incontro o lo avesse programmato. Provava un senso di disagio di cui non riuscì a liberarsi per tutto il giorno. Poi, la sera, aveva appena finito di scrivere una lettera a Andy e aveva infilato nella busta qualche fotografia di Reed, quando suonò il telefono. Probabilmente era la mamma, pensò andando a rispondere. Ma la voce all'altra estremità del filo le straziò il cuore: era lo stesso timbro forte e vellutato che l'aveva fatta spasimare per anni.

«Ciao, Kate.» Sembrava stanco ma tranquillo. Era tardi, e lui si trovava ancora in ufficio.

«Ciao, Joe.» Non aggiunse altro. Aspettò. Non aveva idea del perché l'avesse chiamata.

«Pensavo che forse, con Andy lontano, ti stessi annoiando.» Era una scelta di parole meditata. Aveva detto «ti stessi annoiando», non «ti sentissi sola». In realtà erano vere entrambe le cose, ma Kate non aveva nessuna intenzione di confessarglielo. «Verresti a pranzo con me, in onore dei vecchi tempi?» Il tono era dolce, giovanile, quasi umile. E innocente. Il che poteva trarre in inganno. Anche se lui voleva che così fosse, non lo era, e non lo sarebbe mai stato per lei.

«Non penso proprio.» Non era una buona idea.

«Ho sempre voluto mostrarti il palazzo che abbiamo qui in città. È straordinario, uno dei più belli degli Stati Uniti. E tu ti sei occupata di tutto questo, almeno al principio. Pensavo che ti avrebbe fatto piacere vedere come sono andate avanti le cose dopo... dopo che tu...»

«Mi piacerebbe, ma non credo che dovremmo.»

«Perché no?» Sembrava deluso, e questo la toccò dentro. Pericolo! Pericolo! Come se un lampeggiante lo segnalasse. Decise di ignorarlo.

«Non so, Joe», rispose sospirando. Era stanca. E lui era così familiare. Era un tale conforto parlare con lui che le faceva venire voglia di far girare all'indietro le lancette dell'orologio. All'improvviso le tornarono in mente i due anni trascorsi a soffrire, quando tutti pensavano che fosse stato ucciso, e il momento in cui l'aveva rivisto sulla nave. Quanti fili, da allora in poi, erano rimasti sciolti nel suo cuore, ma non bastavano perché lei ci si potesse aggrappare. «È passata molta acqua sotto i ponti da quando ho lasciato il New Jersey.»

«È proprio questo il punto. Voglio che tu veda com'è la diga. Una bellezza.»

«Sei proprio senza speranza», e Kate rise. Ma cominciava a sentirsi meno a disagio con lui.

«Dici davvero? Perché non possiamo essere amici?»
Perché ti amo ancora, avrebbe voluto rispondergli. Oppure no? Forse era soltanto il ricordo di un amore che a lei sembrava quello autentico, forse tutto ciò che era accaduto non era stato altro che un'illusione, sempre. Il vero amore era quello che aveva con Andy. Ne era sicura. Joe era qualcosa di diverso, un sogno, una speranza che si rifiutava di morire, una favola alla quale lei avrebbe sempre voluto dare un lieto fine, mentre non era possibile farlo. Joe era un disastro che stava per abbattersi su di lei, e Kate lo sapeva. Lo sapevano entrambi. «Vieni a pranzo con me... ti prego... Mi comporterò bene, te lo prometto.»

«Sono sicura che ci comporteremmo bene tutti e due», ribatté in tono fermo, «ma perché dobbiamo dimostrarlo?»

«Perché ci piace stare insieme, come sempre. Di che cosa ti preoccupi? Sei sposata, hai un bambino, una vita. Io ho soltanto gli aerei.» Cercava di sembrare patetico, e lei scoppiò a ridere.

«Non venire a raccontarlo a me, Joe Allbright! È quello che hai sempre voluto, più di quanto volessi me. Ecco perché ti ho lasciato.»

«Avremmo potuto avere entrambe le cose», disse lui tristemente, e questa volta sembrò che parlasse sul serio. Kate lo odiò perché glielo diceva adesso. Era troppo, troppo tardi.

«Ho cercato di fartelo capire, ma tu non hai voluto ascoltarmi», replicò con altrettanta tristezza.

«Sono stato incredibilmente stupido e spaventato al pensiero di legarmi. Ora sono più furbo, e più coraggioso. Sono più vecchio. E so che cosa ho perso quando te ne sei andata. Sono stato troppo orgoglioso per ammettere con te, o anche con me stesso, quanto significassi per me. La mia vita non ha più avuto senso senza di te, Kate.» Aveva il tono del Joe che lei aveva amato più di qualsiasi altra cosa al mondo, e aveva sempre desiderato sentirgli dire quelle parole. Era uno scherzo crudele del destino ascoltarle adesso.

«Sono sposata», disse piano.

«Lo so. E non ti sto chiedendo di cambiare niente. Capisco che ti sia fatta una vita tua. Voglio semplicemente un pranzo. Un panino, un'ora. Puoi trovare il tempo almeno per questo. Voglio solo mostrarti quello che ho fatto.» E come ne era orgoglioso! Ma sembrava anche che non avesse nessuno con cui poterlo apprezzare, e goderne. Tutta colpa sua. Kate non poteva credere che non ci fossero state altre donne dopo di lei, eppure, conoscendolo, era possibile; o forse non ce n'era stata una veramente importante. «Vuoi, Kate? Perdiana, non puoi avere molto altro di cui occuparti mentre Andy è via. Cerca una baby-sitter e vieni a pranzo con me, oppure porta anche il bambino.» Ma no, quello non l'avrebbe fatto. Si era già servita di parecchie ragazze quando lei e Andy uscivano la sera, tutte serie e brave. Non avrebbe portato Reed in un palazzo pieno di uffici, perché c'era il rischio che disturbasse la gente che ci lavorava.

«Va bene, va bene», cedette con un sospiro. Era come discutere con un bambino: Joe sapeva essere dannatamente persuasivo. «Verrò.»

«Sei splendida, Kate. Grazie.» Che differenza faceva? si domandò lei. Perché mai ci teneva tanto a farle vedere il suo ufficio? Doveva continuare a ricordare a se stessa che era sposata con Andy. «Che ne dici di domani?» le propose Joe.

Ci pensò per un momento che parve interminabile, poi acconsentì. «D'accordo.» Voleva superare quella difficoltà, dimostrare che poteva farlo senza innamorarsi di nuovo di lui, né desiderarlo, né sentire la solita attrazione. Doveva essere possibile. Era come quando un ex alcolizzato vuole dimostrare a se stesso di riuscire a passare davanti a un bar senza bere un goccetto. E lei sapeva di poterlo fare, per quanto affascinante Joe fosse.

«Vuoi che ti venga a prendere?» le domandò, ma lei rifiutò, dicendogli che si sarebbero trovati al ristorante. Joe suggerì *Giovanni* e Kate gli rispose che lo avrebbe raggiunto là alle dodici e mezzo.

L'indomani arrivò puntuale, con indosso un tailleur di lino bianco, i capelli raccolti sulla nuca e un grande cappello di paglia che aveva comprato da Bonwit Teller. Aveva un'aria molto chic. Lui la stava aspettando. Le diede un bacio su una guancia e parecchie persone si girarono a guardarli. Del resto, lui aveva una figura che era impossibile non notare, e dopo tutto quello che la stampa aveva scritto sul suo conto, era anche facile da riconoscere. E lei era una bellissima donna che portava un magnifico cappello. Però nessuno conosceva il suo nome.

«Tu mi hai sempre fatto fare bella figura», osservò Joe mentre si sedevano in un tavolo d'angolo che consentiva un po' di privacy.

«Te la cavi benissimo anche da solo», ribatté Kate sorridendogli. Le piaceva uscire a pranzo, e rimase meravigliata quando calcolò che non lo aveva più fatto da prima che nascesse il bambino. Con Andy lontano, non aveva niente da fare, nessun impegno salvo dedicarsi a Reed, ed era piacevole tornare nel mondo. Adorava suo figlio, ma non aveva nessuno con cui parlare. Le amiche d'infanzia abitavano tutte a Boston, e durante gli anni con Joe aveva perso le tracce di gran parte di loro. La sua passione per lui e il tempo che gli aveva dedicato la avevano isolata da tutte le sue conoscenze. Poi si era chiusa sempre di più nella sua vita con Andy e il bambino. Non aveva avuto il tempo né la voglia di fare nuove amicizie.

Durante il pasto parlarono di mille cose: gli affari di Joe, i suoi progetti, i suoi problemi, il suo ultimo aereo.

Poi passarono un'altra ora chiacchierando della compagnia aerea appena acquistata. Lui aveva una quantità di progetti interessanti. Una vita, la sua, completamente diversa da quella che conduceva Kate, quieta e felice, con la sua famiglia.

«Pensi di cercare un impiego?» le domandò Joe. Si era comportato da perfetto gentiluomo, e lei si era meravigliata di scoprire quanto si sentisse bene in sua compagnia.

«Non credo. Voglio stare a casa con il bambino.» Ma aveva riflettuto su quella possibilità. Veramente Andy non voleva che lavorasse, e per il momento lei aveva acconsentito a rinunciare. Il posto al Metropolitan le aveva dato molte soddisfazioni, però non ardeva dal desiderio di fare una carriera di quel tipo.

«È carino, ma dev'essere piuttosto stancante», disse lui con molta franchezza, e Kate rise.

«A volte sì, ma è anche divertente.»

«Sono contento che tu sia felice», replicò Joe frugandole gli occhi con lo sguardo, e lei annuì. Non voleva parlare di quell'argomento, avrebbe aperto troppe porte sul passato, e non le pareva corretto discutere di Andy, perché sarebbe stata una mancanza di rispetto. Sapeva che a lui non avrebbe fatto piacere quella sua uscita a pranzo con Joe; d'altra parte sentiva che si trattava di qualcosa che aveva assolutamente dovuto fare, più che altro per provare qualcosa a se stessa. A conti fatti, quell'incontro era stato del tutto innocuo, in fondo avevano parlato soprattutto di aviazione. Lui aveva sempre dato importanza al parere di Kate, e gli era piaciuto molto averla a lavorare con sé.

Salirono sulla macchina di Joe, e Kate quando vide il palazzo dei suoi uffici ne rimase molto colpita. Era un grattacielo pieno di tutti i suoi dipendenti, sia della società di progetti sia della compagnia aerea.

«Mio Dio, chi avrebbe mai pensato che la tua impresa sarebbe cresciuta fino a diventare tutto questo?»

«È un po' sorprendente, se pensi che ho cominciato come un ragazzo che girellava intorno a una pista d'atterraggio. Ecco il segreto del nostro Paese. E io sono molto grato di avere avuto questa possibilità.» Aveva un tono umile che la commosse.

«Dovresti esserlo eccome!» Quando vide il suo ufficio, all'ultimo piano, con le finestre dalle quali si dominava tutta New York si lasciò sfuggire un fischio di ammirazione. Era proprio come essere a bordo di un aereo. Le pareti erano ricoperte di legno, c'erano alcuni pezzi d'antiquariato inglese molto belli e una serie di quadri che riconobbe. Joe aveva opere d'arte molto importanti e un gusto straordinario. Era un uomo incredibile, ormai avviato a diventare fra i più ricchi del mondo. Però, volle ricordarlo a se stessa, avrebbe potuto dividere tutto questo con lui soltanto alle sue condizioni; in ogni caso, indipendentemente da quello che aveva raggiunto, quella di Joe continuava a essere una vita che lei non avrebbe voluto, per quanto lo amasse. Forse, a maggior ragione, proprio perché lo amava. Per lei non era mai stata una questione di soldi, quanto piuttosto di amore, di impegno, di crearsi una famiglia, tutte cose che adesso aveva.

Entrarono nella sala delle riunioni e lui la presentò a una serie di persone fra le quali c'era anche la sua segretaria, che lo seguiva dall'inizio della carriera e che fu molto contenta di rivederla. Si chiamava Hazel ed era una donna dolcissima.

«Che bella sorpresa! Joe dice che ha appena avuto un bambino. Ma lo sa che non si direbbe assolutamente?» Kate la ringraziò, poi si spostarono nello studio di Joe, dove rimasero ancora qualche minuto. Di lì a poco lei sarebbe dovuta tornare da Reed, perché aveva detto alla baby-sitter che sarebbe stata a casa alle tre e mezzo. Non solo, ma avrebbe anche dovuto allattarlo.

«Grazie di essere venuta a pranzo con me», disse Joe quando lei gli fece capire che doveva andarsene.

«Credo di aver voluto dimostrare a me stessa, e anche a te, che possiamo essere amici.» Era stata una sfida formidabile, ma l'aveva affrontata bene.

«E io ho passato l'esame? Allora possiamo?» Aveva un'espressione innocente e speranzosa. Lei sorrise.

«Non eri tu che dovevi superare la prova», gli rispose onestamente, «ma io.»

«A me pare che l'abbiamo superata a pieni voti.» Sembrava soddisfatto.

«È quello che spero», rispose, più carina che mai sotto il grande cappello di paglia. Lo guardò con gli occhi scintillanti. Tutto in lei lo aveva sempre affascinato, aveva ogni caratteristica che Joe cercava in una donna. Kate, invece, voleva più di quanto lui fosse in grado di dare.

Kate si alzò e gli diede un bacio su una guancia. Joe chiuse gli occhi, aspirando il suo profumo. Per un attimo gli fu familiare in un modo quasi doloroso, esattamente come per lei era stato il contatto con la sua pelle, il modo in cui l'aveva stretta fra le braccia. C'erano molti, troppi ricordi, ed erano sotto la loro pelle, nel loro cuore, nelle loro ossa.

«Usciamo un'altra volta a pranzo», le propose lui mentre la accompagnava alla macchina, perché voleva farla riaccompagnare a casa dall'autista.

«Mi piacerebbe», rispose lei piano.

Joe chiuse la portiera della limousine e Kate lo salutò con la mano mentre si allontanava. Lui rimase a seguire la macchina con gli occhi, poi tornò di sopra, sedette alla scrivania e cominciò a disegnare freneticamente.

Una settimana dopo, in una serata torrida, mentre il

bambino dormiva e Kate guardava la televisione squillò il telefono. Era Joe, e lei si sorprese di sentirlo. Aveva provato un gran sollievo per come si era svolto il pranzo ed era molto fiera di se stessa; per quanto l'incontro avesse avuto un vago sapore agrodolce, era stato anche piacevole e non l'aveva fatta soffrire. Dopo, si era sentita felice di tornare a casa dal figlio e aveva trovato ad aspettarla una lettera di Andy. Ormai Joe apparteneva al passato.

«Cosa stai combinando?» le domandò in tono amabile. Sembrava sereno, rilassato. Era a casa, non aveva impegni, e stava pensando a lei.

«Guardo la televisione», rispose.

«Vuoi uscire a mangiare un hamburger? Io mi annoio», le confessò. Kate rise.

«Mi piacerebbe, ma non ho la baby-sitter.»

«Porta il bambino.»

Lei rise di nuovo. «Non posso, sta dormendo. Se lo svegliassi piangerebbe per ore. Credimi, non ti divertiresti.»

«Hai ragione. Hai mangiato?»

«Più o meno. Un po' di gelato nel pomeriggio. Ma sinceramente non ho fame, fa troppo caldo.»

«E se venissi a portarti un hamburger?» insistette lui.

«Qui?»

«Beh, sì. Dove altro vuoi che lo porti?»

Era una strana proposta. Le sembrava strano farlo venire nell'appartamento dove abitava con Andy, ma erano entrambi soli, senza niente da fare, e anche amici, adesso. Sentiva che era possibile, lo aveva dimostrato appena una settimana prima.

«Sei proprio sicuro di averne voglia?» gli domandò.

«Perché no? Dobbiamo pur mangiare.» Era un'osservazione ragionevole, e alla fine Kate acconsentì. Joe le disse che sarebbe stato da lei entro mezz'ora.

Arrivò in un quarto d'ora con due enormi hamburger

grondanti formaggio fuso in un sacchetto di carta bianco. Li aveva ordinati come piacevano a entrambi. Da anni Kate non ne mangiava uno simile. Mentre facevano sgocciolare il formaggio e il ketchup dappertutto e si leccavano le dita cominciarono a ridere, seduti al tavolo della cucina.

«Sei un disastro», commentò Joe osservandola. Lei scoppiò in una risatina: sembrava che avesse di nuovo diciassette anni.

«Lo so. Mi piace da morire esserlo.» Gli allungò i tovaglioli di carta, poi pulirono tutto quello che avevano sporcato. Kate gli offrì anche il gelato che aveva nel freezer. Era come tornare ai vecchi tempi, quando Joe era stato ospite a casa dei Jamison a Boston e, in seguito, quando erano stati insieme nel New Jersey. A Kate tutto quello era mancato, per quanto si fosse sempre divertita con Andy. In ogni caso, le aveva fatto piacere rivederlo. A Joe piacevano le sue storielle, lo facevano ridere. Gli aveva fatto bene, sempre. Anche lui le aveva fatto bene, almeno per un certo periodo.

Dopo avere mangiato guardarono la televisione. Kate aveva i sandali e Joe, scalciando, si sfilò le scarpe. Lei lo prese in giro, vedendo che aveva i calzini pieni di buchi.

«Sei un uomo troppo importante per portare calzini simili», lo rimproverò.

«Non ho nessuno che me li compri», rispose lui cercando di farsi compatire. Ma lei non abboccò.

«A te piace tirare avanti in questo modo, ricordi? Chiedi ad Hazel che ci pensi lei.» Ma la sua segretaria aveva altro da fare, e lui rimandava sempre gli acquisti.

«Non è che mi piaccia così. Non voglio sposarmi per avere dei calzini decenti. È un prezzo troppo alto da pagare», obiettò lui.

«Davvero, perché?»

«Non lo so. Mi conosci, ho paura di essere legato, ho

paura che mi mancherà qualcosa, oppure che qualcuno possa prendermi troppo. Non intendo i soldi, ma me stesso, una parte di me che non voglio dare a nessuno.» Era il vero motivo per cui non si era sposato. Ma adesso non aveva paura di lei; per qualche motivo che non riusciva a spiegarsi, finalmente aveva fiducia in lei. Arrivarci, però, aveva richiesto molto tempo.

«Nessuno può prendere quello tu non vuoi dare», osservò Kate tranquilla.

«Ci possono provare. Credo di avere paura che perderei me stesso.» E con lei c'era mancato poco. Kate si era portata via un grosso pezzo di lui, e Joe sospettava che non se ne fosse nemmeno accorta. Ora avrebbe voluto reclamarlo indietro, e reclamare anche lei.

«Sei troppo grande per perderti, Joe», ribatté lei sinceramente. «Credo che tu non abbia neanche la più vaga idea di quanto lo sia. Sei immenso.»

«Io penso sempre di essere invisibile, o che vorrei esserlo», confessò Joe, e il suo tono di voce era quello di un ragazzino.

«Credo che nessuno si veda come realmente è. Nel tuo caso, hai molto di cui essere orgoglioso», disse Kate con generosità. Era strano trovarsi lì seduta con lui. Se un mese prima qualcuno le avesse detto che cosa sarebbe successo non ci avrebbe creduto, ma il fatto che adesso fossero di nuovo amici era una grande consolazione per entrambi.

«C'è anche molto di cui non sono per niente fiero», le confessò, di nuovo con quel tono e quell'aspetto da ragazzino, e lei si sentì commuovere sino in fondo al cuore. C'era un lato di Joe per il quale aveva e avrebbe sempre provato un grande amore e un altro che era arrivata molto vicino a odiare, quel lato che l'aveva ferita e profondamente addolorata. «Non sono fiero del modo in cui ti ho trattato», continuò Joe, e lei si stupì di sentirglielo ammettere.

«Prima che te ne andassi mi sono comportato in modo vergognoso. Ti stavo mettendo a dura prova, esigevo troppo da te, ti usavo, non pensavo a te ma solo a me stesso. Tu mi hai fatto spaventare maledettamente. Mi amavi così tanto, e questo mi faceva sentire in colpa e inadeguato. E anche in trappola, immagino. L'unica cosa che volevo era scappare a nascondermi. Hai fatto la cosa giusta quando mi hai lasciato. Per poco non sono morto, ma non ti biasimo; ecco perché non ho mai telefonato, per quanto lo desiderassi. Avevi ragione ad andartene. In quella situazione non c'era niente per te, non potevo darti quello di cui avevi bisogno. E non capivo quanto mi sarei dovuto considerare fortunato, invece. Mi ci è voluto molto per calmarmi e rendermene conto.» Ma ormai lei era lontana da un pezzo.

«È gentile da parte tua dirlo», gli rispose generosamente. «Ma tanto non avrebbe mai funzionato, adesso me ne rendo conto.»

«Perché?» Joe aggrottò la fronte. Niente attirava il suo interesse quanto una sfida.

«Perché questo è tutto ciò che volevo», replicò lei indicandogli con un gesto l'appartamento e il bambino. «Un marito, un figlio, una vita regolare. Tu hai bisogno di molto di più, invece; ti occorrono il potere, il successo, l'eccitazione e gli aerei, e sei disposto a sacrificare tutto per ottenerlo, anche le persone. Io no.»

«Avremmo potuto averlo anche noi, e perfino di più, se tu avessi aspettato.»

«A quanto dicevi allora, no.»

«Era il momento sbagliato per me, Kate. Stavo gettando le fondamenta di una grande impresa, dovevo pensare solo a quello.» Vero, ma lei sapeva che la sua avversione nei confronti del matrimonio e delle responsabilità famigliari, era radicata in Joe molto più profondamente di quanto volesse ammettere. L'aveva visto con i suoi occhi, e Kate lo conosceva meglio di quanto lui conoscesse se stesso.

«E adesso?» gli domandò in tono scettico. «Stai forse morendo dalla voglia di avere una moglie e un branco di ragazzini?» Gli sorrise. «Non credo proprio. Credo che tu avessi ragione, a suo tempo, perché l'avresti odiato.» Adesso ne era convinta.

«Dipende da chi è la moglie. Ma no, non ne sto cercando una. Avevo trovato la donna giusta molto tempo fa, e sono stato tanto stupido da perderla.» Subito lei si sentì a disagio: era inutile parlarne adesso, e non ne aveva alcuna voglia. Joe, invece, continuava a insistere su quell'argomento. «Dico sul serio, Kate. Sono stato incredibilmente sciocco, e voglio che tu lo sappia.»

«Oh, lo sapevo», e scoppiò a ridere. «Però non pensavo che tu l'avessi capito.» Poi tornò seria. «Mi fa piacere sapere quello che provi, ma se le cose vanno in un certo modo, è perché devono andare così.»

«Balle!» esclamò lui brusco. «Vanno in un certo modo perché siamo noi a guastare tutto per paura, o per stupidità o, a volte, solo perché siamo ciechi. Ci vogliono una grande intelligenza e un gran coraggio per far andare bene le cose, e non tutti li hanno. A volte serve tempo per ragionarci e capirlo, ma alla fine è troppo tardi. Però, se puoi, devi cercare di raddrizzarle, non puoi stare lì seduto, lasciare che tutto vada nel modo più sballato e accontentarti di sostenere che così doveva essere, che era il destino a volerlo. Solo gli imbecilli si comportano così.» Ed entrambi sapevano che lui non lo era affatto.

«Ci sono cose che non si possono cambiare», mormorò lei. Capiva quello che Joe le stava dicendo, ma non era sicura che le piacesse. Non aveva senso rivangare il passato.

«Non mi hai concesso abbastanza tempo», ribatté Joe fissandola negli occhi. Sembravano l'uno lo specchio dell'altra: sotto certi punti di vista si somigliavano molto, e sotto tanti altri erano diametralmente opposti. Quando fra loro le cose funzionavano, era stato tutto perfetto.

«Ho aspettato due anni a sposarmi, dopo averti lasciato», disse lei in tono severo. «Hai avuto tutte le opportunità del mondo di cambiare idea e venire a cercarmi. E non lo hai fatto.»

«Ero pazzo. Ero spaventato. Ero indaffarato. Non mi ero ancora chiarito le idee. Ma adesso sì», le rispose e, osservando l'espressione dei suoi occhi, Kate provò un tuffo al cuore. Joe rivoleva quello che aveva avuto e che ora apparteneva a un altro. Era dura per lui, che aveva sempre voluto quello che non poteva avere. «Ho una vita fantastica, ho creato una solida impresa, ma niente di tutto questo significa granché senza di te.»

«Non parliamone. È inutile.»

«Invece non è inutile, Kate», replicò lui fissandola negli occhi. «Ti amo.» E, prima che potesse dire una parola, la attirò a sé e la baciò. A lei parve di scivolare in un mondo completamente diverso, lì sul divano stretta a lui, di volteggiare nello spazio mentre il suo cuore si librava in volo, ma un istante dopo tornò bruscamente sulla terra e lo allontanò.

«Joe, devi andartene.»

«Non me ne andrò finché non ti deciderai ad affrontare questo discorso con me. Mi ami ancora?» Doveva saperlo.

«Io amo mio marito», gli rispose evitando il suo sguardo.

«Non è quello che ti ho domandato», insistette lui, e alla fine lei si decise a guardarlo negli occhi. «Ti ho domandato se mi ami ancora.»

«Ti ho sempre amato», gli rispose con franchezza. «Ma non è giusto. E adesso è impossibile. Ho un marito.» Aveva l'aria angosciata. Mai e poi mai avrebbe voluto che succedesse una cosa simile. Aveva appena finito di convincersi che fra loro potesse esserci un'amicizia.

«Come puoi amare me ed essere sposata con Andy?» la incalzò Joe, che sembrava profondamente turbato.

«Perché pensavo che tu non mi amassi, non volevi sposarti...» Ci aveva riflettuto almeno un centinaio di volte. Mille volte. Un milione di volte. Ed era troppo tardi.

«Così hai scelto il primo che ti è capitato?»

«Questa è una cattiveria. Ho aspettato due anni.»

«Beh, io ci ho messo di più per riuscire a capire.» Aveva di nuovo assunto il tono di un ragazzino, ma quello che contava, al di là delle sue parole, era ciò che lei aveva provato nel momento in cui Joe l'aveva baciata, ciò che aveva letto nei suoi occhi. Era ancora innamorata di lui, e lo sarebbe sempre stata. Le parve di essere condannata all'ergastolo: era impotente di fronte ai propri sentimenti.

«Non posso fare questo a Andy», disse con semplicità. «È mio marito, abbiamo un bambino.» Si alzò, addolorata. «Quello che è stato, quello che abbiamo detto o fatto e il perché non hanno più importanza. Lo abbiamo fatto, lo abbiamo detto. Io me ne sono andata e tu volevi che me ne andassi, altrimenti mi avresti fermata, me l'avresti impedito, mi avresti chiesto di tornare. Per due lunghi anni ho avuto un unico desiderio: che tu mi rivolessi con te. Ma eri troppo occupato a giocare con i tuoi aerei perché te ne importasse qualcosa, e troppo impaurito per correre il rischio di farti divorare. La verità è che io ti amo ancora. Ti amerò sempre. Ma per noi è troppo tardi, Joe. Sono sposata con un altro, e devo rispettarlo, anche se tu non lo rispetti.» Lo guardò, profondamente infelice. «Devi andartene. Lui non se lo merita, e nemmeno io.»

«Adesso mi punisci perché non ho voluto sposarti», ribatté lui ergendosi in tutta la sua statura e fissandola con rimpianto.

«Punisco me stessa perché ho sposato un uomo che merita una vera moglie, non una donna che è sempre stata innamorata di un altro. Non è giusto. Dobbiamo dimenticarci. Non so come accidenti fare, eppure Dio solo sa quanto ci ho provato. Ma ti giuro che lo farò, anche se questo dovesse uccidermi. Non posso essere sposata con lui e amare te per il resto della mia esistenza.»

«Allora lascialo.»

«Lo amo, e non voglio fare niente del genere. Abbiamo appena avuto un figlio.»

«Io ti rivoglio, Kate.» Lo disse come un uomo abituato a ottenere quello che voleva, e che non si sarebbe accontentato di qualcosa di meno.

«Perché? Perché ho accanto un altro uomo? Perché adesso? Non sono un giocattolo, o un aereo, o un'azienda di cui sei proprietario o che vuoi acquistare. Ho aspettato due maledettissimi anni mentre tutti dicevano che tu eri morto. Ero soltanto una ragazzina, e non riuscivo neanche a guardare un altro uomo. E tre anni fa, dopo che mi avevi detto di non volerti mai sposare, mi sono consumata nello struggimento per te. Perché ora?» Era scoppiata in lacrime, e Joe scosse la testa.

«Non lo so. So solo che tu sei parte di me. Non voglio vivere senza di te, Kate. Siamo andati troppo avanti. Ci conosciamo da dieci anni, e per nove ci siamo amati.»

«E con questo?» obiettò lei bruscamente. «Avresti dovuto pensarci prima. È troppo tardi.»

«Ma è assurdo. Non lo ami. È questo che vuoi per il resto dei tuoi giorni?»

«Sì!» gli rispose con fermezza mentre il bambino cominciava a piangere. «Adesso devi andartene, Joe», aggiunse fra le lacrime. «Devo allattare Reed.»

«Ma non dovresti essere calma e rilassata quando allatti il bambino?»

«Sì, ma ormai è un po' tardi per quello.» Allora lui si avvicinò e le asciugò gli occhi. «No, ti prego...» Il pianto di Kate si fece dirotto. Joe la prese fra le braccia e la strinse a sé. Tutto quello che voleva era stare con lui, e non poteva. Che scherzo crudele del destino che lui la rivolesse! Non poteva abbandonare Andy e portare via loro figlio, e amava anche suo marito, sia pure in modo diverso.

«Mi dispiace... non sarei dovuto venire qui stasera.» Si sentiva in colpa per averla sconvolta in quel modo.

«Tu non c'entri», gli confessò asciugandosi le lacrime. «Anch'io volevo vederti. È stato talmente meraviglioso l'altro giorno... Oh, Joe... che cosa dobbiamo fare?» gli domandò aggrappandosi a lui. Erano perduti, e innamorati come prima.

«Non lo so, troveremo una soluzione.» La abbracciò stretta e la baciò. Poi Kate andò a prendere Reed e lo mise sul divano, in mezzo a loro. Era un bambino bellissimo, e Joe lo osservò in silenzio, poi guardò lei. «Andrà tutto bene, Kate. Forse potremo rivederci di tanto in tanto.»

«E poi? Avremmo sempre voglia di stare insieme. Quella non sarebbe una vita.»

«È tutto quello che abbiamo, per il momento. Magari è abbastanza.» Ma lei sapeva che non se ne sarebbero accontentati a lungo, avrebbero sempre voluto qualcosa di più di pochi momenti rubati. Joe la guardò: Kate aveva un'aria così tormentata e infelice... «Vuoi che me ne vada o posso aspettare finché lo hai allattato?» Lei era consapevole che avrebbe dovuto rispondere di sì, ma non voleva farlo. Non sapeva quando e se lo avrebbe rivisto.

«Se vuoi, puoi aspettare.» Andò nell'altra stanza, mentre lui rimase a guardare la televisione, e quando tornò Joe si era addormentato. La sua giornata era stata lunga, e per entrambi quella sera aveva portato emozioni profonde.

Adesso Kate era più tranquilla. Tornò a sedersi sul divano e rimase a guardare Joe per un po', gli sfiorò i capelli, gli accarezzò il viso. Era tutto così familiare. Era stato suo per così tanti anni, come lei era stata sua. Rimase lì, tenendolo fra le braccia, finché lui riaprì gli occhi.

«Ti amo, Kate», mormorò, e lei sorrise.

«No, non mi ami. Non te lo permetterò», gli rispose in un bisbiglio. Si baciarono a lungo. Era una situazione impossibile, con un uomo impossibile. «Devi andare», gli sussurrò. Lui annuì ma non si mosse e la baciò di nuovo e poi ancora e ancora, e dopo un po' Kate si accorse che non voleva che lui se ne andasse. Era pentita di averlo lasciato, non voleva fare del male a Andy o al loro bambino, non voleva che succedesse quello che stava succedendo, ma la forza che li teneva avvinti era più grande di loro. Joe la prese fra le braccia e la portò sul letto e lei lasciò che la spogliasse come aveva fatto tante volte, poi fecero all'amore con tutto il desiderio che li aveva ossessionati per tre anni e dopo caddero in un sonno profondo, pieno di pace, l'uno fra le braccia dell'altra.

17

La mattina dopo quando Kate aprì gli occhi sorrise, convinta di avere Andy vicino. Ma quando si voltò a guardarlo vide Joe. Non era stato né un sogno né un incubo, era stato il culmine di tutto ciò che aveva provato nei lunghi anni dell'amore per lui, e nei tre durante i quali erano stati separati. Ma non aveva idea di che cosa fare adesso. Dovevano dimenticarsi, se lo ripeté mentre lo vedeva uscire a poco a poco dal sonno. Reed dormiva ancora profondamente.

Pochi minuti dopo Joe si svegliò del tutto e le sorrise.

«Sto sognando? Oppure stanotte sono morto e sono andato in paradiso?» A lui sembrava tutto semplice: non era sposato e non correva il rischio di distruggere la vita di nessuno, salvo quella di Kate e la propria. Ed era già abbastanza.

«Hai un'aria disgustosamente felice», lo accusò Kate, ma lui le si rannicchiò accanto. Le ore che passavano a letto la mattina, stretti stretti a chiacchierare, per lei erano sempre state magiche. «Non devi proprio avere nemmeno un briciolo di coscienza.»

«No, non ce l'ho», le confermò, baciandola sulla testa. Erano anni che non si sentiva così bene e, almeno per il momento, tutto era perfetto. «Sta bene il bambino? È normale che dorma tanto?» Era una cosa nuova per lui.

«Sta bene. Dorme fino a tardi», rispose lei, commossa che se ne preoccupasse.

Allora Joe ricominciò a baciarla e approfittarono del sonno di Reed per fare di nuovo all'amore. Tutto era come un sogno; era quasi come se lui non se ne fosse mai andato. Quello che provava con Joe a letto, e in qualsiasi altro posto, non l'aveva mai provato con un altro uomo. Ciò che sentivano l'uno per l'altra era diventato ancora più profondo, anche se a loro sembrava incomprensibile. Era come un'attrazione primordiale, e non c'era bisogno di molte spiegazioni, anzi, non ce n'era bisogno affatto: le parole erano soltanto il pretesto esteriore per ciò che li legava, le scuse che si davano, le promesse che non potevano più mantenere. Era il resto che univa le loro anime.

Finalmente il bambino si svegliò con il pianto robusto di chi sta bene e ha fame. Kate lo allattò mentre Joe faceva la doccia, poi preparò la colazione. Lui avrebbe voluto che quei momenti non finissero mai, voleva stare con lei e si divertiva quando Reed, dal seggiolone, gli faceva larghi sorrisi. Ma alla fine, sia pure controvoglia, le disse che doveva andarsene perché quella mattina aveva una riunione. Gli sarebbe piaciuto moltissimo passare tutta la giornata insieme.

«Possiamo vederci a pranzo?» le domandò mentre si alzava e si infilava la giacca.

«Che cosa stiamo facendo, Joe?» ribatté lei fissandolo con uno sguardo cupo e tormentato. Erano ancora in tempo per fermarsi, prima di distruggere tutto e tutti. Sarebbe potuta rimanere un'unica volta, un momento per il quale lei sentiva di poter fare ancora ammenda, riconciliandosi con se stessa.

Lei aveva molto di più da perdere di Joe. Toccava a lei

dare un taglio netto, lo sapeva, ma non sopportava l'idea di perderlo nuovamente. Nel segreto del suo cuore sentiva che ormai era troppo tardi.

«Penso che stiamo facendo tutto quello che possiamo. Cercheremo di trovare una soluzione a mano a mano che andiamo avanti.» Joe aveva sempre avuto la capacità di rifiutare di vedere i problemi che gli si paravano davanti, salvo quando progettava aerei.

«È pericoloso», rispose lei accarezzandogli i risvolti della giacca. Le piacevano da impazzire il suo fisico, il suo viso, la fossetta nel mento, il taglio squadrato e molto maschile delle spalle, gli occhi che la seguivano dappertutto, le lunghe gambe. Era ubriaca di lui, ed era una forza troppo possente da combattere. E per lui non era diverso.

«La vita è pericolosa», replicò tranquillamente, poi le sorrise e la baciò. Non ne aveva mai abbastanza di lei, e Kate di lui. «Forse non dà soddisfazione, non è degna di essere vissuta, fino a un certo momento. Le cose buone costano molto. Io non ho mai avuto paura di pagare per quello che voglio o in cui credo.» Ma questa volta stavano pagando con altre vite, non solo con la loro. «Vuoi che pranziamo insieme?» Kate esitò un attimo, poi acconsentì. Voleva stare con lui il più a lungo possibile.

«Cercherò una baby-sitter. Dove ci incontriamo?»

Le propose *Le Pavillon*, che era sempre stato uno dei posti preferiti di Kate, e concordarono di trovarsi a mezzogiorno.

Dopo che Joe se ne fu andato lei allattò di nuovo il bambino e rimase seduta in silenzio sul divano. Intorno a lei, in tutta la stanza, c'erano fotografie sue e di Andy, compresa una del loro matrimonio. Essere di nuovo con Joe le faceva sembrare il marito come un sogno lontano. Sapeva di amarlo, continuava a ricordare a se stessa che era sua moglie. Ma lui le era sempre sembrato un ragazzo in confronto all'uomo che Joe già era. Aveva ragione, era pericoloso, ma in quel preciso momento si rese conto che era troppo tardi per tornare indietro, e la felicità che provavano sembrava valere i rischi che stavano correndo.

Mise di nuovo il bambino nella culla, chiamò la babysitter e a mezzogiorno entrò a *Le Pavillon* con indosso un vestito di seta verde pallido guarnito da una spilla con uno smeraldo che la mamma le aveva regalato qualche anno prima. Era bellissima e delicata, e con i capelli ramati quell'abito le donava in modo particolare. Quando attraversò la sala Joe rimase seduto dov'era divorandola con gli occhi, proprio come aveva fatto dieci anni prima. Poteva essere pericoloso farsi vedere insieme in pubblico, ma ne avevano parlato e avevano concluso che pranzando insieme alla luce del sole avrebbero fatto nascere meno sospetti che se avessero dato l'impressione di nascondersi.

«Ma tu non sei Joe Allbright?» mormorò lei prendendo posto al tavolo. Joe sorrise. Gli piaceva infinitamente Kate, e il suo modo di scherzare, e il suo profumo, e la sua andatura disinvolta, assolutamente inconsapevole di quanto fosse spettacolare la sua bellezza. Insieme formavano una coppia straordinaria: non sembravano certo i soliti coniugi scontati, e questo faceva parte della magia che condividevano, che emanava da loro.

«Ti andrebbe di fare un giro in aereo questo fine settimana?» le domandò lui mentre pranzavano. Erano tre anni che Kate non volava più. Joe le spiegò che aveva un nuovo modello, piccolo, molto diverso dal solito, che gli era stato consegnato appena il giorno prima. «Ti piacerà, Kate», le assicurò ridendo. In quel momento sembrava più che mai un bellissimo ragazzino.

«Certo.» Lei non aveva nient'altro da fare. Era libera per i tre mesi e mezzo successivi, e pensò che, qualunque cosa fosse successa in seguito, questo era un tempo che apparteneva a loro. Non aveva senso lottare per evitarlo, ormai si era abbandonata al destino. Il legame che li univa non poteva essere reciso, non ancora.

Rimasero a lungo a tavola e si comportarono con estrema discrezione, poi lui tornò in ufficio e lei a casa. Voleva portare Reed al parco, e quando arrivò trovò una lettera di Andy. Era piena di frasi buffe e affettuose, diceva di sentire tantissimo la sua mancanza, e questo la ferì come una pugnalata. Seduta dov'era, immobile, la tenne stretta fra le mani piangendo. Non si era mai sentita così in colpa, e sapeva quanto fosse sbagliato quello che stava facendo, ma era incapace di fermarsi, nonostante l'affetto che provava per Andy.

Quella sera quando Joe rientrò la trovò silenziosa. Lui aveva avuto una giornata piena di impegni ed era stanco. Kate gli preparò uno scotch allungato con l'acqua e glielo porse, poi si versò un bicchiere di vino. Il bambino dormiva già.

«Oggi ho ricevuto una lettera di Andy. Mi sento orribilmente. Se dovesse scoprirlo, gli spezzerebbe il cuore. Probabilmente chiederebbe il divorzio.» Aveva l'aria molto depressa.

«Bene. Poi ti sposo io.» Ci aveva pensato tutto il giorno ed era quasi arrivato a una decisione, ma voleva rifletterci ancora.

«Lo dici soltanto perché sono la moglie di un altro. Se fossi libera», obiettò Kate sorridendo, «scapperesti a gambe levate.»

«Mettimi alla prova.»

«Non posso.»

«Allora non parliamone, e godiamoci il tempo che abbiamo a disposizione», rispose lui tranquillo. E fu proprio quello che fecero.

Per tutto il mese successivo andarono a pranzo parecchie volte la settimana, cenarono insieme ogni sera, a casa oppure fuori, andarono al cinema e in aereo, chiacchierarono, fecero all'amore, risero e si rinchiusero nel loro piccolo mondo come in un bozzolo. Quando tornava dal lavoro Joe giocava con il bambino, e si emozionò in modo incredibile quando scoprì il primo dentino di Reed.

Era come se fossero una famiglia perfetta e Andy non esistesse. L'unica cosa che lo ricordasse a Kate era la suocera, la quale andava a trovare il bambino ogni martedì pomeriggio, ma lei stava sempre attenta che in casa non ci fossero segni della presenza di Joe. E quando uscivano avevano un comportamento abbastanza discreto perché chiunque li credesse semplicemente amici. Loro, invece, si sentivano piuttosto come marito e moglie. Una coppia inseparabile.

Kate scriveva a Andy quasi ogni giorno, ma le sue lettere erano impacciate, diverse dal solito. Se ne accorgeva subito, ma sperava che lui non lo notasse. Gli parlava soprattutto di Reed e diceva pochissimo che la riguardasse personalmente. Le sembrava la soluzione migliore. Quanto a lui, quello che le raccontava dei processi era affascinante. Ma le ripeteva spesso quanta nostalgia avesse di lei, quanto l'amasse e non vedesse l'ora di tornare accanto alla moglie e al figlio. Ogni lettera era una coltellata per il suo cuore. Non aveva idea di quello che avrebbe fatto, e con Joe si erano trovati d'accordo di non prendere decisioni fino all'autunno.

Kate aveva promesso ai genitori che ad agosto avrebbe passato una settimana con loro a Cape Cod, ma non sopportava il pensiero di lasciare Joe. Avevano poco tempo; ormai era passata metà dei quattro mesi per i quali era prevista l'assenza di Andy. D'altra parte, lei sapeva che se non fosse andata a raggiungerli con il bambino in vacanza, i suoi avrebbero capito che qualcosa non funzionava, e non escludeva il rischio che andassero a New York e scoprissero che Joe viveva con lei. Si era trasferito a casa sua alla fine di luglio. Quindi Kate decise che la cosa migliore fosse partire.

Joe disse che avrebbe trovato mille cose di cui occuparsi mentre lei era via. Stabilirono che sarebbe stata Kate a telefonargli: se fosse stato lui a chiamarla Elizabeth avrebbe potuto riconoscere la sua voce. Era strano dover pensare a tutti quei sotterfugi, che non la inorgoglivano per niente, ma non avevano scelta. Se questo era ciò che desideravano, ciò che sentivano di dover avere, occorreva seguire le regole del gioco come meglio potevano.

Kate si trovava a Cape Cod da cinque giorni quando i loro vicini organizzarono il solito barbecue. Lasciò il bambino con una baby-sitter e ci andò con il padre e la madre. Era di ottimo umore; sapeva che al massimo due giorni dopo avrebbe rivisto Joe. Non vedeva l'ora.

Stava bevendo un aperitivo sulla terrazza che dava sulle dune quando, girandosi, lo vide entrare. Fortunatamente riuscì ad assumere subito l'aria meravigliata adatta all'occasione. Ma era davvero stupefatta. Joe le aveva fatto la sorpresa di andare ospite dei soliti amici e di presentarsi al barbecue in loro compagnia. I padroni di casa furono contenti di vederlo; ricordavano di averlo conosciuto parecchi anni prima; Joe Allbright non era uno di quegli uomini che si dimenticano. Mentre lui attraversava lentamente la terrazza stringendo mani e salutando conoscenti, la madre di Kate lo adocchiò.

«Cos'è venuto a fare qui?» domandò a Kate.

«Non ne ho idea», le rispose lei, ma si voltò dall'altra parte, in modo che Elizabeth non potesse vederla in faccia. Pensò che Joe aveva fatto una stupidaggine: era come sfidare il destino, e lei non era sicura che sarebbero stati all'altezza della situazione.

«Lo sapevi che sarebbe venuto?» L'inquisizione era già cominciata. Intanto il padre di Kate attraversò la terrazza per andare a stringere la mano a Joe. Gli faceva piacere vederlo, nonostante la rottura fra lui e la figlia. Ormai era acqua passata; Kate aveva sposato un altro. Il passato era passato, o almeno così credeva.

«Perché avrei dovuto saperlo, mamma? Ha degli amici qui, e c'è già venuto anche prima.»

«Niente, solo che mi sembra strano. Non lo vedevamo da tre anni. Magari voleva incontrarti.»

«Ne dubito.» Kate continuava a dargli le spalle, ma le pareva quasi di sentirlo mentre si avvicinava, e intuiva che la mamma li stava osservando. Le restava solo la speranza di riuscire a non tradirsi. Ma non si fidava molto di nessuno dei due, soprattutto di se stessa. Ed Elizabeth la conosceva troppo bene.

Joe arrivò dove si trovava lei, immobile, in piedi. Salutò educatamente sua madre, la quale gli strinse la mano un po' riluttante e gli scoccò un'occhiata gelida.

«Salve, Joe», gli disse in tono distaccato, che lui ricambiò con un caldo sorriso.

«Salve, signora Jamison. È un piacere vederla.» Non ottenendo risposta, Joe si girò verso Kate. I loro sguardi si incontrarono, ma lei riuscì a controllarsi perfettamente mentre lo salutava. «Che bello rivederti, Kate! Ho sentito che hai un bambino. Congratulazioni.»

«Grazie», gli rispose freddamente, poi si scostò per attaccare discorso con un altro invitato. Sapeva che la mamma avrebbe provato un gran sollievo e si augurava di spingerla su una pista sbagliata. Fu quello che sussurrò a Joe quando, più tardi, se lo ritrovò vicino sulla spiaggia. Stavano facendo arrostire le salsicce, e le sue erano già carbonizzate. Ma le interessava soltanto parlargli. «È stata una pazzia venire qui. Se sospettano qualcosa, perderanno la testa.»

«Mi mancavi. Volevo vederti», disse lui, e la sua voce era innocente e sincera.

«Sarò a casa fra due giorni», gli bisbigliò di rimando, con una gran voglia di baciarlo o di prenderlo fra le braccia o di sentirsi stretta fra le sue. Ma in quel momento non si azzardava neanche a guardarlo.

«La tua salsiccia si è ridotta in cenere», sussurrò lui, e Kate scoppiò a ridere. Si fissarono negli occhi per un attimo. Ma quando lei gli voltò le spalle si accorse che Elizabeth li stava sorvegliando.

«Mi odia», fu il commento di Joe mentre metteva un piatto fra le mani di Kate. Non era inconcepibile che si rivolgessero la parola, però la mamma non approvava quello scambio di battute. A guardarla, c'era da pensare che sarebbe stata felice di vederlo morto o, almeno, il più lontano possibile dalla figlia.

I genitori di Kate andarono via presto perché a Elizabeth era venuto mal di testa, e lei andò a fare una passeggiata sulla spiaggia con Joe, come anni prima. C'era una lunga storia fra loro...

Dieci anni erano un tempo molto lungo, e contavano molto. Per loro, se non per gli altri. Dal momento che non si erano mai sposati, quello che c'era stato fra loro, i sentimenti che avevano provato reciprocamente, per la madre di Kate non valevano niente. Per quanto la riguardava, erano stati anni sprecati, e lo aveva anche detto alla figlia più di una volta. Ma lei non la vedeva allo stesso modo, per lei erano stati i migliori della sua vita.

Fu piacevole allontanarsi dagli altri e camminare sulla sabbia al chiaro di luna. Dopo avere fatto un bel pezzo di strada si distesero sulla spiaggia e si baciarono, poi tornarono indietro tenendosi per mano, ma si staccarono molto prima di rientrare a casa dei vicini di Kate e, una volta arrivati, si comportarono con estrema circospezione. Kate lasciò la festa prima di lui, i suoi erano già a letto e Reed, che dormiva profondamente, non ebbe nemmeno bisogno di essere allattato. Lei si infilò nel letto e cominciò a pensare a Joe. Avevano avuto momenti bellissimi insieme, ed entrambi avevano avuto una vita soddisfacente. Tutto ciò che avevano desiderato si era avverato: un bambino per lei, il successo per lui, ma sembrava che non ci fosse la possibilità di farlo bastare. Era come un rompicapo o un labirinto, ma in questo caso non esisteva via d'uscita.

Si alzò presto con il bambino. Quando scese al pianterreno cercando di non fare rumore – cosa difficile perché il piccolo rideva, balbettava, gorgogliava e squittiva – sua madre era già in cucina, seduta al tavolo a leggere il giornale locale davanti a una tazza di tè.

Mentre Kate metteva Reed sul seggiolone Elizabeth si rivolse a lei senza alzare gli occhi dal quotidiano.

«Sapevi che lui sarebbe venuto ieri sera, vero?» le domandò in tono accusatore, e solo a quel punto si decise a guardarla.

«No, non lo sapevo», rispose lei sinceramente. «In tutta onestà, non ne avevo idea.»

«C'è qualcosa fra voi, Kate. Lo sento. Non ho mai visto due persone così attratte l'una dall'altra. Lo si avverte anche quando vi trovate alle estremità opposte di una stanza. È una specie di richiamo animale quello che c'è fra voi. Non siete capaci di lasciarvi in pace.»

«Non gli ho quasi parlato ieri sera», ribatté Kate mentre porgeva al bambino un pezzetto di banana e lui se lo infilava in bocca.

«Non occorre che tu gli parli, Kate. Lui ti sente, né più né meno come tu senti lui. È un uomo pericoloso. Non permettere che ti venga vicino. Distruggerà la tua vita.» Ma ormai era troppo tardi. «È stato scortese da parte sua venire qui. Lo ha fatto perché sapeva che ci saresti stata tu. Mi meraviglio che abbia avuto tanta sfacciataggine... Per quanto ormai non ci sia più niente che mi meravigli», proseguì la mamma sempre più furibonda. Continuava a considerare Joe una minaccia, soprattutto adesso, durante l'assenza di Andy. E aveva ragione.

«Anch'io non mi meraviglio più di niente», esclamò il padre di Kate in tono gioviale entrando in cucina e andando a dare un bacio a Reed. Poi lanciò un'occhiata a sua moglie. Si era accorto che c'era stato un battibecco fra le due donne, anche se non immaginava per quale motivo, ma preferiva non tentare di indovinarlo. Meglio tenersi fuori delle loro discussioni. «Mi ha fatto piacere vedere Joe ieri sera. Qualche tempo fa ho letto qualcosa sulla sua compagnia aerea, diventerà un successo colossale, anzi lo è già. Lui dice che hanno intenzione di aprire degli uffici in Europa. Chi avrebbe mai pensato cinque anni fa che succedesse tutto questo?» aggiunse ammirato, mentre la moglie metteva la tazza del tè nel lavello.

«Secondo me è stata una grossa mancanza di educazione, la sua. Non doveva venire», insistette Elizabeth perché anche il marito sapesse la sua opinione. Clarke sembrò meravigliato.

«Perché?»

«Sapeva che avrebbe visto Kate. E lei è una donna sposata. Non avrebbe dovuto darle la caccia addirittura fin qui, a Cape Cod, o in qualsiasi altro posto.» Né vivere con lei, mentre era quello che stava facendo, pensò Kate. Sua madre l'avrebbe fatta rinchiudere in un manicomio se l'avesse saputo. Forse avrebbe dovuto farlo. «E lui lo sa. Solo che ha voluto imporle la propria presenza.»

«Non dire sciocchezze, Elizabeth. È passata tanta acqua

sotto i ponti. Sono cose successe anni fa. Kate è la moglie di Andy, e lui probabilmente ha un'altra. È sposato, Kate?»

«Non credo, papà. Veramente non lo so.»

«L'ho visto mentre ti parlava sulla spiaggia», la accusò la madre.

«In quello non c'è niente di male», intervenne Clarke. «È un brav'uomo.»

«Se lo fosse avrebbe sposato tua figlia, invece di lasciare che lo aspettasse due anni durante la guerra e di usarla per altri due dopo essere tornato a casa», ribatté la moglie in tono tagliente. «Grazie a Dio, Kate ha riacquistato il suo buon senso e ha sposato un altro. È un peccato che Andy non fosse qui ieri sera.»

«Sì, è vero», disse piano Kate, ma Elizabeth le lesse qualcosa negli occhi che non le piacque affatto, qualcosa di guardingo e misterioso, come se avesse un grande segreto, e capì che quel segreto era Joe.

«Sei una stupida se hai ancora a che fare con lui, Kate. Si limiterà a usarti di nuovo, e spezzerai il cuore di Andy. Joe non ha intenzione di sposare nessuno. Ricordati le mie parole.» Le aveva già dette e, almeno fino a quel momento, aveva avuto ragione. Però Kate sapeva che lui adesso voleva sposarla, o così sosteneva, anche se era più facile farlo quando lei era già sposata con un altro. Dopo un po' prese il bambino e uscì a sedersi sulla veranda, al sole. Poi, alzando gli occhi verso il cielo, vide un aereo che eseguiva una serie di grandi cerchi della morte proprio sopra la sua testa. Non era difficile immaginare di chi si trattasse. Che bambinone! Ma la fece sorridere.

Anche suo padre uscì a osservare quell'esibizione spericolata, e sorrise alzando la faccia verso il cielo. «È un bell'apparecchietto», commentò.

«È il suo ultimo progetto», disse Kate prima di riuscire

a trattenersi, e Clarke abbassò la testa di scatto girandosi a fissarla.

«E tu come fai a saperlo?» Ma nel suo tono non c'era la sfumatura di accusa con cui aveva parlato la mamma, soltanto preoccupazione.

«Me l'ha detto ieri sera.»

Allora il padre si sedette vicino a lei e le fece una carezza su una mano.

«Mi dispiace che la vostra storia sia finita male, Kate. A volte succede.» Sapeva quanto lei avesse amato Joe e quanto avesse sofferto quando erano arrivati alla rottura. «In ogni caso, tua madre ha ragione. Sarebbe un grosso errore se tu ricominciassi con lui.» Improvvisamente si sentiva inquieto per lei. Aveva un'aria così triste la sua bambina.

«Non lo farò, papà.» Odiava l'idea di raccontargli un sacco di bugie, ma non aveva scelta. E sapeva benissimo che quello che stava facendo era sbagliato. Non aveva idea di quello che avrebbero fatto una volta che Andy fosse tornato a casa ma, se non altro, a quel giorno mancavano ancora due mesi; intanto lei e Joe avrebbero avuto il tempo di capire quale decisione prendere.

Joe continuava a volare in cerchio sopra la sua testa, facendo grandi volte e rollate, poi rimase di colpo in stallo e lei si sentì terrorizzata e si portò una mano alla bocca. Era convinta che sarebbe precipitato. Clarke la stava guardando negli occhi: era peggio di quanto avesse pensato. Cominciò a domandarsi se in fondo Elizabeth avesse ragione e ci fosse di nuovo qualcosa fra loro. Ma non voleva chiederlo a Kate. Ormai era una donna adulta, e quelli non erano affari suoi.

Il giorno dopo Kate rientrò a New York, e Joe le telefonò proprio nel momento in cui stava entrando in casa. Lo rimproverò per quello stallo che l'aveva spaventata a morte, e lui rise. Sapeva di non avere corso il minimo rischio. Come sempre.

«È più pericoloso attraversare la strada a New York, lo sai.» La sua preoccupazione lo divertiva. «Hai avuto problemi con i tuoi?» Pensava che l'avessero sottoposta a un interrogatorio dopo che lo avevano visto arrivare al barbecue, e non sbagliava.

«Solo mia madre. Secondo lei c'è qualcosa che bolle in pentola.»

«Ottima osservatrice», disse Joe ammirato. «E tu? Hai detto niente?»

«No, assolutamente. Sarebbero inorriditi. E credo di esserlo anch'io, quando ci rifletto a mente fredda.» Non aveva fatto che rifletterci per tutto il viaggio di ritorno, e a Joe il tono della sua voce non piacque. Kate si sentiva consumare dal senso di colpa. In tutto questo Andy era così innocente, non aveva idea di quello che stesse succedendo a casa sua. Eppure, in un certo senso Joe era convinto di avere una sorta di diritto di precedenza, perché conosceva Kate da un'infinità di tempo. D'altra parte, era stato Andy che l'aveva sposata e le aveva dato un figlio. Ma era Joe a possedere il suo cuore, com'era sempre stato.

«Non hai niente in contrario se torno da te stasera, Kate?» Aveva un tono così umile che le toccò il cuore. Per quanto colpevole si sentisse, non c'era modo di rispondergli di no.

Arrivò mezz'ora più tardi e, come al solito, finirono a letto. Il desiderio che provavano l'uno per l'altra travolgeva tutto e li lasciava senza fiato. Una settimana di separazione era sembrata troppo lunga a entrambi.

Settembre volò, e il Labor Day arrivò e passò in fretta. Joe dovette partire per la California, dove si sarebbe fermato qualche giorno; di lì sarebbe andato nel Nevada per un volo di collaudo. Propose a Kate di accompagnarlo, ma lei pensò che fosse meglio rinunciare. Se Andy le avesse telefonato, sarebbe stato impossibile giustificare la sua assenza. Fino a quel momento aveva chiamato solo un paio di volte, perché era quasi impossibile ottenere la comunicazione, ma le scriveva ogni giorno.

Kate e Joe ormai vivevano insieme da due mesi, e cominciavano a trovare quella situazione comoda e normale. Lui era talmente rilassato che una sera, quando la madre di Kate la chiamò, ci mancò poco che non andasse a rispondere. Lei gli strappò la cornetta di mano prima che facesse in tempo a dire qualcosa, e rimasero entrambi sconcertati quando si resero conto del pericolo che avevano corso.

Ogni fine settimana facevano lunghi voli, Kate lo accompagnava allo stabilimento, Joe chiedeva la sua opinione e lei gli dava dei consigli. In ufficio gli impiegati avevano cominciato a trattarla come se fosse sua moglie. Per quanto sembrasse incredibile, non avevano ancora incontrato nessuno che lei conoscesse nei ristoranti o al cinema, né quando camminavano per la strada. Tanta fortuna si poteva spiegare in parte con il fatto che molti suoi amici erano fuori città per le vacanze estive, ma anche dopo il Labor Day non erano capitati incontri fortuiti con persone che avrebbero potuto sospettare che fra lei e Joe ci fosse una relazione. Avevano trovato un ritmo di vita facile, che funzionava a meraviglia per entrambi.

Poi, verso la metà di ottobre, Kate crollò, quando Andy le telefonò per dirle che stava per tornare, ringraziandola per come si era comportata bene non lamentandosi della separazione, e ripetendole che le sue lettere erano magnifiche e che moriva dalla voglia di rivedere lei e Reed. Le fotografie che gli aveva mandato erano adorabili, continuò, sostenendo che il bambino le somigliava ancora più di prima, salvo per il colore dei capelli. Aggiunse che i processi ai quali aveva assistito in Germania erano stati davvero interessanti, ma ora lui era ansioso di tirare le somme e concludere il lavoro nelle due settimane che ancora mancavano al suo rientro negli Stati Uniti.

La sera in cui Andy telefonò, Kate e Joe andarono a sedersi in cucina e ci rimasero per ore a discutere.

«Che cosa facciamo?» gli domandò Kate disperata. Adesso che si vedeva costretta ad affrontare la realtà, capiva di non essere mai stata così tormentata in tutta la vita. Qualcuno sarebbe rimasto ferito, probabilmente tutti, compreso suo figlio. Ma c'erano scelte che andavano fatte, e nel giro di pochi giorni lei e Joe sarebbero dovuti arrivare a un compromesso o a una decisione.

«Voglio sposarti, Kate», disse lui calmo, a voce bassa. «Voglio che tu chieda il divorzio. Puoi andare a Reno e rimanerci un mese e mezzo, alla fine dell'anno potremmo essere marito e moglie.»

Era quello che lei aveva sempre desiderato, ma per ottenerlo doveva distruggere la vita di Andy. Era un colpo troppo crudele da infliggere a chiunque, e profondamente ingiusto nei suoi confronti, perché non aveva fatto niente per meritarselo. D'altra parte, non era colpa sua se era ricaduta prigioniera del fascino di Joe.

«Non so nemmeno che cosa dirgli», mormorò guardandolo e sentendosi profondamente nauseata da tutta la faccenda. I genitori di Andy ne sarebbero rimasti sconvolti, e anche i suoi. Ma per suo marito sarebbe stato peggio. Fra l'altro, non aveva il minimo sospetto di quello che stava per capitargli.

«Digli la verità», rispose Joe in tono pratico. Per lui era facile comportarsi da vincitore in quella storia. Doveva semplicemente tenersi in disparte e lasciare che fosse Kate a dare a Andy il colpo fatale. «Abbiamo forse un'altra scelta, Kate? Separarci di nuovo? È questo che vuoi?» Era l'unica alternativa che avessero, oltre a continuare quella relazione clandestina. Ma Kate sapeva che le pressioni di una situazione del genere e il continuo inganno nei confronti del marito l'avrebbero fatta impazzire, e Joe lo capiva ed era pienamente d'accordo. Voleva vivere con lei, anche stare con Reed e, se si fossero sposati, lo avrebbe fatto. «Mi dispiace per Andy», continuò Joe, «ma ha il diritto di saperlo.»

«Parli sul serio quando dici che ci sposeremo?» Kate continuava a ricordare le parole della madre. E lo conosceva bene: Joe amava la sua libertà. Ma amava anche lei, aveva quasi quarant'anni e si stava convincendo di essere finalmente pronto a impegnarsi davvero. Ma voleva esserne sicura, prima di chiedere il divorzio a Andy. Oltre al fatto che sarebbe rimasto sconvolto di fronte alla prospettiva di perderla, sapeva che l'idea di non poter più vivere con suo figlio gli avrebbe spezzato il cuore.

«Certo che parlo sul serio», esclamò Joe in tono enfatico. «È ora di farlo.» Per Kate sarebbe stato il momento giusto tre o quattro anni prima, forse anche cinque. Joe ci aveva messo un sacco di tempo ad arrivare dov'erano. E i genitori di lei sarebbero stati più contenti se si fossero sposati prima o durante la guerra. Ma, qualunque strada avessero imboccato per giungere dove si trovavano, lui adesso c'era, e voleva che Kate facesse in modo che potessero stare insieme. Era tutto nelle sue mani; Joe non poteva fare niente, se non assicurarle che voleva sposarla.

«Glielo dirò quando tornerà a casa», disse alla fine lei.

Kate trovò una baby-sitter e passarono un fine settimana in un accogliente alberghetto in una località isolata nel Connecticut. Joe c'era già stato, e nessuno si era interessato ai fatti suoi. Sembrava il rifugio perfetto. Spesso capitava che qualcuno lo riconoscesse, ovunque andassero, e se erano persone totalmente estranee, lui presentava Kate come sua moglie. Ma quando la padrona dell'alberghetto la chiamò adoperando il cognome di Joe, lei non fu pronta a rispondere come avrebbe dovuto.

Si rese conto che sarebbe stato strano rinunciare al cognome di Andy; ormai era più di un anno che continuava a sentirsi chiamare Kate Scott. E già quello le era riuscito difficile, dopo ventisei anni durante i quali aveva usato il cognome del padre. Adesso ne avrebbe avuto un altro ancora. Le pareva di girare vorticosamente su una giostra. Eppure stava per trovare il suo posto, quello dove per anni aveva desiderato essere.

La sera prima che Andy tornasse a casa Joe portò via tutte le sue cose ma rimase a passare la notte con lei. Il bambino stava mettendo i denti e non fece che piangere, Kate aveva i nervi a fior di pelle e, quando spuntò il giorno, anche Joe aveva l'aria tesa. Lei voleva soltanto affrontare la situazione e buttarsela dietro le spalle. Lo avrebbe detto al marito quella sera stessa, ed era convinta che sarebbe stata una scena straziante, piena di rimpianti e dolore.

Le sembrava di avere vissuto con Joe per quattro mesi in un mondo tutto loro, nell'isolamento più completo. Aveva cercato in ogni modo evitare tutte le persone che conosceva per mantenere il loro segreto, e non aveva più visto i pochi amici.

Fino a quel momento nessuno aveva intuito quello che stava succedendo; adesso, invece, nel giro di qualche settimana lo avrebbero saputo tutti. Dopo il marito, aveva intenzione di dirlo ai genitori, e sapeva che non sarebbe stato piacevole. Aveva già preparato il discorso battuta per battuta, nella sua testa e con Joe. Non avrebbe mai dovuto sposare Andy, non era stato corretto nei suoi confronti. D'altra parte, non si era mai aspettata che Joe tornasse nella sua vita. Se non l'avesse fatto, forse il suo matrimonio avrebbe funzionato. Non lo avrebbe mai saputo. E in ogni caso, in questo modo lei aveva avuto un figlio. Per quanto Joe fosse sicuro di desiderare Kate e il bambino, continuava a non essere convinto di volere avere altri figli, ma adesso a Kate bastava lui.

Il giorno dopo Joe uscì alle nove per andare in ufficio. A mezzogiorno Kate sarebbe andata a prendere Andy all'aeroporto. Aveva detto a Joe che gli avrebbe telefonato il più presto possibile, ma non sapeva se ci sarebbe riuscita quella sera stessa. Per una questione di rispetto nei confronti di suo marito, doveva vedere come andavano le cose. Comunque, promise a Joe che lo avrebbe chiamato non più tardi del giorno seguente.

Quella mattina prima che lui se ne andasse fecero all'amore. Joe la baciò un'ultima volta e mandò un bacio anche a Reed.

«Cerca di non tormentarti troppo, tesoro. So che farai del tuo meglio. In ogni caso, è preferibile farlo adesso, dopo un anno di matrimonio, che dopo cinque. Se dai un taglio netto al più presto gli farai un favore, potrà risposarsi ed essere felice.» Kate si sentì infastidita che lui vedesse la situazione da un punto di vista così pratico. Era sicura che a Andy non sarebbe sembrato altrettanto semplice.

Alle undici prese un taxi per andare a Idlewild. Portò Reed con sé e mise un vestito nero molto semplice e un cappellino dello stesso colore. Uscendo di casa si accorse di avere l'aria un po' funerea, ma era quella giusta. Per loro, almeno, quello non sarebbe stato un giorno felice.

Appena entrata nell'aeroporto controllò il tabellone degli arrivi e vide che il volo di Andy era in orario. Allora, tenendo il bambino stretto a sé, andò ad aspettarlo al cancello di uscita.

Lui fu uno dei primi passeggeri a scendere. Aveva l'aria stanca dopo il viaggio e quattro mesi di duro lavoro, ma appena vide la moglie e il figlio fece un gran sorriso e baciò Kate con tanto ardore da farle cadere il cappellino.

«Quanto mi sei mancata!» Poi le tolse il bambino dalle braccia, stupito da quanto fosse cresciuto. Ormai Reed aveva quasi otto mesi, e anche otto denti, e riusciva a reggersi in piedi da solo. Bastava solo dargli un piccolo aiuto. Ma quando Andy lo prese in braccio cominciò a dibattersi e a strillare, allungandosi verso la madre.

«Non mi riconosce», commentò Andy avvilito. Mentre uscivano dall'aeroporto mise un braccio intorno alla vita di Kate. Gli pareva di essere stato lontano anni. Non si accorse soltanto che il bambino non sapeva neanche più chi fosse, ma sentì anche che sua moglie era a disagio, e quando la guardò più attentamente, mentre tornavano a casa, gli sembrò che avesse un'aria strana. Diceva di essere felice di vederlo, ma a guardarla si sarebbe pensato che le era morto qualcuno. Gli domandò della Germania e dei processi, ma quando lui cercò di prenderle una mano, in taxi, la ritrasse con la scusa che doveva cercare qualcosa nella borsetta. Non voleva ingannarlo più di quanto avesse già fatto.

Arrivati a casa, Kate preparò il pranzo, poi mise Reed nella culla perché facesse un sonnellino. Non vedeva l'ora di affrontare quel discorso, non riusciva più ad aspettare. Non voleva recitare una farsa con il marito. Lui meritava molto più rispetto.

«Stai bene?» le domandò Andy dopo che lei ebbe sistemato il bambino. Sembrava più vecchia e più seria con quell'austero vestito nero addosso. Lui non capiva che cosa potesse essere successo durante la sua assenza, ma l'atmosfera in casa era incredibilmente tesa, e Kate continuava a evitare le sue mani, le sue le braccia, i suoi occhi.

«Possiamo sederci e parlare?» gli domandò mentre si trasferivano in salotto, e andò ad accomodarsi sul divano. Andy preferì una poltrona che le stava di fronte, e Kate si accorse che in quel momento, guardandolo, riusciva a pensare soltanto a Joe.

Questa era la cosa peggiore che avesse mai fatto nei confronti di qualcuno, e lo capiva. Quando aveva lasciato Joe, tre anni prima, la situazione era totalmente diversa, perché non stava per piantare in asso un uomo che la amava portando con sé il loro bambino. Ma non aveva scampo, dovevano affrontare la verità. Era stata stupida a sposarlo e a credere che il loro amore potesse crescere e maturare, anche se lo aveva fatto con le migliori intenzioni. Aveva provato un sincero attaccamento nei suoi confronti, e loro due avevano avuto moltissimi momenti felici. Ma tutto questo aveva perso completamente significato nell'istante in cui aveva rivisto Joe.

«Cos'è successo, Kate? Qualcosa non va?» chiese Andy pacato. Aveva l'aria stravolta, ma manteneva il controllo. Sembrava che in quei mesi fosse maturato. Aveva visto e sentito parlare di atrocità tali da fargli gelare il sangue nelle vene. Sarebbe stato impossibile non crescere, con tutta la responsabilità che gli avevano buttato sulle spalle. Ma adesso era tornato a casa per affrontare qualcosa di ancora peggiore. Glielo leggeva negli occhi.

«Andy, io ho commesso un errore terribile», cominciò lei. Per il bene di entrambi, voleva affrontare la situazione e superarla il più rapidamente possibile.

«Non credo sia necessario parlarne», intervenne Andy improvvisamente, e lei lo guardò sorpresa.

«Invece sì, dobbiamo parlarne», riprese. «Mentre tu eri via è successo qualcosa.» Aveva pensato di raccontargli subito che aveva incontrato Joe, e che da allora tutto era cambiato. Ma Andy alzò una mano per fermarla, come se potesse farle rimangiare le parole prima che le uscissero dalle labbra, e Kate gli lesse negli occhi un'espressione che non ci aveva mai visto prima, una sorta di forza, di dignità, di cui non lo avrebbe immaginato capace, al punto che fu lui a prendere in pugno la situazione.

«Qualunque cosa sia successa, non è necessario che io sappia di che si tratta. Anzi, non voglio saperlo. E tu non me lo racconterai. Non è importante. Quello che importa siamo noi, e nostro figlio. Non parlare, perché non ti ascolterò. Ci chiuderemo la porta alle spalle e andremo avanti.» Lei era così stupefatta che per un momento non riuscì a pronunciare una sola parola.

«Ma, Andy, non possiamo...» Le erano salite le lacrime agli occhi. Doveva ascoltarla: lei non voleva rimanere con lui, e Joe voleva sposarla. Dopo tutti questi anni, non intendeva certo perderlo. D'altra parte non avrebbe potuto divorziare senza il consenso del marito. Era chiaro che lui doveva essere riuscito a capirlo, o anche solo a intuire che il loro matrimonio era a rischio, e non aveva nessuna intenzione di farsi calpestare. Aveva già preso una decisione in merito, indipendentemente da quelli che potevano essere i sentimenti della moglie. Per quanto lo riguardava, l'argomento era chiuso.

«Sì, Kate, possiamo», ribatté lui in un tono che la spaventò. «E lo faremo. Qualunque cosa tu volessi dirmi, la terrai per te. Siamo sposati. Abbiamo un figlio. Ne avremo presto altri, mi auguro. E la nostra vita sarà felice. Ecco tutto quello che mi dirai. Sono stato chiaro? Probabilmente non sarei dovuto rimanere lontano per così tanto tempo, ma credo che il lavoro che abbiamo svolto in Germania sia stato importante, e sono felice di esserci stato anch'io. Ora tu tornerai a essere mia moglie, e ripartiremo di qui.» Lei rimase annientata dalla forza delle sue parole e dal lampo d'acciaio nei suoi occhi. Era così diverso dall'uomo che conosceva.

«Andy, per favore, non posso fare questo... non posso...» singhiozzò. Era innamorata di Joe, non di lui. Non si era mai sentita così presa in trappola. Andy non aveva nessuna intenzione di lasciarla andare, lo capiva, e tutto ciò che lei avrebbe potuto dire non aveva importanza. La sua unica scelta non sarebbe potuta essere che quella di scappare con Joe e vivere con lui. Non avrebbe nemmeno potuto portare Reed con sé, senza il divorzio e la custodia legale. Tanto valeva che Andy l'avesse chiusa nella cella di una prigione e avesse sbarrato la porta, e sapevano entrambi che lui aveva fatto proprio questo.

Kate non aveva neanche pensato a consultare un avvocato, aveva soltanto voluto dirlo a Andy prima di tutto il resto, ma sapeva che non avrebbe potuto divorziare senza validi motivi, e contro di lui non ne aveva. Si ritrovava con le mani legate, finché lui non fosse stato consenziente. «Devi ascoltarmi», lo supplicò, «non puoi volermi a queste condizioni.» Continuava a piangere, ma gli occhi di Andy erano duri.

«Siamo sposati, Kate. Fine della storia. Fra un po' ti sentirai meglio, e un giorno mi ringrazierai. Stavi per commettere un terribile errore, ma io non ho intenzione di permettere che ci succeda una cosa del genere. Non posso. E ora vado a fare una doccia e a riposarmi un po'. Avresti voglia di uscire a cena stasera?» Kate alzò su di lui due occhi spenti. No, non voleva andare in nessun posto con lui, non voleva essere sposata con lui. Adesso era la sua prigioniera, non sua moglie.

Non gli diede risposta, e lui non aspettò di sentirla: uscì dal salotto e passò in camera da letto. Quando entrò nella stanza da bagno e si chiuse dentro a chiave tremava dalla testa ai piedi, ma Kate non lo sapeva. Per la prima volta dal giorno in cui l'aveva conosciuto, si scoprì a odiarlo. Lei voleva stare con Joe, ma non poteva lasciare il figlio. Andy sapeva che in questo modo l'avrebbe avuta in mano. Kate non avrebbe mai abbandonato il bambino.

Quando lo sentì aprire l'acqua della doccia, Kate telefonò a Joe. Era in riunione, ma pregò Hazel di chiamarlo ugualmente, e dopo qualche istante sentì la sua voce.

«Cos'è successo? È stato molto brutto?» si informò preoccupato. Non aveva fatto che pensare a lei tutto il giorno, continuando a domandarsi come potevano essere andate le cose.

«Peggio di così... Non mi ha voluta ascoltare. Non mi concederà il divorzio, e se anche lo facesse, non potrei portare Reed con me.»

«Sta bluffando, Kate. Ha paura. Sii ferma.»

«Non hai capito. Non l'ho mai visto così. Dice che la questione è chiusa. Finita. Non mi ha nemmeno permesso di parlargliene.» A lei era sembrata la cosa più onesta da fare, ed era sicura che sarebbe riuscita a convincerlo. Invece Andy si era circondato da un muro di pietra.

«Allora prendi il bambino e vattene», ribatté Joe in tono severo. Kate si sentì in trappola, bloccata fra quei due uomini come un ostaggio. «Lui non può obbligarti a rimanere.»

«Può obbligarmi a tornare con Reed, se mi trascina in tribunale.» Era spaventata, e dal modo in cui il marito l'aveva guardata aveva i suoi buoni motivi per esserlo. Andy non aveva nessuna intenzione di perdere né lei né loro figlio.

«Non lo farà. Voi due potete stare con me.» Ma se Kate lo avesse fatto, lo scandalo sarebbe stato anche peggiore di quanto già fosse. Doveva persuadere Andy ad accordarsi con lei, a lasciarla libera, a ogni costo. Quello era l'unico mezzo per andarsene.

«Gli parlerò stasera», rispose Kate. Joe tornò alla sua riunione e lei concluse la telefonata proprio mentre Andy usciva dalla doccia. Cercò una baby-sitter e accettò di uscire a cena con lui ma l'atmosfera che si era creata fra loro risultò estremamente sgradevole. Andy adesso era gelido con lei, e le parlava con durezza. Voleva farle capire che era determinato a mettere in atto tutto ciò che aveva detto. Lei aveva sperato di convincerlo a cambiare idea, ma fu un tentativo inutile.

«Andy, ti prego, ascoltami... non posso fare questo. Tu non vuoi essere sposato con me in questo modo», lo supplicò. Ma d'un tratto capì che, se voleva convincerlo, quello era il momento sbagliato per raccontargli che c'era di mezzo Joe.

«Quando sono partito andava tutto bene, anzi, a meraviglia. Tornerà così. Fidati di me. Sei isterica, non sai quello che fai e io non ti permetterò di distruggere la nostra vita.» Era gelido e fermo, e Kate ebbe l'impressione che la tenesse stretta per la gola. Non riusciva quasi a parlare.

«Le cose sono cambiate. Sei stato via quattro mesi.» Si sentiva al culmine della disperazione mentre tentava di spiegarglielo, e nello stesso tempo provava l'assurda sensazione che lui sapesse che cosa era successo e con chi. Ma sembrava che non gliene importasse niente. Qualunque cosa Kate avesse fatto o detto, Andy non l'avrebbe lasciata. Non voleva sentire una parola su quell'argomento, e fu così che, rientrando a casa in taxi, rimasero chiusi nel silenzio più totale. Lei si sentiva svuotata, come se avesse perso le forze e non fosse più in grado di muoversi, di camminare o di parlargli.

Il giorno dopo chiamò una baby-sitter e andò a cercare Joe in ufficio. Era in preda al panico, e anche lui era visibilmente turbato. Ma lei aveva bisogno del suo appoggio, dei suoi consigli. Era come se Andy si fosse trasformato in una persona che lei non conosceva, irremovibile e invincibile. Seduta di fronte a Joe, Kate gli raccontò tutto fra le lacrime.

«Insomma, lui non può tenerti lì, Kate. Non sei una bambina, santo Dio! Fa' i bagagli e vattene.»

«E gli lascio mio figlio?»

«Puoi tornare a prenderlo in un secondo tempo. Trascina Andy in tribunale, perbacco! »

«E per dire che cosa? Che l'ho tradito? Non ho elementi validi per chiedere il divorzio, e lui dirà che io ho abbandonato il bambino, così non lo riavrò mai più con me. Diranno che sono una madre indegna perché ho avuto una relazione con te e ho lasciato Reed. Joe, non posso andarmene.» Non se Andy si opponeva.

«Quindi hai intenzione di rimanere sposata con lui?»

«Che altro posso fare?» I suoi occhi sembravano due pozze cupe colme di angoscia. «Non ho scelta, almeno per ora. Forse un giorno lui si arrenderà, ma per ora si rifiuta di essere ragionevole. Non vuole ascoltarmi.»

«Ma questa è pura follia.» Lei lo sapeva benissimo, ma Andy si era comportato con estrema scaltrezza, e stava lottando come una tigre per tenersela, che lei volesse stare con lui o no. Per questo, Kate doveva ammirarlo. Ma era Joe che amava. Lui si alzò dalla scrivania, le girò intorno e la abbracciò, mentre i suoi singhiozzi diventavano incontrollabili.

«Non avrei mai dovuto lasciarti tre anni fa», gridò lei. Adesso era in trappola, aveva perso la sua occasione di stare con Joe. D'altra parte, non era disposta a rinunciare a suo figlio, nemmeno per lui.

«Non ti avevo lasciato molta scelta. Sono stato un maledetto imbecille a permetterti di andartene, a dirti che per me non saresti mai stata importante come i miei aerei.» Ricordava ancora perfettamente il discorso che le aveva fatto. Ora capiva di avere sbagliato, ma sembrava ormai troppo tardi. «Vuoi che gli parli io, Kate? Potrebbe servire a fargli prendere un bello spavento. E se provassi a offrirgli dei soldi perché ti lasci libera?» Era un'idea decisamente infelice, ma Joe era disposto a fare qualsiasi cosa. Lei, però, scosse la testa.

«Non ha bisogno dei tuoi soldi, ne ha anche lui. E poi, questa non è una questione di denaro, ma d'amore.»

«Possedere una persona non significa amarla, Kate. E lui ha soltanto quello. In questo momento ti possiede perché c'è di mezzo vostro figlio. È l'unica presa che riesce ad avere su di te.» Ma era una presa decisiva. Proprio quel giorno Joe ne aveva avuto la conferma da un avvocato: se lei avesse lasciato il bambino avrebbe rischiato di perderlo, e se l'avesse condotto via con sé Andy avrebbe potuto costringerla a riportarlo indietro, a meno che non lo rapisse e scomparisse. Ma questo era impossibile, Kate non poteva certo nascondersi, se fosse diventata la moglie di Joe.

«Sono in trappola, non ho via d'uscita», gli disse al colmo dell'infelicità. Negli ultimi quattro mesi aveva provato un tale dispiacere e un tale senso di colpa nei confronti del marito, e adesso lui le toglieva inesorabilmente la vita. Aveva in mano il suo futuro e quello di Joe, e lo stava riducendo in cenere.

«Prova ad aspettare un po'. Non potrai andare avanti in questo modo in eterno. Sei troppo giovane, e anche lui. Un giorno si arrenderà. È impossibile che non voglia qualcosa di più di questo nella vita.» Ma Andy stava lottando per la sua famiglia, e non si sarebbe arreso.

Prima che Kate lo lasciasse per tornare a casa, Joe la baciò. E quando Andy rientrò dall'ufficio, quella sera, cercò di parlargli di nuovo, ma inutilmente. Questa volta lui perse le staffe e scaraventò un vassoio di porcellana contro il muro. Era un dono di nozze di un'amica di Kate, e finì in briciole. Lei scoppiò in lacrime: si era aspettata che Andy fosse offeso e addolorato, ma ragionevole, non certo che si comportasse così.

«Perché mi stai facendo questo?» singhiozzò mentre lui si rimetteva a sedere di fronte a lei con la disperazione nello sguardo.

«Per proteggere la nostra famiglia, visto che tu ti rifiuti di farlo», le rispose stravolto. «Fra qualche anno me ne sarai grata.» Intanto, però, stavano vivendo momenti da incubo.

Quello che Kate non sapeva era che Andy aveva intuito immediatamente che si trattava di Joe, perché gliel'aveva letto in faccia. Ricordava fin troppo bene i giorni in cui studiavano al college, quando Kate era profondamente innamorata di lui e aspettava le sue lettere. Era la stessa espressione che aveva visto nei suoi occhi quando lei gli aveva detto che Joe non era morto e aveva dato un taglio al loro rapporto. La conosceva troppo bene: c'era un solo uomo al mondo capace di farla amare in quel modo, e lui non poteva non accorgersene, quindi sapeva esattamente chi fosse rientrato nella sua vita, senza bisogno di sentirselo spiegare.

Ne era così sicuro che non si prese nemmeno la briga di telefonare a Joe; il giorno dopo che Kate era andata da lui a riferirgli quello che era successo con il marito, Andy si presentò di punto in bianco nel suo ufficio. Entrò nel palazzo e chiese alla segretaria di annunciarlo. Lei rimase un po' sconcertata quando, dopo essersi informata se aveva un appuntamento, si sentì rispondere che non l'aveva, ma lui le assicurò che Joe l'avrebbe sicuramente ricevuto, poi si sedette ad aspettare.

Aveva ragione. Meno di due minuti più tardi la donna lo accompagnò in un ufficio impressionante, pieno di oggetti d'arte, tesori, ricordi e trofei che Joe aveva raccolto fin da quando aveva cominciato ad avere successo. Joe non si alzò per salutarlo e rimase seduto dietro la sua scrivania, scrutandolo come un animale braccato. Si erano incontrati solo una volta, anni prima, ma ciascuno dei due sapeva chi fosse l'altro, e il motivo per cui Andy era lì.

«Salve, Joe», esordì Andy calmo. Il suo comportamento

freddo era un rischio ben calcolato, la migliore mano di poker che avesse mai giocato in vita sua. Joe era più alto, più vecchio, più intelligente, aveva ottenuto un maggiore successo, e Kate era stata innamorata di lui per gran parte della sua vita adulta. Sarebbe stato un avversario temibile per qualsiasi uomo, ma Andy sapeva di avere le carte vincenti e, una volta tanto, Joe non le aveva. Andy aveva Kate e il loro bambino.

«Questa è una mossa interessante», disse Joe con un lento sorriso. Nessuno dei due stava rivelando quello che provava. Erano entrambi furiosi, entrambi si sentivano maltrattati e sapevano di essersi creati reciprocamente imbarazzi e difficoltà. Ognuno sarebbe stato felice di ammazzare l'altro. Poi Joe gli indicò una poltrona con un ampio gesto della mano. «Posso offrirti qualcosa da bere?» Andy esitò per una frazione di secondo, poi chiese uno scotch. Gli capitava raramente di bere prima dell'ora di cena, ma in questo caso gli sarebbe potuto tornare utile per mantenere i nervi saldi. Joe lo versò personalmente, aggiunse qualche cubetto di ghiaccio nel bicchiere e lo porse a Andy prima di riprendere il suo posto. «È necessario che ti domandi il motivo che ti conduce qui?»

«Presumo di no. Lo sappiamo tutti e due. Non è stata una mossa molto elegante da parte tua, potrei aggiungere», rispose Andy coraggiosamente, cercando di dare l'impressione di non sentirsi un ragazzino. In altre circostanze gli sarebbe piaciuto guardarsi un po' in giro; il panorama era straordinario, si vedeva tutta New York, con i due fiumi e Central Park. «Lei è sposata adesso. Abbiamo un bambino. E questa volta rimane dov'è.»

«Non la conquisterai mai in questo modo. Non puoi forzare una donna ad amarti se la tieni in ostaggio. Perché non la incateni al muro? È meno raffinato come metodo, però funziona altrettanto bene.» Joe non aveva paura di lui, non lo odiava nemmeno. Sapeva di non avere niente da temere. Avrebbe potuto vendere e comprare Andy almeno mille volte, e per lui questo significava moltissimo. Era un aspetto che una volta non si sarebbe neanche sognato di prendere in considerazione, ma quei tempi erano passati. Joe era un uomo molto importante, e Kate era sua, che Andy avesse in mano la chiave della prigione in cui la teneva o no. Lui non aveva mai posseduto il suo cuore, agli occhi di Joe non ne aveva mai avuto neanche la più piccola parte. Kate aveva provato compassione per lui, ne aveva avuto pietà, e non l'aveva mai amato come amava lui. Non aveva mai diviso con il marito quello che aveva diviso con Joe, né l'avrebbe mai fatto in futuro.

Così, guardandolo, gli fece pena. «Perché siamo qui, Andy? Veniamo al punto. Che cosa vuoi?» Continuava a non credere che alla fine lui si sarebbe rifiutato di lasciarla libera, ed era persuaso che con determinate pressioni da parte sua e di Kate avrebbe ceduto. Non immaginava che quell'uomo potesse essere un lottatore spietato e senza scrupoli. Andy non aveva alcuna intenzione di perdere, costasse quel che costasse.

«Voglio che tu capisca chi è lei e che cosa stai rincorrendo con tanta passione. Non credo che tu sappia chi è la persona di cui sei così infatuato.» Joe si sentì divertito da quelle parole e sorrise, mentre Andy beveva un sorso di scotch.

«Credi che non la conosca, dopo dieci anni? Non voglio scioccarti, ma sono certo che Kate ti abbia detto che abbiamo convissuto per due anni.»

«In effetti me l'ha detto, anche se è un po' indelicato da parte tua metterla in questo modo. Credo che in quel periodo lei vivesse in un albergo.»

«Se è quello che ha detto», ribatté Joe con indifferenza.

Ma Kate aveva detto la verità al marito, solo che a lui non piaceva sentirsela ripetere da Joe.

«E quali sono state le tue conclusioni dopo avere 'convissuto' con lei? A quanto pare non eri per niente ansioso di sposarla. Perché adesso sì?»

«Perché ero un imbecille, e lo sappiamo tutti e tre. Stavo mettendo in piedi la mia azienda, avevo un mucchio di cose per la testa, non mi sentivo pronto ad accollarmi l'impegno di una moglie. Quello è successo tre anni fa. Allora non avevo tempo per lei, ma ora ce l'ho.»

«È stata proprio l'unica ragione per la quale non l'hai sposata? Oppure c'erano in lei certe cose che ti lasciavano perplesso? Non era troppo esigente, non aveva troppo bisogno di averti vicino, non ti sentivi preso in trappola? Non avevi voglia di dartela a gambe?» Quando avevano ricominciato a frequentarsi Kate gli aveva raccontato tutto questo, ma Joe non lo sapeva. Non era la Kate del passato che voleva, ma quella che era diventata, quella che aveva capito che cosa non aveva funzionato. «È sempre la stessa donna, Joe. Cade in preda al panico ogni volta che esco di casa, mi telefona ovunque io vada. Se esco a pranzo mi fa cercare dalla segretaria. Quando era incinta, c'è mancato poco che non mi facesse impazzire. Dovevo tornare a casa a farmi vedere anche nel bel mezzo della giornata di lavoro. È questo che vuoi? È questo il genere di tempo che hai a disposizione? Devi essere davvero un uomo di grande successo, se riesci veramente a trovarlo. Dovrai stare con lei giorno e notte. E come farai a portartela dietro quando viaggerai? Lei non vuole lasciare Reed, vuole altri bambini e riuscirà ad averli servendosi di tutte le astuzie possibili. La conosco, ha fatto così con me per avere Reed. Io non ci ho badato, per me non aveva importanza. Ma per te ne ha.» Erano tutte bugie, ma da molto tempo Kate gli aveva descritto accuratamente le paure di Joe, e adesso Andy le stava risvegliando a una a una. E stava vincendo, poteva leggerlo negli occhi dell'altro. Sentiva l'aria trasudare del suo terrore.

«Lei non è innamorata di te», ribatté Joe con fermezza. «Sarà diversa quando starà con me.» Ma non ne sembrava così sicuro.

«Davvero?» domandò Andy mentre finiva lo scotch. «Quanto è stata diversa nel New Jersey?» Sapeva tutto dei litigi e delle discussioni che li avevano portati a lasciarsi, del panico di Kate nel sentirsi abbandonata, dell'ansia di lui al pensiero di essere intrappolato, e adesso se ne serviva. Per una buona causa, o così almeno credeva.

«Quello è successo tre anni fa. A quel tempo era una bambina», ma Joe non dava l'impressione di esserne convinto. Non l'avrebbe mai confessato, però cominciava a domandarsi se Andy avesse ragione. Gli pareva di sentire un brivido di paura che gli scendeva giù lungo la spina dorsale. Ascoltando la descrizione che Andy faceva della moglie si ritrovava di fronte a un quadro che rappresentava tutto quanto non voleva, indipendentemente da quanto amasse Kate.

«È ancora una bambina», replicò Andy soddisfatto di sé. Moriva dalla voglia di un altro scotch, ma non si sarebbe mai azzardato a chiederlo. Quello che aveva bevuto era servito a dargli coraggio, ma non intendeva calcare troppo la mano e perdere il vantaggio ottenuto. Leggeva la preoccupazione negli occhi di Joe. I suoi demoni stavano riaffiorando. «Lei sarà sempre una bambina. Sai quello che le è successo quando era piccola, e lo so anch'io.»

Per una volta Joe non riuscì a nascondere la propria sorpresa. Fra i due, era il miglior combattente, ma a questo punto Andy lo aveva messo alle corde. Era il piccoletto furbo che stava per mettere KO il campione, e gli pareva già di assaporare la vittoria. Non gliene importava niente di quello che doveva fare per tenersi Kate, non l'avrebbe lasciata andare per nessuna ragione.

Non solo, ma sapeva che se avesse giocato bene le sue carte Joe non le avrebbe mai nemmeno detto che lui era stato lì. Era il delitto perfetto, e l'unico modo per non perderla: doveva far provare al rivale una gran voglia di squagliarsela.

«Ti ha raccontato di suo padre?» gli domandò Joe. Nella sua voce vibrava una vena di rammarico. In dieci anni lei non glielo aveva mai confessato, lo sapeva solo perché gliel'aveva detto Clarke, quel giorno a Cape Cod. Ancora una volta Andy non ebbe un attimo di esitazione nel mentire. Kate non lo aveva rivelato nemmeno a lui, che ne era stato informato da suo padre poco prima che si sposassero.

«Me l'ha detto quando eravamo al college. L'ho sempre saputo. Eravamo buoni amici.» Joe annuì e tacque. «Ti rendi conto di che cosa dev'essere stato per lei? Com'è terrorizzata all'idea di perdere le persone che ama? Non ce la farebbe, non riuscirebbe a vivere neanche un giorno da sola. È la donna meno indipendente che io abbia mai incontrato, e lo sai anche tu. Ti rendi conto che mentre ero in Europa mi scriveva due volte al giorno?» Anche quella era una bugia. Kate gli aveva scritto frettolose letterine nelle quali accennava quasi soltanto al loro bambino. Era stato a quel punto che Andy aveva cominciato a sospettare che qualcosa non andasse per il verso giusto, ma era impotente, essendo costretto a rimanere in Germania. Aveva dovuto aspettare fino al suo ritorno. «Hai una vaga idea di quanto disperatamente insicura, spaventata, priva di equilibrio psichico sia? Suppongo che non ti abbia mai confessato di avere tentato il suicidio dopo che ti ha lasciato.» Appena pronunciate queste parole, Andy capì di avere fatto centro. Quando si erano ritrovati, Kate gli aveva spiegato che Joe, a causa della sua triste infanzia, era consumato dal senso di colpa, e quanto tutta quella situazione fosse stata dolorosa per lui. Adesso, di fronte a quello che aveva appena sentito, Joe sembrava in ginocchio.

«Lei... *che cosa*?» Era sbalordito.

«Non penso che te l'abbia raccontato. È stato a Natale, credo. Non avevamo ancora ricominciato a frequentarci. È rimasta in ospedale per molto tempo.» Andy era la sfacciataggine fatta persona. Ma era un uomo disperato, ed era convinto che se fosse riuscito a staccare definitivamente Kate da quell'uomo, lei sarebbe stata sua per il resto della vita. Però non conosceva sua moglie: l'unico modo per strapparle Joe sarebbe stato ucciderla, o uccidere lui.

«Non posso crederci.» Joe era allibito, e Andy aveva assunto un'aria triste. «Una casa di cura per malati di mente?» Andy si limitò ad annuire, come se non riuscisse a parlare tanto era il dispiacere che provava. Ma la freccia avvelenata che aveva scoccato aveva compiuto la sua opera, ormai il veleno si stava diffondendo nelle vene di Joe. Il solo pensiero che lei avesse potuto tentare il suicidio per colpa sua era più di quanto potesse sopportare, lo riempiva di terrore al punto da farlo sentire non solo il bambino cattivo che era sempre stato accusato di essere, ma un uomo adulto veramente malvagio. E una parte di lui fragile e nascosta non gli avrebbe permesso di correre ancora quel rischio, proprio come Andy aveva sperato.

«Cos'hai intenzione di fare riguardo alla questione degli altri figli che lei vuole? Ieri mi ha detto che ne desidera altri due.» Andy continuava a girare il coltello nella piaga, a infliggere un colpo letale dopo l'altro.

«Ieri?» Joe era sconvolto. «Credo che tu abbia frainteso. Su quello sono stato molto chiaro.»

«Anche Kate. Somiglia moltissimo a sua madre, ma in un modo più elegante, più sottile.» Andy sapeva anche, sempre da Kate, quanto Joe avesse detestato Elizabeth. «E non abbiamo ancora parlato della questione che per me conta di più, mio figlio. Sei preparato davvero a crescerlo, a giocare a baseball con lui, a stare alzato di notte per tenergli compagnia quando si sentirà male o avrà un incubo? Chissà perché, non ti ci vedo a farlo.» Andy lasciò che tutto questo fosse assimilato a poco a poco. Joe, adesso, era visibilmente turbato. Con Kate non avevano discusso niente di tutto questo, lei gli aveva detto che si sarebbe accontentata di un solo figlio e avrebbe assunto una bambinaia, in modo da poterlo seguire ogni tanto nei suoi spostamenti. Ma Andy gli stava dipingendo un quadro molto più vivido e accurato di quanto Kate avesse mai fatto, soprattutto per quanto riguardava lei stessa. Venire a sapere che aveva tentato il suicidio a causa sua lo faceva quasi impazzire. Era un senso di colpa acutissimo, e per lui altamente tossico. «Dunque, qual è la situazione, Joe? Io non voglio perdere mia moglie, né la madre di mio figlio. Non voglio che lei si senta abbandonata quando tu partirai e magari cerchi di nuovo di commettere una sciocchezza. È molto fragile, ben più di quanto sembri. È qualcosa che appartiene alla sua famiglia; dopo tutto, il padre si è suicidato, e un giorno o l'altro lei potrebbe facilmente imitarlo.»

Era uno scherzo crudele quello che stava giocando alla moglie, che non aveva la minima idea di quello che Andy stesse facendo a lei e a Joe. Stava toccando tutte le peggiori paure del rivale come se suonasse i tasti di un pianoforte, e Joe era tanto ansioso da non riuscire quasi a parlare. Voleva solo scappare, e continuava a ricordare Clarke mentre descriveva la figlia come un uccellino con un'ala spezzata. Non poteva nemmeno immaginare che Kate non aveva mai preso in considerazione l'idea di uccidersi; per quanto disperata e infelice fosse stata per lui, era l'ultima cosa al mondo che le sarebbe passata per la testa. Andy, con le sue abili manovre, aveva ottenuto quello che voleva. Per quanto la amasse, Joe ricominciava a rendersi conto di non sentirsi in grado di accollarsi la responsabilità di sposarla. Lo aveva già pensato in precedenza e Andy, con pochi, abili, tocchi, lo aveva convinto che non si era sbagliato.

«Bene, allora?» domandò Andy in tono innocente, come se parlasse da uomo a uomo. Invece quello che aveva appena fatto non era degno di un uomo, era qualcosa che Joe non avrebbe mai fatto, né a Kate né a chiunque altro. Ma le sue paure ormai galoppavano al punto che non riusciva a capire il gioco dell'altro. Era stata una manovra dettata dalla disperazione, e lui l'aveva presa per oro colato. Adesso, seduto dietro la scrivania, provava una gran voglia di piangere.

«Credo che tu abbia ragione. Credo che, per quanto io possa impegnarmi sul serio, il mio stile di vita, strettamente legato al lavoro che faccio, le provocherebbero un danno irreparabile. Se si uccidesse mentre io sono lontano...» Gli bastava pensarci per sentirsi sopraffatto dall'angoscia.

«Secondo me sarebbe possibile», rispose Andy con aria meditabonda, come se volesse soppesare anche quella possibilità, mentre frugava con lo sguardo negli occhi di Joe. E tutto quello che ci lesse fu la paura.

«Non posso farle una cosa simile. Tu, se non altro, puoi tenerla sempre sotto controllo. Ma non hai avuto paura di lasciarla quando sei andato in Europa per quattro mesi?» gli domandò Joe, e per un momento sembrò perplesso. Tuttavia Andy si affrettò a dargli le spiegazioni del caso.

«I miei genitori avevano promesso di sorvegliarla, e anche i suoi, naturalmente. E poi, va dal suo psichiatra due volte la settimana.»

«Psichiatra?» Joe sembrava di nuovo sconvolto. «Kate vede uno psichiatra?»

Andy annuì. «Deduco che non ti abbia raccontato nemmeno quello. È uno di quei tenebrosi segreti che tiene ben nascosti.»

«Sembra che ne abbia molti.» Ma poteva capirne il motivo. Ai suoi occhi non era qualcosa di cui essere fieri, come non lo era il suicidio del padre. Ed era proprio stata tanta segretezza riguardo a quest'ultimo fatto a offrire a Andy lo scenario che facesse da sfondo a ciò che aveva deciso di raccontare a Joe. Kate non aveva mai visto uno psichiatra in vita sua, come lui sapeva benissimo, né tanto meno aveva tentato il suicidio, né lo assillava e gli toglieva il fiato per sapere dove fosse e dove andasse quando non era in ufficio, e men che mai lui era andato a casa a vedere come lei stesse nel bel mezzo della giornata di lavoro. «Non so che cosa dirti», mormorò Joe con aria disperata. Amava Kate, e Kate amava lui, ma adesso era convinto che tentare di dividere la vita con lei sarebbe stato molto probabilmente come volerla distruggere, ed era un rischio che non si sentiva di correre.

Joe voleva soltanto che Andy uscisse dal suo ufficio per rimanere solo. Non si era mai sentito tanto infelice, nemmeno quando Kate l'aveva lasciato. Questo era molto, molto peggio. Era stato davvero sicuro che l'avrebbe sposata e che con il tempo Andy si sarebbe rassegnato a farsi da parte. Ora, però, pensava che per lei fosse meglio rimanere con il marito: era meno rischioso per Kate, ed era la soluzione migliore per il bambino. Tutto sommato, non c'era scelta.

Così, per far capire al rivale che la battaglia era finita, si alzò e gli strinse la mano con aria accigliata.

«Grazie di essere venuto», gli disse in tono avvilito, «ma penso che tu abbia fatto la cosa giusta per Kate.»

«Come l'hai fatta tu», ribatté Andy mentre Joe lo accompagnava alla porta. Appena la porta si fu richiusa, Joe tornò a sedersi alla scrivania e rimase a fissare il panorama dalla finestra. Riusciva a pensare soltanto a Kate, mentre le lacrime gli scendevano sulle guance. L'aveva perduta di nuovo.

Kate non seppe mai quello che era successo quel giorno fra i due uomini, non seppe mai neanche che si erano incontrati. Quel pomeriggio Andy tornò a casa e non le disse niente, ma aveva un'aria così trionfante che lei si sentì male. Il suo carceriere, quello che un tempo era stato suo marito, era molto soddisfatto di sé. E lei lo odiò ancora di più. Anche la minima traccia d'amore era scomparsa fra loro e, per quanto la riguardava, il loro rapporto era finito per sempre.

Due giorni dopo Joe la invitò fuori a pranzo. Si incontrarono in un piccolo ristorante dov'erano già stati, ma nessuno dei due toccò cibo. Lui si limitò a dirle che aveva riflettuto sulla loro situazione e capiva di non poterla costringere a forza a dare un taglio netto al suo matrimonio, con il rischio di perdere il figlio. Kate vide il senso di colpa nei suoi occhi. Joe soffriva atrocemente, molto di più di quello che lei immaginasse. Fu un pranzo terribile, straziante per entrambi, e lei, tornando a casa in taxi, non fece che piangere. Joe le aveva detto che dovevano dimenticarsi; la sofferenza che provavano doveva finire. E non aveva voluto aggiungere altro, per non rischiare di spingerla di nuovo al suicidio.

Tornata a casa, Kate si buttò sul letto e continuò a singhiozzare disperata. Sapeva che non avrebbe mai più rivisto Joe. Provava un gran desiderio di morire, ma non al punto da darsi la morte con le proprie mani.

Joe fece la cosa che sapeva fare meglio: scappò. Quella sera stessa partì per la California, e quando Andy vide la moglie si rese conto che il dado era tratto. Aveva avuto la meglio lui, per quanto alto potesse essere il prezzo di quella vittoria.

18

PER mesi l'atmosfera fra Andy e Kate rimase tesa. Non si parlavano quasi, lei era visibilmente depressa e dimagrita in modo impressionante. Dal giorno in cui suo marito era tornato dall'Europa non avevano più fatto all'amore. Lei gli stava il più possibile alla larga. Di tanto in tanto parlava con Joe ma, come lui sapeva che sarebbe successo, il tempo e lo spazio cominciavano a separarli, nonostante ciò che ancora provavano l'uno per l'altra. Andy aveva attuato brillantemente il suo piano, ma capiva che, per quanto a lungo volesse tenerla prigioniera, non avrebbe mai cambiato quello che aveva nel cuore. L'aveva persa per sempre nel stesso momento in cui l'aveva costretta a rimanere con lui, ricattandola con la paura di perdere il figlio. Così, Kate non provava più nemmeno un po' di simpatia per lui. Lo odiava, e l'avrebbe odiato ancora di più se avesse saputo quello che aveva detto a Joe.

Le cose migliorarono un po' a marzo, dopo il primo compleanno di Reed, quando Andy era ormai tornato da cinque mesi.

I genitori di Kate avevano discusso la situazione, ma questa volta nessuno dei due si era azzardato a chiedere spiegazioni su quello che stava succedendo. Di qualunque cosa si fosse trattato, Kate ne stava pagando uno scotto pesantissimo.

D'estate andarono a Cape Cod come sempre, ma dormirono in stanze separate. Andy poteva costringere Kate a rimanere con lui, ma non a fare all'amore. La loro vita era diventata un incubo, il loro matrimonio un guscio vuoto. E lei sembrava un fantasma che si aggirasse per la casa.

Quell'anno evitò perfino di andare al barbecue dai vicini e Clarke, quando tornò dalla serata commentò che questa volta Joe Allbright non si era fatto vedere. Andy si voltò a guardare Kate, e l'occhiata di odio che si lanciarono fu tale che Clarke rimase allibito. Quando la coppia ripartì, anche lui, come Elizabeth, rimase angosciato per quello che aveva visto.

Reed aveva cominciato a camminare, e quando rientrarono a New York Kate telefonò a Joe, come faceva di tanto in tanto, più che altro per sapere come stava. Hazel le disse che era in California per una serie di nuovi collaudi aeronautici, e lei la pregò di salutarglielo affettuosamente quando lo avesse sentito. Ormai da lui riceveva solo una cartolina di tanto in tanto. Da molto tempo non si parlavano.

Mancava poco alla festa del Ringraziamento quando Andy, una sera, le parlò. «Esiste una vaga possibilità che si possa almeno tornare amici? Mi mancano le nostre chiacchierate, Kate.» Era stata una vittoria inutile, la sua. «Perché non cerchiamo almeno di essere amici?» Ma mentre diceva quelle parole lesse negli occhi di Kate che non esisteva la minima speranza. Era come se lei se ne fosse andata per sempre. Lui era stato suo nemico troppo a lungo.

«Non lo so», gli rispose onestamente. In quell'ultimo anno si era accorta di non provare più niente per lui. L'unico uomo al quale volesse ancora bene era Joe, ma ormai lo considerava uscito dalla sua vita e tornato alla propria, e all'altro suo amore. Gli aerei erano di nuovo la sua unica passione, com'erano sempre stati. Solo per pochissimo tempo lui aveva creduto di poterli avere entrambi. E adesso che Kate non c'era più, il lavoro era ridiventato tutto per lui. Non aveva un'altra donna.

Per le vacanze di Natale andarono dai genitori di Andy, e fu subito dopo, soprattutto per il gran senso di solitudine che provava, che Kate ricominciò a rivolgere la parola al marito. Ma nient'altro. Da diciotto mesi non dormiva con lui, si era trasferita con Reed nella seconda camera da letto. A Capodanno si trovarono con alcuni amici e ballarono anche insieme. Kate bevve una quantità esagerata di champagne, e quella sera Andy la sentì perfino ridere. Era talmente ubriaca che mentre tornavano a casa flirtò con lui. Fu l'occasione più divertente passata con lei da un anno e mezzo a quella parte, e gli ricordò i vecchi tempi. Quando rientrarono la aiutò a togliersi la pelliccia, e la spallina dell'abito le scivolò giù, rivelando parti di lei che da moltissimo tempo Andy non vedeva più. Aveva bevuto parecchio anche lui, e d'un tratto si ritrovò a baciarla e ad accarezzarla, e si meravigliò accorgendosi che non lo respingeva.

«Kate...» Non voleva approfittare di lei in quelle condizioni, ma la tentazione era troppo forte, per entrambi. In fondo erano sposati, anche se conducevano una vita monacale. Lei aveva ventotto anni, Andy ne aveva appena compiuti trenta, e avevano trascorso uno degli anni più solitari della loro esistenza.

Lo seguì nella camera da letto che non dividevano più.

«Vuoi dormire con me stanotte, Kate?» le propose Andy incerto, e lei si tolse il vestito e scivolò sotto le coperte senza una parola. Andy non aveva illusioni che lo amasse. Erano due naufraghi in un mare tempestoso e tentavano di aggrapparsi a tutto per resistere. Anche l'uno all'altra, se il resto non serviva.

Dopo, lei non riuscì quasi a ricordare di avere fatto all'amore. Durante la notte si svegliò, si ritrovò nel letto matrimoniale e subito tornò nel proprio. Quando Andy aprì gli occhi, la mattina del 1° gennaio, non la trovò al suo fianco.

Per tutta la giornata entrambi ebbero un terribile mal di testa e parlarono poco. Kate era profondamente turbata per quello che era successo. Quattordici mesi prima aveva giurato a se stessa che non avrebbe mai più dormito con lui. E fino a quel momento, non lo aveva fatto. Ma si sentiva così sola, e lo champagne aveva scatenato un torrente di desiderio che per troppo tempo era rimasto insoddisfatto.

Non menzionarono più quell'episodio e tornarono alle loro solitudini separate. Fu soltanto alla fine di gennaio che lei gli diede la notizia. Quando l'aveva scoperto Kate si era sentita morire: era nato un altro legame che la univa a Andy, ma ormai da molto tempo aveva rinunciato alla speranza di uscire da quella situazione. Suo marito era stato assolutamente chiaro: lui la possedeva per il resto dell'esistenza. E adesso lei stava aspettando un altro bambino.

Andy si augurò che questo li riavvicinasse, invece il distacco fra loro si fece ancora più grande. Kate stava sempre male; alla fine si mise a letto e ci rimase gran parte del tempo. Continuò così per tutta la primavera; si alzava solo qualche ora nel pomeriggio per portare Reed al parco. Quel malessere era un altro modo di chiudere fuori Andy dalla propria vita.

La sera cenavano in silenzio, e l'unico suono nell'appartamento era il chiacchierio di Reed. Andy e Kate si parlavano solo di rado. Poi, a giugno, Kate lesse sul giornale che Joe si era fidanzato. Gli telefonò per fargli le congratulazioni e venne a sapere che era a Parigi. Non la chiamava più da tempo. A ventinove anni, lei aveva la sensazione che la sua vita fosse finita. Era sposata con un uomo per il quale non provava niente, stava per avere un bambino che non voleva e aveva perso l'unico vero amore che avesse mai avuto. Il bambino doveva nascere a settembre, ma a Kate sembrava che anche questo non avesse importanza. Le sue uniche gioie erano il figlio e i ricordi di Joe.

Fu Andy che, alla fine, andò da lei poco prima che nascesse il loro secondogenito. Era sera tardi e Kate, già a letto, stava leggendo. Reed dormiva sodo nel lettino vicino al suo. A marzo aveva compiuto due anni ed era dolce e affettuoso. Quando Andy entrò nella sua camera, lei alzò gli occhi.

«Come ti senti?» le domandò, sedendosi accanto a lei. In otto mesi non erano mai stati più vicini di così. Era difficile accettare il fatto che le cose continuassero ad andare in quel modo fra loro. L'unico periodo buono che avessero avuto era stato il primo anno di matrimonio, quando Andy non era ancora partito per la Germania.

«Enorme», e gli sorrise. Parlare con lui era come parlare con un amico lontano, qualcuno che si era conosciuto anni prima e non si vedeva da secoli.

«Pensavo che ti avrebbe fatto piacere saperlo. Appena nascerà il bambino me ne andrò di casa.» Aveva preso quella decisione già da qualche settimana e quel pomeriggio aveva affittato un appartamento. Non se la sentiva più di vivere così. Tutto ciò che avevano diviso e sognato insieme ormai era morto, e lui aveva capito di non poterla più tenere come un uccello in gabbia. Il suo spirito era fuggito già da molto tempo. Kate non era mai stata sua, ecco perché non aveva mai potuto perderla. Era sempre stata di Joe.

«Perché te ne vai?» disse lei piano, posando il libro.

«Perché rimanere? Avevi ragione tu. È stato un errore. Mi dispiace di averti messo incinta la notte di Capodanno. Questo complica le cose per te.»

«Credo che sia stato il destino. Sempre la stessa parola.» Era quello che faceva andare e venire le persone, o rimanere, o desiderare di poter rimanere, e non prendere le decisioni giuste quando occorreva. Il destino. «Il fratellino sarà un bene per Reed», aggiunse Kate. «Dove hai intenzione di andare?» Era come domandarlo a un compagno di viaggio su un treno, non a un uomo che una volta aveva amato, ammesso che lo avesse amato. Probabilmente, no. Ma avevano pagato entrambi un prezzo altissimo per la scelta che avevano fatto.

«Avrei dovuto darti retta due anni fa», ammise Andy. Lei annuì e tacque.

I due anni che il marito aveva impiegato ad arrendersi le erano costati Joe. Si chiese se fosse già sposato; i giornali non ne parlavano. In ogni caso, per loro era troppo tardi. Sicuramente per lei, ne era convinta. Andy aveva sprecato la sua vita e distrutto i suoi sogni, che ora appartenevano alla donna che stava per sposare Joe. Kate non ne aveva più.

«Probabilmente hai avuto ragione a voler almeno fare un tentativo», rispose, cercando di essere giusta. Ma a suo tempo era troppo innamorata di Joe per prendere in considerazione quella possibilità.

«Torna da lui, Kate», le mormorò Andy, e adesso le parve, guardandolo negli occhi, che fosse nuovamente l'amico di una volta. «Non ho mai capito quello che c'era fra voi, né perché, ma qualunque cosa sia è troppo forte per entrambi, e tu meriti di averlo, se lo desideri fino a questo punto.» Lei si sentiva morta dentro. «Digli che adesso sei libera. Ha il diritto di saperlo.» Andy aveva passato due anni a sentirsi in colpa per le bugie che aveva raccontato a Joe, soprattutto quando si era accorto che Kate gli aveva chiuso tutte le porte in faccia. Ma non sapeva da che parte cominciare per riparare al male che aveva fatto, che le aveva fatto, e non aveva il coraggio di raccontare niente alla moglie.

«È fidanzato con un'altra», ribatté Kate con gli occhi colmi di tristezza.

«E con questo?» Lui sorrise. «Noi eravamo sposati quando lui è tornato. Se ti ama, continuerà a volerti, indipendentemente da tutto.»

«È così che funzionano le cose?» Ricambiò il sorriso di Andy per la prima volta da molto tempo. Forse lasciandola libera avrebbe potuto riavere la sua amicizia. Era quello che lui sperava. «Per noi è troppo tardi», disse Kate. Andy capì che stava parlando di Joe. «Non abbiamo un gran tempismo, bisogna confessarlo.»

«Ricordo che quando tutti lo credevano morto tu continuavi a essere convinta che fosse vivo. Anche tu sei stata morta per due anni. Hai bisogno di tornare a vivere. Stare con lui è quello che hai sempre voluto.»

«Lo so», mormorò lei. «Che follia, vero? Ed è sempre stato così. Sono stata accalappiata la prima volta che l'ho visto. La cosa più incredibile del mondo, come se un amo gigantesco mi si fosse infilato nelle viscere. E pare che non riusciamo a tagliare la lenza.»

«Allora non farlo. Torna da lui a nuoto. Fa' tutto quello che devi fare, ma segui il tuo sogno.» Per lui era stato così, ma il sogno che aveva seguito apparteneva a un altro.

«Grazie», gli disse lei, e Andy si chinò a darle un bacio su una guancia.

«Cerca di dormire un po'.» La salutò e uscì.

Kate rimase distesa a letto a pensare a Joe. Era strano come non provasse né tristezza né sollievo. Anzi, forse non provava assolutamente niente, come ormai succedeva da due anni. Era intontita, svuotata. Ripensò a quello che Andy le aveva detto sul conto di Joe e si domandò se sarebbe mai stato possibile ancora. Segui il tuo sogno... nuota... vola... va' da lui... Sorrise mentre si voltava su un fianco. Era difficile credere che quel sogno si sarebbe realizzato per lei. Era sempre stato un po' fuori della sua portata, e ora Joe era fidanzato, forse sposato. Lei non aveva il diritto di sconvolgere di nuovo tutta la sua vita. Qualunque cosa lui avesse, era un suo diritto averla e conservarla. Questa volta il suo dono sarebbe stato lasciarlo andare per sempre. Alla fine li aveva persi entrambi, Andy e Joe.

Al momento del parto il marito la accompagnò all'ospedale. Nacque una femmina, e la chiamarono Stephanie. Quindici giorni più tardi Andy lasciò l'appartamento. Fu un momento totalmente privo di commozione; ciò che c'era stato fra loro ormai era morto da così tanto tempo che sentirono soltanto un grande sollievo.

Quando Stephanie compì un mese Kate partì per Reno con i figli e una bambinaia. Ci rimase sei settimane, e il 15 dicembre tornò indietro in treno, divorziata. Da un'amica venne a sapere che Andy aveva cominciato a uscire con un'altra e sembrava che ne fosse pazzamente innamorato. Si augurò che fosse vero, che si sposasse di nuovo e avesse altri figli. Lui meritava molto di più di quello che gli aveva dato, per quanto volessero entrambi un gran bene a Stephanie e a Reed. Il padre li avrebbe visti ogni mercoledì pomeriggio e un fine settimana sì e uno no. Tutto era stato risolto in modo semplice e corretto, senza il minimo contrasto. Adesso che era finita, sembrava quasi un sogno. Il padre e la madre di Kate rimpiansero la loro unione molto di più di lei e Andy; non avevano accettato né capito il motivo per cui si erano separati.

Una settimana dopo essere tornata da Reno Kate accompagnò Reed a comprare un albero di Natale, e per la prima volta da anni le parve di sentirsi quasi quella di prima. Passeggiarono cantando canti natalizi e quando arrivarono al negozio all'angolo il bambino scelse un albero enorme. Lei stava spiegando ai commessi dove farlo consegnare, mentre il figlio saltellava battendo le mani, quando vide una persona scendere da un'auto con la testa bassa, come se volesse difendersi dal freddo. Era appena cominciato a nevicare. Un uomo che portava il cappello e un cappotto scuro: lo riconobbe prima ancora che si girasse. Poi lui si voltò e la vide. Era Joe. Si fermò e le sorrise. Da mesi non si parlavano più al telefono, e da due anni non si erano più visti.

Mentre si avvicinava, Kate sorrise a dispetto di se stessa. Il destino. Eccolo. Sentiva di nuovo, profondamente, tutta la magia che avevano sempre condiviso. Le loro strade si erano incrociate, poi si erano allontanate, e ora, all'improvviso, se lo ritrovava davanti. Al barbecue, sulla nave, al ballo quando aveva diciassette anni. E di anni, ormai, ne erano passati dodici. Ma le era bastato rivederlo perché, con lui, il sogno fosse tornato a rivivere.

«Salve, Kate.» Era in cerca di un albero di Natale. Lei ormai non sapeva neanche più dove abitasse. In California, a New York, in qualche altra città.

«Salve, Joe.» Gli sorrise. Nonostante tutto, era bello incontrarsi. Lui sembrava sempre lo stesso. Kate si accorse di avere male al cuore.

«Come ti va la vita?» C'era molto che Joe avrebbe voluto sapere, ma non sembrava il caso di domandarglielo fra tutta quella gente che andava e veniva e con Reed lì vicino a lei. Adesso era grande abbastanza per capire quello che dicevano.

Lei rise, ricordando le parole di Andy prima di andarsene. Diglielo. Telefonagli. Trovalo. Era stato Joe a trovare lei. Decise di buttarsi a capofitto. «Sono divorziata.»

«Quando è successo?» Sembrò sorpreso, ma contento.

«Siamo tornati da Reno la settimana scorsa. Ho portato i bambini con me.»

«Bambini?» chiese lui meravigliato.

«Stephanie. Ha tre mesi. L'anno scorso la notte di San

Silvestro mi sono ubriacata.» Era una marea di informazioni da scambiarsi davanti a un albero di Natale, dopo due anni, e Joe parve divertito. «Cosa mi dici di te?»

«Anch'io mi sono ubriacato la vigilia di Capodanno, ma non ho niente da far vedere per la sbronza che ho preso. Mi sono fidanzato a giugno. Adesso le cose non vanno molto bene. Lei odia i miei aerei.»

«Così non funziona», disse Kate convinta. Si stava crogiolando nel piacere di guardarlo. E fermi l'uno davanti all'altra, in quel momento entrambi capirono che niente era cambiato: era esattamente come era sempre stato, fin dal primo giorno.

«E per noi, Kate? Funzionerebbe?» le domandò avvicinandosi un po'. Si erano già torturati a vicenda, atrocemente. Forse per loro era troppo tardi, ma magari questa volta, se ci avessero provato, se avessero osato, avrebbero avuto fortuna. Chissà, forse un giorno sarebbero stati tanto coraggiosi da non lasciarsi sfuggire l'occasione. Mentre la osservava, Joe si accorse che tutte le cose terribili che Andy gli aveva detto sul suo conto non gli importavano più.

«Non lo so. Tu che ne pensi?» Voleva stare al gioco, ma non voleva essere la prima a parlare.

Era passata tanta acqua sotto i ponti, oceani, addirittura. La guerra, l'impero che lui si era costruito, il matrimonio di Kate, la loro relazione due anni prima e adesso il divorzio, ma il legame che li univa era ancora lì, mentre loro si fissavano sotto la neve che cadeva.

«A casa, mammina», si lamentò Reed aggrappandosi al suo braccio. Cominciava a essere stanco di aspettare, e poi non sapeva chi fosse quel signore.

«Fra un minuto, tesorino.» Kate accarezzò dolcemente la guancia del figlio con la punta delle dita.

«Tu cosa ne dici?» rilanciò Joe, guardandola intensamente con i suoi occhi azzurri, mentre l'ala del cappello gli si copriva piano piano di fiocchi candidi.

«Adesso? Vuoi saperlo *adesso*?» Era incredula.

«Abbiamo aspettato dodici anni, Kate», disse lui tranquillamente. Gli sembrava più che abbastanza.

«Sì, è vero. Se dovessi darti una risposta adesso, direi che potremmo fare un tentativo.» Subito dopo avere pronunciato queste parole Kate trattenne il fiato, perché non era sicura di quello che lui avrebbe pensato o detto, e se il fatto di mostrarsi così disponibile lo avrebbe spaventato e indotto alla fuga. Ma Joe non aveva intenzione di andare via. Chinò la testa a guardarla, e rimase immobile.

«Penso che tu abbia ragione. Probabilmente siamo pazzi. Dio solo sa se ce la faremo, ma può darsi che questa sia la volta buona.» Non lo era mai stata, prima, avevano sempre desiderato qualcosa di diverso, qualcosa che l'altro in quel momento non poteva offrire. Era come se il destino avesse cospirato per tenerli divisi.

«E la tua fidanzata?» Kate sembrava preoccupata. Come Andy aveva messo la parola fine alla storia fra lei e Joe, avrebbe potuto farlo anche lei.

«Dammi un'ora. Le dirò che il suo collaudo è fallito e il progetto è stato annullato.» Le sorrise.

«E i bambini?» Anche questo la incuriosiva, nel caso lei ne avesse voluti altri. Era una conversazione assurda, ma somigliava a tante che avevano avuto. Loro due erano un lampo che guizzava nel cielo, illuminando l'uno il mondo dell'altra.

«Tu ne hai due, se non sbaglio. È una questione che dobbiamo decidere ora? Non sapevo nemmeno che ti avrei incontrata. C'è una possibilità che ti riveda, in modo da discutere il resto?» La stava prendendo in giro, ma Kate, guardandolo negli occhi, vide che era felice, non più spaventato. Non in quel momento, almeno.

«Si può fare.» Lo guardò ridendo. La vita aveva uno strano modo di prendere svolte imprevedibili. Quando meno te l'aspettavi ti ritrovavi dritto dritto nei tuoi sogni, ti scoprivi dove non ti saresti mai più aspettato di arrivare. Questa era stata la storia della loro vita.

«Stesso indirizzo?» Lei annuì. «Ti telefono stasera. Però cerca di non sposarti, di non tornare da Andy e di non scappare. Mettiti seduta tranquilla un paio d'ore e non cacciarti in qualche pasticcio. Vuoi, per favore?» disse Joe, fissandola con aria decisa.

«Ci proverò.» Kate non riusciva a smettere di sorridere.

«Bene.» Joe le si avvicinò e la strinse fra le braccia, mentre Reed li guardava con gli occhioni sgranati, continuando a domandarsi chi fosse quel signore. «Bentornata.» Da quando si erano lasciati l'esistenza di Kate era stata un deserto, mentre Joe aveva riempito la sua con il lavoro, e solo di recente con una donna che soffriva di mal d'aria anche in ascensore e odiava volare, anche con lui come pilota. Era difficile convincersi che, alla fine, fosse arrivato il loro momento. Nessuno dei due ne era completamente sicuro. Improvvisamente entrambi sentivano di non dover più sprecare un solo attimo. «Ti telefonerò più tardi, e stasera verrò da te. Ma prima devo fare una cosa.» Kate capì: aveva un fidanzamento da rompere. E, una volta tanto, si accorse che non le importava quanto gli sarebbe costato tornare da lei: lo rivoleva e basta. Avevano scalato l'Everest per ritrovarsi, e non intendeva dividere il premio con nessuno. Joe era suo, si era guadagnata il diritto di stare con lui.

Le telefonò due ore dopo e alle otto, quando i bambini erano già a letto, si presentò a casa sua. Avevano una tale fame l'uno dell'altro che non sprecarono una sola parola: chiusero la porta della camera da letto e si divorarono. Poi, mentre si addormentavano l'uno fra le braccia dell'altra, sentirono di essere finalmente arrivati dove volevano, dove avevano sempre voluto essere.

La mattina seguente Joe giocò con Reed mentre lei allattava la bambina, e subito dopo decorarono l'albero. Passarono il Natale insieme, e due giorni più tardi andarono in municipio. Erano soli, mano nella mano, senza amici né testimoni né false speranze. Una volta tornati a casa telefonarono ai genitori di Kate. Per loro fu un trauma, anche se non una completa sorpresa. La mamma ricordò a Clarke che era lei ad avere perso la scommessa fatta una volta, vale a dire che Joe non avrebbe mai sposato Kate. «Non avrei mai pensato di vedere questo giorno», commentò sbalordita alla fine della chiamata.

«Felice?» le domandò quella sera Joe mentre lei gli si rannicchiava vicino nel letto.

«Completamente», gli rispose con un sorriso raggiante. Finalmente era la moglie di Joe Allbright.

Dopo che si fu addormentata, lui rimase a guardarla a lungo. Tutto in lei lo aveva sempre incantato, e adesso Kate era finalmente sua. Non riusciva a immaginare che il loro matrimonio potesse andare male. Gli sembrava la combinazione perfetta: lui era sempre stato la passione di Kate, e Kate il suo sogno. Il lieto fine era arrivato.

19

I PRIMI giorni del matrimonio di Joe e Kate furono colmi di felicità, esattamente come si erano aspettati che fossero. Erano contenti e indaffarati. Kate aveva assunto una bambinaia che la aiutasse a occuparsi dei figli, in modo da avere tempo libero in abbondanza per stare con Joe. Lo andava a trovare in ufficio, gli dava consigli su alcuni progetti. Durante il fine settimana volava sui suoi apparecchi con lui, e Joe quando tornava a casa la sera giocava con i bambini. A gennaio andarono in California, e Kate rimase impressionata dall'impresa che lui aveva creato laggiù. Lo accompagnò anche nel Nevada, dove assistette ad alcuni suoi collaudi, poi lui la portò a fare un giretto e si esibì in qualche acrobazia. Lei adorava tutte le cose pazze e audaci che Joe faceva, ma soprattutto adorava il fatto che fosse suo.

«È un bene che io non abbia sposato Mary», disse Joe con un sorriso dopo un volo particolarmente difficile sopra il deserto. Aveva lasciato Kate stupita e incantata con una serie di stalli e di cerchi della morte, che a lei piacevano moltissimo: sosteneva che fosse più bello che andare sulle montagne russe, e non soffriva mai il mal d'aria, benché personalmente non si azzardasse più a pilotare. Ormai era passato troppo tempo.

«Probabilmente è una cuoca migliore di me», rispose lei allegra scendendo dall'abitacolo.

«Questo è certo. Dopo un volo come quello che abbiamo fatto mi avrebbe vomitato addosso tutto quello che aveva cucinato.» Lei, infatti, si era decisamente rifiutata di salire su un aereo, non le interessava nemmeno sapere quello che faceva, così Joe aveva concluso che fosse stata un'enorme sciocchezza fidanzarsi con una donna simile. Ma quando Kate era stata costretta a rimanere con Andy lui si sentiva annoiato, soffriva di solitudine e voleva dimostrare a se stesso di potersi rifare una vita con qualcun altro.

Secondo lui, impedendogli di sposare Mary, Kate lo aveva salvato da un destino peggiore della morte. Era lei la persona perfetta, sotto ogni punto di vista. Amava volare, amava lui, amava i suoi apparecchi, e metteva qualcosa nella sua vita che altrimenti non ci sarebbe mai stato. Era sbarazzina, spiritosa, divertente e si fidava di lui. Era seria quando lui voleva che lo fosse, e più intelligente di qualsiasi donna, e di molti uomini che aveva conosciuto. Lui ricambiava pienamente il suo amore. Avevano tutto. Erano anche una coppia molto bella, che non passava inosservata. Tutti sapevano chi fosse Joe, e il suo stile pacato e forte costituiva il contrappunto ideale allo spirito, al fascino e all'eleganza di Kate.

Un mese dopo il matrimonio Kate si trasferì con i bambini e il cane nell'appartamento di Joe, dove c'era spazio in abbondanza per tutti, compresa la bambinaia. A poco a poco cominciò ad aggiungervi qualche oggetto di buon gusto e qualche tocco femminile che lo fecero diventare ancora più accogliente. Poi cominciarono a parlare di acquistare una casa.

Discutevano di moltissimi argomenti. Adesso non c'era

più niente di sacro, di intoccabile, per nessuno dei due. Un giorno lui accennò al «tentato suicidio» di Kate, che continuava a ossessionarlo, e le disse quanto fosse addolorato. Lei aveva l'aria di non capire.

«Ma di cosa stai parlando?» gli domandò disorientata.

«Va bene così, Kate. So tutto», rispose Joe piano. Ma non le rivelò come ne era stato informato. Non le aveva mai raccontato che Andy quel giorno era andato a cercarlo in ufficio, credeva non fosse il caso che Kate lo sapesse.

«Cosa sai?» insistette Kate, sempre più sconcertata, mentre Joe pensava che fosse reticente.

«Che hai cercato di ucciderti dopo che avevamo rotto, anni fa.» Si era quasi fatto una ragione di quello che era successo, ma non del tutto. Stava ancora tentando di farsi perdonare da Kate.

«Dai i numeri? Avevo perso la testa per te, ma non ero diventata completamente pazza. Come ti è venuto in mente che avessi cercato di ammazzarmi?» Lo sguardo di Kate lo fece tacere di colpo.

«Mi stai dicendo che non hai mai tentato di suicidarti?» Lei non riusciva a capire se fosse arrabbiato o sollevato, e nemmeno lui lo sapeva.

«Infatti. È la cosa più ignobile che io abbia mai sentito. Ma come hai potuto anche solo pensare che avrei fatto una sciocchezza del genere? È un gesto orrendo», e lei ne era fin troppo consapevole. Sul viso di Joe era comparsa un'espressione torva, e la stava fissando in un modo molto significativo.

«Non sei mai andata da uno psichiatra?»

«No.» Kate era esterrefatta. «Pensi che dovrei?»

«Quel figlio di puttana!» sbottò lui alzandosi di scatto dalla poltrona dov'era seduto e mettendosi a camminare furiosamente su e giù per la stanza.

«Ma si può sapere di che stai parlando?» Quello che Joe

stava dicendo non aveva il minimo senso per Kate, ma ne aveva molto per lui.

«Sto parlando di quel piccolo bastardo schifoso con cui eri sposata. Non so nemmeno da che parte cominciare per spiegarti quello che ha fatto e quanto io sia stato stupido.» Si sentiva più colpevole che mai per avergli creduto, anche se capiva perfettamente perché Andy avesse agito in quel modo. Ma il suo intervento era costato a lui e Kate altri due anni di tempo perduto.

«Vuoi dire che Andy ti ha raccontato che avevo tentato di suicidarmi? E tu l'hai bevuta?» Lo fissò incredula, oltre che offesa e addolorata.

«In quel momento penso che fossimo tutti un po' impazziti. È stato subito dopo che gli avevi detto di volere il divorzio; tu sei venuta nel mio ufficio a dirmi che non avrebbe mai acconsentito, e il giorno dopo si è presentato anche lui. Odio dovertelo confessare, ma mi ha imbrogliato con un sacco di fandonie. Sono stato un burattino fra le sue mani. Mi ha raccontato quanto tu fossi disperata, insicura, instabile di carattere, e che quando ci eravamo lasciati avevi cercato di ucciderti. Mi ha messo addosso un tale panico che ho cominciato a temere di spingerti un'altra volta a un gesto disperato, se avessi commesso qualche errore o ti avessi dato ancora un grosso dispiacere. Poi mi ha informato che andavi da uno psichiatra due volte la settimana, e io ho pensato che se in un momento qualsiasi tu ti fossi sentita abbandonata, magari l'avresti fatto di nuovo. Non ero disposto a correre un rischio del genere.» Era stato spaventato anche da tutto il resto che Andy gli aveva descritto, incluso il presunto terrore di Kate al pensiero di essere lasciata sola durante il giorno e il suo desiderio di avere altri bambini.

«Ma perché non l'hai domandato a me?»

«Non volevo metterti in agitazione, non volevo sconvolgerti ulteriormente. Ma adesso capisco che cos'ha fatto quel bastardo, mi ha ingannato alla perfezione, toccando tutte le corde più sensibili. Sapeva quanto mi sarei sentito in colpa pensando che avevi cercato di ucciderti a causa mia, e quanto mi avrebbe impaurito l'idea che tu potessi rifarlo.» Ora anche lei vedeva tutto con estrema chiarezza, e sentì di odiare Andy anche più di prima. Aveva usato tutto quello che lei gli aveva raccontato negli anni per influenzare Joe. Era stato un gesto incredibilmente crudele, benché Kate capisse che in quel momento il suo ex marito stava lottando per la sua stessa vita, nel tentativo di mantenere unita la loro famiglia. Ma era stato lui ad allontanare Joe, e questo non gliel'avrebbe mai perdonato. Le era quasi costato la felicità. «Da come lo raccontava, sembrava tutto vero. Ero troppo sconvolto per mettere in dubbio le sue parole. Ciò che mi descriveva per me era inaccettabile. Mi sono sentito colpevole per molti mesi.»

«Ma come ha potuto farlo?» Riflettendoci, Kate si rese conto che doveva esserci stato anche qualcos'altro che Andy aveva detto per dare maggiore credibilità alle sue bugie. Era la cosa che non aveva mai confidato a Joe, e si domandò se lui per caso la sapesse già. Immobile, seduta dov'era, alzò la testa per guardarlo, e nei suoi occhi vide solo l'amore. «Ti ha raccontato anche di mio padre?» Odiava parlarne, e non l'aveva mai fatto prima. Ma non c'era niente che non potesse rivelare a Joe. Con lui era al sicuro.

«Me l'aveva detto Clarke prima che ti chiedessi di sposarmi, a Cape Cod. Pensava che dovessi esserne informato», rispose lui con dolcezza stringendole una mano e attirandola a sé. «Mi dispiace, Kate. Per te dev'essere stato terribile.»

«È vero», ammise lei con gli occhi lucidi. «Ricordo perfettamente quel giorno... in ogni particolare... La cosa strana è che non ricordo molto lui, invece. Dovrei, ma non è così. Avevo otto anni quando è morto, ma già da due anni si era chiuso in se stesso e aveva dato un taglio netto ai rapporti con il mondo.» Era diventata triste. Quello era stato il più grande trauma della sua vita, a parte la perdita di Joe. «E dev'essere stato altrettanto orribile per mia madre. Lei non ne parla mai, invece a volte vorrei che lo facesse. So così poco di lui, salvo quello che ne dice Clarke, cioè che era un uomo buono e simpatico.»

«Ne sono certo.» Leggeva nei suoi occhi quanto fosse ancora penoso per lei. Era la radice di tutte le sue paure: di perdere una persona cara, di soffrire, di essere abbandonata. Inconsapevolmente, suo padre aveva fatto nascere in lei tanto dolore. Ma era felice e in pace con Joe; finalmente aveva trovato un porto sicuro.

«Sono contenta che tu lo sappia», mormorò Kate. Era l'unico segreto che non gli aveva mai confidato.

Quella sera, quando furono a letto, parlarono di nuovo del modo in cui Andy aveva tradito entrambi. A lei faceva orrore, più del pensiero che Joe gli avesse creduto. Convennero che, per quanto fosse stato un comportamento ignobile, il piano era ingegnoso. Kate non aveva mai pensato che il suo ex marito fosse capace di mettere in atto qualcosa di così tortuoso, e saperlo le rivelava moltissimo sul suo carattere. Voleva prendere un po' di tempo per pensarci, ma un giorno lo avrebbe affrontato per discuterne. Nonostante avesse sfruttato tutte le astuzie possibili, Andy l'aveva persa ugualmente; alla fine lei aveva ritrovato la strada per tornare da Joe, e ogni giorno ringraziava il destino per essere stato così buono con lei.

Durante la primavera Joe cominciò a passare più tempo in California: stava cercando una sede più grande per la sua compagnia aerea. All'arrivo dell'estate cominciò a rimanere a Los Angeles quindici giorni al mese, e voleva Kate con sé. Lei partì con i figli e la bambinaia, e presero alloggio al *Beverly Hills Hotel.* All'inizio si divertì molto: andava in giro per i negozi a fare acquisti, giocava con i bambini, rimaneva in piscina a guardare i divi del cinema che andavano e venivano. Joe era sempre in ufficio, e la maggior parte delle sere tornava in albergo dopo mezzanotte per ripartire alle sei del mattino seguente. Stava cercando di allargare gli affari all'area del Pacifico e voleva creare nuove linee e nuove rotte. Era un'impresa di proporzioni immani, perché richiedeva che fossero aperte numerose basi oltreoceano e messe a punto tutte le questioni logistiche per una delle compagnie aeree emergenti fra le più importanti al mondo.

A settembre Joe viaggiò a Hong Kong e in Giappone. Con Kate avevano deciso che era troppo lontano perché lei lo accompagnasse, inoltre i bambini sarebbero rimasti soli per troppo tempo. D'altra parte a Kate sembrava che non avesse senso stare ad aspettarlo in albergo a Los Angeles, così decise di tornare a New York. Lui le telefonava ogni sera, ovunque si trovasse, e le faceva un resoconto della giornata. Aveva un milione di cose in ballo contemporaneamente: doveva dirigere gli uffici di New York, spingersi sul mercato dell'Estremo Oriente, progettare aerei, presiedere una compagnia aerea e fare personalmente, appena gli era possibile, i collaudi degli apparecchi che progettava. Era comprensibile che fosse subissato di problemi, e quando la chiamava, Kate sentiva dalla voce quanto fosse teso. Benché avesse persone competenti a capo dei vari settori della sua impresa, continuava a comportarsi come se tutto ricadesse sulle sue spalle, e si lamentava continuamente di non avere tempo per provare i nuovi modelli o vedere la moglie.

Joe tornò ai primi di ottobre, dopo un'assenza di quattro settimane. Kate gli fece osservare che, in pratica, non si vedevano più.

«E che cosa dovrei fare? Non posso trovarmi in dieci

posti allo stesso tempo.» Era stato quindici giorni a Tokyo per una serie di contratti e per stabilire le rotte di volo dei suoi aerei, una settimana a Hong Kong per dare battaglia alla British Airways e altri cinque giorni a Los Angeles. Poco prima della partenza uno dei suoi migliori collaudatori si era schiantato al suolo senza un motivo apparente mentre pilotava un aereo al quale Joe aveva appena dato la sua approvazione. Era andato a Reno e ci si era fermato una notte, per ispezionare la carcassa del velivolo e fare visita alla vedova del poveretto. Al suo arrivo a New York era esausto.

«Perché non cerchi di dirigere tutto da qui?» gli domandò Kate. Ma la situazione era troppo complicata perché fosse possibile.

«Come faccio?» ribatté lui esasperato. In quel periodo perdeva facilmente la pazienza. Era sempre stanco, sempre affannato, sempre a bordo di un aereo diretto chissà dove. Kate si annoiava a casa, e quando lui era via era più ansiosa. Quelle assenze prolungate cominciavano a pesarle. Sapeva che Joe l'amava, ma quando lui non c'era si sentiva sola. «Come accidenti puoi aspettarti che io me ne stia seduto pacificamente qui in un ufficio quando ho dipendenti praticamente in mezzo mondo? Perché non cerchi qualcosa da fare che ti tenga occupata? Prova a ricominciare il lavoro con la Croce Rossa, o trovati qualcosa del genere. Gioca con i bambini.» Era troppo stanco per risolvere anche quel problema, e cercava di accantonarlo. Dal canto suo, Kate poteva invece lamentarsi di avere trent'anni, un marito che amava alla follia, e di passare gran parte del tempo completamente sola.

Andava fuori a cena o a un ricevimento senza di lui, passava i fine settimana con i bambini e doveva spiegare a chi li invitava o proponeva di combinare qualcosa con loro che suo marito non ci sarebbe stato. Ormai tutta New York li voleva; gli Allbright erano una coppia molto ricercata e richiesta. Nel giro di soli otto anni, ed esclusivamente con le proprie forze, Joe era diventato il personaggio più importante nel campo dell'aviazione. Adesso non veniva ammirato soltanto per le grandi qualità di pilota, ma anche per il genio nel campo degli affari. Tutto ciò che toccava si trasformava in oro. Purtroppo, i soldi che accumulava non riscaldavano Kate di notte; lei sentiva la sua mancanza e soffriva come non le capitava più da molto tempo. Inoltre, le assenze del marito evocavano antichi fantasmi. Disgraziatamente Joe era troppo occupato per individuare questi segnali pericolosi: notava solo che nel momento in cui metteva piede in casa la moglie cominciava a lamentarsi di non vederlo mai, e questo lo spingeva a chiudersi in se stesso, cosa che faceva automaticamente peggiorare l'umore di Kate. Lei aveva bisogno di Joe, ma lui era praticamente inaccessibile.

«Perché non vieni con me? Mi faresti felice», le propose un giorno. Kate non andava a Tokyo da anni, da quando, ancora ragazzina, c'era stata con i genitori. A Hong Kong, invece, l'aveva portata Joe. «Potresti andare in giro per i negozi a comprare quello che vuoi, oppure nei musei, o a visitare i templi», aggiunse, cercando di trovare un compromesso. Ma sapevano entrambi che se anche lei avesse acconsentito non avrebbero avuto l'opportunità di trascorrere molto tempo insieme. Quando era via, Joe lavorava in continuazione, né più né meno come faceva a casa.

«Non posso lasciare i bambini per settimane e settimane di seguito. Reed ha tre anni e Stephanie appena uno.»

«Porta anche loro», ribatté lui brusco.

«A Tokyo?» gli domandò inorridita.

«Guarda, Kate, che anche in Giappone hanno i bambini, te lo giuro. Una volta ne ho visto uno. Fidati di me.» Ma a lei sembrava troppo lontano. E se si fossero ammalati? Lei non avrebbe saputo come parlare con il medico, e poi che senso aveva starsene chiusi in una camera d'albergo tutti insieme ad aspettare che Joe ritornasse? Le pareva più logico farlo rimanendo a New York.

Il giorno del Ringraziamento Joe era in Europa, e Kate andò dai suoi genitori con i due piccoli. Joe la chiamò da Londra e parlò anche con Elizabeth e Clarke, il quale si informò minuziosamente su tutto quello che stava facendo. Quella sera sua madre fece un commento che innervosì Kate più di quanto volesse ammettere.

«Ma lui è mai a casa?» Anche adesso la mamma continuava a non approvarlo. Aveva sempre avuto il sospetto che fosse colpa sua se il matrimonio di Kate e Andy era andato a rotoli, e ne accusava lui molto più che la figlia. E anche se poi alla fine l'aveva sposata, era sempre in giro per il mondo.

«Non sta mai molto a casa. Ma sta costruendo una cosa stupefacente. Nel giro di un anno o due tutto si sistemerà.» Kate ne era sicura.

«Come fai a saperlo? Prima erano gli aerei, ora sono gli affari e gli aerei. Ma quando si decide a stare con te?» Nei giorni e nelle ore di intervallo fra un viaggio e l'altro, pensò Kate, quando era troppo stanco anche per parlare e per dormire, al punto che andava in ufficio alle quattro del mattino. Quando giunse la festa del Ringraziamento non facevano all'amore da due mesi: lui era sempre esausto. Avrebbe voluto rimanere con lei, avere notti sensuali e pigri risvegli, ma non ne aveva il tempo. «Faresti meglio a guardare bene quello che hai, Kate. Ti sei presa un tizio che non ti sarà mai vicino, per una ragione o per l'altra. Perché non può. E che cosa pensi che faccia realmente durante tutti i suoi viaggi? Deve pur avere una donna di tanto in tanto, no? È un uomo.» La sola idea ferì Kate come una pugnalata, anche se continuava a ripetersi che non poteva essere vero. Non che il pensiero non le fosse venuto, ma lo rifiutava nel modo più totale. Joe non era quel tipo di uomo, non lo era mai stato. Lei era quasi sicura che non l'avesse tradita da quando si erano sposati. E, per quanto la riguardava, non gli avrebbe mai fatto niente di simile.

Ma il resto del discorso di sua madre aveva colpito il bersaglio. Joe non c'era mai, indipendentemente dai motivi e da quanto validi fossero, e quando stava a casa c'erano documenti, problemi, vertenze sindacali, oppure si attaccava al telefono e parlava con la California, l'Europa, Tokyo, la Casa Bianca, Charles Lindbergh. C'era sempre qualcuno o qualcosa che assorbiva il suo tempo e sembrava più importante di Kate; lei doveva mettersi in fila con tutti gli altri, e in genere si ritrovava all'ultimo posto. Ecco come andavano le cose. Se voleva una vita con lui, e senza alcun dubbio la voleva, poteva avere solo quello. Joe non riusciva a offrire qualcosa di più di se stesso, e si aspettava che lei fosse comprensiva. Kate lo era quasi sempre; oltre ad amarlo ammirava il suo successo, ne era felice. Aveva una vita emozionante, e lui era straordinario, ma a volte faceva male lo stesso. Sentiva la sua mancanza più di quanto Joe fosse in grado di capire e, benché cercasse di farsene una ragione, a volte si sentiva abbandonata.

Un pomeriggio cercò di spiegarglielo tranquillamente. La festa del Ringraziamento era appena passata e lui stava guardando una partita di football alla televisione. Era arrivato nelle prime ore di quella mattina e in tutta la notte precedente non aveva dormito neanche un minuto. Stava lì, con gli occhi fissi sullo schermo, sorseggiando una birra e rilassandosi. Un piacere raro per lui.

«Cristo, non ricominciare con quella storia, Kate. Sono appena tornato a casa. So di essere stato via tre settimane, e mi dispiace di avere perso il giorno del Ringraziamento con i tuoi, ma gli inglesi stavano per cancellare le mie nuove rotte aeree.» Sembrava stanco morto. Aveva un bisogno disperato di un po' di tempo per calmarsi, senza essere sottoposto a tutte quelle pressioni da parte sua.

«Ma non c'è qualcun altro che può gestire i negoziati con loro, almeno una volta tanto?» Stava diventando troppo egocentrico, doveva fare tutto lui, soltanto lui. Ma aveva creato un colosso dal nulla, e la verità era che nessuno svolgeva il suo lavoro meglio di lui. Quando prendeva in mano una situazione tutto andava a finire bene, quindi non voleva correre il rischio che gli altri distruggessero quello che lui aveva costruito.

«Kate, io sono fatto così. Se vuoi un uomo seduto ai tuoi piedi tutto il tempo, cercati un altro cane.» Sbatté con forza la lattina sul tavolo, e la birra schizzò sul pavimento. Lei non fece nemmeno il gesto di alzarsi per asciugarlo, mentre Joe le lanciava un'occhiataccia. Kate aveva le lacrime agli occhi. Desiderava che capisse quello che gli stava dicendo, ma lui non aveva nessuna voglia di ascoltarla.

«Come fai a non capire? Io voglio stare con te. Ti amo. Ho afferrato il concetto, mi rendo conto che devi farlo, ma per me è difficile.» Più di quanto lui credesse. Ma più lei cercava un punto di contatto, più Joe si tirava indietro. Kate aveva ricominciato a farlo sentire in colpa, e quella era l'unica cosa che non riusciva ad accettare, né da lei né da altri.

«Perché? Perché non riesci ad accettare il fatto che io stia facendo qualcosa di importante nella mia vita? E non lo sto facendo solo per me, ma anche per te. Amo quello che costruisco, il mondo ne ha bisogno.» Aveva ragione, ma anche Kate aveva bisogno di lui. «Non voglio tornare a casa e sentirmi assillare in continuazione. Non è giusto. Almeno goditi il tempo che passiamo insieme quando ci sono.»

A modo suo, la stava supplicando di non rimproverarlo.

Gli faceva troppo male. Purtroppo lei non riusciva a capirlo, più di quanto Joe non riuscisse a capire quanto lei si sentisse abbandonata. Era ricominciato il circolo vizioso dei primi anni.

Non c'era modo di trovare un equilibrio: uno dei due doveva fare marcia indietro, e Kate si rendeva conto che toccava a lei. Era soltanto una circostanza della loro vita, ma la stava uccidendo, soprattutto perché era convinta che piano piano suo marito si stesse allontanando. E questo la gettava ancora di più nel panico.

A dicembre Joe rimase a casa meno tempo del solito. Era andato a Hong Kong per una serie di riunioni con i banchieri, che gli stavano creando molte difficoltà, e Kate sapeva che durante il viaggio di ritorno si sarebbe dovuto fermare anche in California. C'era qualche problema nello stabilimento, e il motore di uno degli ultimi aerei da lui progettati aveva dato prestazioni insoddisfacenti. C'era stata un'altra morte, e Joe se n'era accollata la colpa; questa volta era sicuro che si trattasse di un errore di progettazione. Però le aveva giurato che la vigilia di Natale sarebbe stato a casa, a qualsiasi costo, e lei ci contava. Le aveva detto che, fosse stato necessario, sarebbe ripartito per la California dopo le feste.

Il telefono squillò la mattina, mentre Kate stava decorando l'albero con Reed. Il bambino, tutto eccitato, continuava a strillare di gioia, e lei canticchiava. Subito dopo colazione aveva parlato con Hazel, la segretaria di Joe, la quale non ne aveva avuto la conferma ma era sicura che lui fosse già a bordo dell'aereo che lo stava riportando a New York, dato che gliel'aveva comunicato il giorno precedente

Kate andò a rispondere: era Joe. Capì immediatamente che si trattava di una chiamata che proveniva da lontano. La centralinista gliela passò, ma la linea era molto disturbata.

«Cosa? Dove sei?» urlò lei per farsi sentire meglio.

«Sono ancora in Giappone.» La sua voce le arrivava appena, ma a quelle parole Kate provò un tuffo al cuore.

«Perché?»

«Ho perso l'aereo.» Poi ci fu una serie di scoppiettii, di rumori sordi e di interferenze, quindi Kate riuscì a sentirlo un po' più chiaramente, mentre si sforzava di non scoppiare in lacrime. «Riunioni... sono dovuto andare ad altre riunioni... la situazione qui è molto difficile...» Lei avrebbe voluto dire qualcosa, invece ci fu una lunga pausa. «Mi dispiace, piccola... sarò a casa fra pochi giorni... Kate?... Kate?... Sei ancora lì? Mi senti?»

«Sì, ti sento», rispose asciugandosi gli occhi. «Mi manchi... Quando torni?»

«Probabilmente fra due giorni.» Il che significava anche tre, o quattro, o cinque. Erano sempre più di quelli che lui diceva, benché non fosse colpa sua.

«Ti vedrò al tuo ritorno», replicò lei, cercando di non fargli capire quanto fosse turbata. Sapeva che Joe detestava i piagnistei. E poi, a quella distanza non aveva senso mettersi a discutere, non avrebbe cambiato le cose. Non voleva infastidirlo, assillarlo, o farlo allontanare ancora di più, desiderava con tutta se stessa essere una buona moglie, costasse quel costasse.

«Buon Natale... da' un bacio ai bambini...» La sua voce divenne sempre più fievole.

«Ti amo!» gli gridò lei nel microfono, augurandosi che potesse sentirla. «Buon Natale! Ti amo, Joe!» Ma ormai la comunicazione si era interrotta. E mentre Reed, che era rimasto immobile vicino all'albero di Natale, la guardava, Kate crollò in una poltrona e scoppiò in lacrime.

«Non essere triste, mamma.» Il bambino corse da lei e cercò di salirle sulle ginocchia, e Kate se lo strinse al cuore. Non era arrabbiata, solo amaramente delusa. Sapeva che, con ogni probabilità, non era colpa di suo marito, ma soffriva ugualmente. Joe non sarebbe stato lì con loro a Natale. Si sforzò di ricordare che cosa aveva provato quando il suo aereo era stato abbattuto; se non altro, adesso sapeva che sarebbe tornato. Fece scendere Reed dalle ginocchia e andò a soffiarsi il naso. Non poteva farci niente, non restava che rassegnarsi. Avrebbero festeggiato con Joe al suo arrivo.

Il Natale trascorse tranquillo. Kate e i bambini aprirono i pacchi dei regali. C'erano quelli di Elizabeth e Clarke e dei loro amici. Lei pensò, e non si sbagliava, che probabilmente Joe non avesse fatto in tempo a comprarli. In ogni caso, non aveva importanza. Tutto quello che voleva era lui.

Quel giorno Andy passò a prendere Reed per portarlo qualche ora a casa sua. Quando si presentò alla porta aveva l'aria seria. Kate aveva appena ricevuto la notizia che il suo ex marito stava per risposarsi, ed era contenta per lui. Si augurava che questa volta avesse fatto la scelta giusta; anche se con Joe c'erano dei problemi, pensava fosse meglio essere sposata con un uomo che amava davvero.

«Ciao, Kate», la salutò Andy fermo sulla porta, impacciato. Dal divorzio in poi si erano sempre comportati con molta educazione, ma fra loro non c'era più stata la confidenza di una volta. Lei si era finalmente decisa ad affrontarlo, accusandolo di avere raccontato a Joe un sacco di fandonie sul suo conto, e lui si era scusato, ammettendo che era stato un atto vergognoso. Era molto imbarazzato per quello che aveva fatto, e aveva continuato a esserlo per parecchio tempo.

Kate sapeva che ogni volta che gli capitava di essere a Boston lui andava ancora a fare visita ai suoi genitori, ma non gliene importava niente. Dopo tutto, era il padre dei suoi figli, e Clarke ed Elizabeth lo avevano sempre avuto in simpatia, infatti si erano molto dispiaciuti per lui quando il loro matrimonio era finito. Era stata proprio la mamma, un giorno, a dirle che Andy stava per risposarsi. Ormai frequentava quella ragazza da un anno, e a Kate era parsa la soluzione più ragionevole.

«Buon Natale», gli disse invitandolo a entrare. Ma lui esitava, allora aggiunse cortesemente: «Sta' tranquillo, Joe non c'è. È via.»

«A Natale?» Oltrepassò la soglia con aria scandalizzata. «Mi dispiace. Dev'essere duro per te.»

«Non è una meraviglia, ma non ha potuto farne a meno. È rimasto bloccato in Giappone.» Stava cercando di far sembrare la faccenda molto più tollerabile di quanto in realtà fosse.

«È un uomo pieno di impegni», commentò Andy. In quel momento comparve Reed e proruppe in un urlo di gioia. Stephanie lo seguì trotterellando, ma lei sarebbe rimasta a casa con la madre.

«Ho sentito che stai per sposarti», riprese Kate mentre Reed andava a prendere il cappottino. Non sapeva se Andy lo avesse già detto al figlio, perché lui non gliene aveva parlato.

«Non mi sposo fino a giugno. Prendo tempo.» Sorrisero. Lui non aveva voluto aggiungere: «Così non faccio un altro sbaglio», ma Kate sapeva che aveva in mente proprio quello.

«Spero che sarai felice. Te lo meriti», disse mentre il piccolo ritornava con il cappotto, il berretto e i guanti e prendeva il padre per mano.

«Anche tu. Buon Natale, Kate.» Avrebbe riportato indietro Reed per le otto.

Kate andò a giocare con Stephanie nella sua cameretta. Era stato un giorno di festa pieno di solitudine per lei. Aveva cercato di contattare Joe in albergo, ma non era riuscita a ottenere la comunicazione, e probabilmente anche lui aveva avuto lo stesso problema o era rimasto bloccato da qualche riunione, perché non le telefonò. Non le rimase che ripetersi che non aveva importanza: avrebbero festeggiato il Natale insieme l'anno successivo. A volte le cose non andavano per il verso giusto, e in casi del genere bisognava comportarsi da persona adulta. Ma dovette farsi forza per non scoppiare in lacrime quando i suoi genitori la chiamarono, e si sforzò di rassicurarli dicendo che stava bene.

Non ebbe notizie del marito per altri due giorni, poi Joe le telefonò per avvertirla che sarebbe partito da Tokyo ma si sarebbe dovuto fermare a Los Angeles.

«Mi pareva di avere capito che ci saresti andato più avanti», rispose, cercando di non assumere un tono lamentoso, anche se Joe continuava a cambiare i suoi piani e a deluderla. Ma a lui bastò la sfumatura che le sentì nella voce per capire la situazione, per quanto le parole di Kate volessero smentirla.

«Non posso. I sindacati si stanno mettendo in moto. A parte il fatto che non è giusto, Kate. Là c'è una donna che ha perso il marito per colpa di uno dei miei aerei. Mi pare che fermarmi e andare a trovarla per porgerle le mie condoglianze sia il minimo che posso fare.» Lei non poteva non essere d'accordo, perché le sue motivazioni erano sempre convincenti, però dovette lottare contro se stessa per non urlare: «E io, allora?» Sembrava che lei fosse sempre l'ultima della lista di priorità, anche se si rendeva conto di quanto lui fosse impegnato. Ma Joe aveva appena rinunciato alla festa di Natale in famiglia, e adesso Kate voleva averlo a casa.

«Quando torni?» gli domandò con voce stanca.

«Sarò a casa per l'ultimo dell'anno.» Forse. Se non fosse insorto qualche altro problema che lo bloccasse a Los Angeles. Per San Silvestro avevano in programma di uscire a cena e a ballare con gli amici, e lei non vedeva l'ora. Se Joe non fosse arrivato in tempo lei non sarebbe uscita, per rimanere con i bambini. Non aveva voglia di ritrovarsi sola anche la notte di Capodanno.

Il 31 dicembre Joe partì, ma prima che lui lasciasse Los Angeles a New York era cominciato a nevicare, e al suo arrivo il tempo era notevolmente peggiorato, tanto che l'atterraggio fu ritardato. Quando entrò in casa, alle nove di quella sera, era esausto. Aveva pilotato personalmente l'aereo della sua società, non si era fidato di nessun altro, date le condizioni meteorologiche. Kate lo stava aspettando, si era già tolta il vestito ed era a letto con un libro. Non lo sentì nemmeno entrare. D'un tratto se lo trovò davanti, con l'aria di chi si vergogna terribilmente. Bastò l'espressione dei suoi occhi per sciogliergli il cuore. Non poteva resistergli.

«Abito ancora qui, Kate?» Sapeva che le ultime settimane per lei erano state difficilissime.

«Forse sì», gli rispose con un sorriso, mentre lui andava a sedersi sull'orlo del letto. «Mi pare che tu stia abbastanza bene.»

«Sapessi quanto mi dispiace, piccola. Ti ho rovinato tutte le vacanze. Eppure volevo davvero tornare a casa. Scusami se sono così stupido. Vuoi che usciamo?» Ma lei aveva un'idea migliore. Si alzò e andò a chiudere la porta della camera da letto. Intanto Joe si era tolto la giacca e si stava allentando il nodo della cravatta. Gli andò vicino e cominciò a sbottonargli la camicia. «Devo cambiarmi?» Era pronto a fare tutto quello che Kate voleva per ricompensarla del tempo perduto.

«Niente affatto», ribatté lei tirandogli giù la lampo dei pantaloni. Joe rise.

«Mi sembra che la faccenda stia diventando seria», commentò, poi la baciò.

«È... è lo scotto che devi pagare per avermi piantata in asso a Natale.» Per quanto stanco fosse, riuscì a eccitarlo subito.

«Se mi avessi detto che andava a finire così sarei arrivato molto prima», le mormorò mentre si infilavano nel letto.

«È qui, tutte le volte che vuoi, Joe», gli rispose mentre lo baciava nei punti che più gli piacevano, e lui si lasciò sfuggire un gemito sommesso.

«Ricordamelo, la prossima volta...» disse, poi si abbandonarono l'uno all'altra. Fu una fine dell'anno perfetta.

20

ALL'INIZIO del 1954 Kate e Joe erano sposati da un anno e avevano ormai fatto l'abitudine a quel ritmo di vita. Lei aveva cominciato a occuparsi di beneficenza, più che altro per tenersi impegnata quando lui era assente. Ma a primavera Joe trovò un altro progetto da affidarle. Voleva comprare una casa in California; in quel periodo ci passava talmente tanto tempo che gli pareva la soluzione più sensata, così aveva pensato che sua moglie sarebbe stata indaffarata a sistemarla e si sarebbe anche divertita.

Trovarono una splendida tenuta antica a Bel Air, assunsero un arredatore e appena Kate cominciò a darsi da fare per renderla abitabile, Joe si mise a passare sempre più tempo in Europa. Stava studiando nuove rotte in Italia e in Spagna, e quando non era a Roma o a Madrid era a Parigi o a Londra. Doveva tornare a Los Angeles almeno una volta al mese, ma si recava meno spesso in Asia. Kate cominciava ad avere l'impressione che, ovunque lei si trovasse, suo marito fosse al capo opposto del mondo. Per quanto si mettessero d'impegno, era rarissimo che riuscissero a stare insieme.

Si trovarono un paio di volte a Londra, lei lo raggiunse

a Madrid e a Roma e passarono una settimana da favola a Parigi. Però, ogni volta che partiva, Kate si sentiva in colpa al pensiero di lasciare i bambini. La vita di Joe era una corsa sfrenata al successo, senza un attimo di sosta, la sua invece era un'eterna staffetta fra il marito e i figli, e continuava a sentirsi in colpa perché non era con l'uno quando era con gli altri. Ma, almeno, arredare la casa era una vera gioia. Erano arrivati al punto di scherzarci: ogni volta che lei andava in California per dedicarsi a quell'impegno Joe partiva per l'Europa, e quando lui era a Los Angeles lei stava a New York con Reed e Stephanie.

Finalmente, a settembre, la casa fu pronta, e a Joe piacque moltissimo. Era accogliente, calda, ed elegante, una abitazione lontano da casa da usare ogni volta che si fosse dovuto fermare in California. Raccontava a tutti che Kate era stata bravissima e aveva fatto un lavoro superbo. Arrivò perfino a incoraggiarla a occuparsi di arredamento di interni anche per le amiche, nel tempo libero. Ma lei non voleva sentirsi legata a progetti di nessun genere per essere libera di raggiungerlo durante i suoi viaggi, appena fosse stato possibile. Voleva fare tutto quello che era in suo potere per salvare il loro matrimonio.

Quell'anno – cosa rara – Joe rimase a casa per gran parte di ottobre. Una volta tanto non aveva problemi da risolvere, la situazione era calma e c'erano alcuni incontri importanti a New York e nel New Jersey ai quali doveva partecipare. Kate era felice di averlo a casa tutte le sere, anche se odiava confessare a se stessa di essersi accorta che a poco a poco lui stava diventando irrequieto. Durante il fine settimana pilotava spessissimo i suoi aerei; una domenica andarono a trovare i genitori di lei a Boston e al ritorno Joe le lasciò i comandi per un po', facendola divertire molto.

Erano già quasi arrivati e Joe aveva ricominciato a pilotare personalmente, quando Kate affrontò un argomento che voleva discutere da molto tempo. Di solito lui non le rimaneva accanto abbastanza a lungo per consentirle di avviare discorsi che potessero urtare la sua sensibilità, ma questa volta era talmente di buon umore e così soddisfatto dell'apparecchio che Kate decise di farsi coraggio. Voleva un altro bambino.

«Adesso?» Aveva l'aria inorridita.

«Beh, per l'amor di Dio, vedi di non far precipitare l'aereo mentre che ne parliamo.»

«Hai già due figli, Kate.» Stephanie aveva appena compiuto due anni e il fratello ne aveva quattro. Andy si era risposato a giugno e la moglie era già incinta, cosa che a Reed non piaceva molto.

«Siamo sposati da un anno e mezzo. Sarebbe bello averne uno tutto nostro, non ti pare?» L'espressione di Joe faceva pensare esattamente il contrario. Non aveva mai provato un grande entusiasmo per i bambini, con l'eccezione di quelli di Kate. Per Reed Joe era un dio, e lui andava pazzo per il piccolo.

«Non abbiamo bisogno di altri figli. La vita che facciamo è già abbastanza piena così com'è.»

«Ma tu non ne hai mai avuto uno», riprese Kate in tono di supplica. Ormai erano più di dieci anni che voleva un figlio da lui, e da quando aveva abortito ne erano passati undici e mezzo.

«Non ne ho bisogno», ribatté lui asciutto. «Ho già Reed e Stephanie.»

«Non è la stessa cosa», obiettò lei rattristata. Joe non dava l'impressione di voler parlare della questione.

«Per me lo è, invece, Kate. Non potrei volere più bene a nessuno dei due nemmeno se fossero i miei veri figli.» Era sempre stato meraviglioso con loro, ecco perché lei era convinta che sarebbe stato un padre fantastico. E poi, un altro bambino le pareva la conseguenza più logica dell'amore che provava per lui. «Fra l'altro, sono troppo vecchio, ho quarantatré anni. Il giorno che loro cominceranno a frequentare il college io avrò oltrepassato la sessantina.»

«Quando sono nata mio padre era più vecchio di te, e Clarke ancora di più. Mi sembra che sia ancora pieno di energia.»

«Ma lui non è mai stato indaffarato come me. I miei figli non saprebbero nemmeno chi sono.» Era uno dei pochissimi casi in cui ammetteva quanto fosse rara la sua presenza in famiglia. Ma questa volta serviva allo scopo. «Perché non trovi qualcos'altro da fare per tenerti occupata?» Kate non voleva qualcosa che la impegnasse, desiderava proprio un bambino tutto loro. Joe era seccato, e lo diventò ancora di più quando vide che era rimasta delusa. «Con te c'è sempre qualcosa che non va», la rimproverò mentre si avvicinavano all'aeroporto. «O ti lamenti perché non ci sono mai, oppure, come adesso, vuoi un figlio. Possibile che tu non riesca a essere felice di quello che hai? Perché hai sempre bisogno di qualcosa di più? Cosa c'è che non va in te?» Joe si stava concentrando per l'atterraggio, quindi Kate preferì non ribattere, ma la sua risposta non le era piaciuta. Toccava sempre a lei adeguare le proprie esigenze a quelle del marito, e solo di rado succedeva il contrario. Negli anni Joe era stato coccolato e viziato, in parte anche per colpa di Kate. Era presente così di rado e per così poco tempo che quando c'era tutto orbitava intorno a lui. Fra l'adulazione del pubblico per i suoi record di pilotaggio, l'eroismo durante la guerra e l'enorme successo nel campo degli affari, si sentiva sempre ripetere che era un uomo straordinario, e quella della moglie era solo una voce che si aggiungeva alle altre.

Così, lungo il tragitto dall'aeroporto a casa lei non disse più niente. Joe sapeva perché, ma si rifiutava di approfondire l'argomento. Da anni non aveva fatto che ripeterle di non volere figli. C'erano già abbastanza bambini al mondo, il *baby boom* aveva ripopolato la Terra, e lui non sentiva il minimo desiderio di aggiungerci un'altra creatura. Quando arrivarono a casa e Reed buttò le braccia al collo di Joe, lui ne approfittò per lanciare un'occhiata a Kate, come se volesse dimostrarle la logica del suo punto di vista. Per quanto lo riguardava, il discorso era chiuso.

L'argomento non venne più tirato fuori, ma lui si mise d'impegno e quell'anno riuscì a essere a casa per le vacanze natalizie. Kate non gli aveva permesso di dimenticare che non le era stato vicino né per la festa del Ringraziamento né il Natale precedente, perciò lui si era sforzato di sistemare tutto per accontentarla.

Andarono a molti ricevimenti e al ballo di una debuttante, portarono Reed e Stephanie a pattinare e li aiutarono a fare un pupazzo di neve a Central Park. Joe regalò alla moglie una stupenda collana e un paio di orecchini di brillanti. Erano sposati da due anni e in quel periodo erano particolarmente felici. La sera dell'ultimo dell'anno ballarono insieme e a mezzanotte, quando lui la baciò, Kate si sentì al settimo cielo.

L'indomani Joe stava guardando una partita di football alla televisione mentre lei toglieva le decorazioni dall'albero. I bambini stavano facevano un pisolino e, nonostante un blando mal di testa dovuto alle bevute della sera precedente, Joe era di ottimo umore. Le vacanze erano state bellissime. Due giorni dopo sarebbe partito per un giro di quattro settimane in Europa e a febbraio sarebbe tornato in Asia. Ma ormai Kate si era rassegnata e aveva già programmato di andargli incontro in California al suo ritorno.

Gli portò un panino imbottito e stava ridendo per qualcosa che lui le aveva appena detto, quando Joe si accorse che, tutto d'un tratto, nei suoi occhi era apparsa una strana espressione e il suo viso era diventato di un pallore mortale. Si spaventò: non l'aveva mai vista così.

«Ti senti bene?»

«Sì.» Andò a sedersi sul divano vicino a Joe e riprese fiato per un minuto. Qualche giorno prima aveva mangiato qualcosa che le aveva fatto male, quindi disse che secondo lei dovevano essere i postumi dell'intossicazione.

«Rimani qui seduta ancora un po'. Non hai fatto che correre di qua e di là tutta la mattina.» Era salita e scesa dalla scala almeno una decina di volte per togliere gli ornamenti dall'albero e correre dietro ai figli. La domenica e i giorni di festa la bambinaia non andava da loro.

«Sto bene, davvero», insistette Kate, e si alzò di scatto. Aveva una quantità incredibile di cose da fare e non voleva perdere tempo. Ma nel preciso momento in cui si trovò in piedi rovesciò gli occhi all'indietro e scivolò lentamente sul pavimento ai suoi piedi.

Joe le si precipitò vicino, si inginocchiò per controllarle il polso e tese l'orecchio per sentire se respirava. Quando Kate aprì lentamente gli occhi, lasciandosi sfuggire un gemito, vide il viso del marito vicinissimo al suo. Non aveva la minima idea di che cosa fosse successo. Un istante prima lo stava guardando normalmente, e adesso si ritrovava a fissarlo da sotto in su, distesa sul pavimento. Lui era fuori di sé per l'angoscia.

«Kate, che c'è? Cosa ti senti?»

«Non lo so», gli rispose senza nascondergli di essere spaventata e di provare ancora un vago senso di vertigine. «All'improvviso mi sono sentita girare la testa.» Pochissimo tempo prima la moglie di uno dei piloti di Joe era morta di tumore al cervello, e lui non riusciva a pensare che a quello, mentre Kate si rialzava lentamente.

«Ti porto all'ospedale. Subito», le disse, aiutandola ad

accomodarsi sul divano. Lei non cercò di ribellarsi, anzi, si accorse che sdraiata cominciava a sentirsi meglio.

«Sono sicura che non è niente. E, in ogni caso, non possiamo lasciare soli i bambini. Chiamerò il dottore.»

«Rimani dove sei», le ordinò Joe. Gli ubbidì, e dopo qualche minuto finì con l'addormentarsi. Intanto lui continuava a guardarla; non voleva confessarglielo, ma era davvero preoccupato. Da quando la conosceva Kate non era mai svenuta. Rimase seduto sul divano di fianco a lei finché si svegliò. Adesso aveva un aspetto molto migliore. E nonostante le proteste del marito, quella sera volle cucinare lei la cena.

Però Joe si accorse che mangiava pochissimo. Le fece promettere che la mattina dopo si sarebbe fatta vedere da un medico, e stava meditando di telefonare al direttore del Columbia-Presbyterian Hospital, un vecchio amico appassionato di aerei. Pensava di farsi dare da lui i nomi dei migliori medici di New York, nel caso la situazione si fosse fatta seria come temeva. Kate, invece, sembrava avere preso quello che era successo con molta più serenità, tanto che quella sera quando andarono a letto, vedendolo così stravolto, non ebbe il coraggio di tenerglielo ancora nascosto. Si girò verso di lui mentre stava per spegnere la luce e lo baciò. Ormai Joe era convinto che lei dovesse morire, e la strinse forte, lottando con se stesso per ricacciare indietro le lacrime.

«Tesoro, non preoccuparti, sto bene... Non volevo che ti arrabbiassi con me», soprattutto durante quel periodo di vacanza. Avrebbe voluto aspettare a parlargliene almeno fino a gennaio, ma non era più possibile. Non le pareva onesto lasciarlo vivere nell'ansia.

«Perché dovrei essere arrabbiato con te? Non è colpa tua se stai male», le rispose Joe dolcemente, mentre lei si riadagiava sul guanciale.

«Non sono malata... sono incinta.» Forse se gli avesse dato una mattonata sulla testa avrebbe avuto minor effetto.

«Tu *sei cosa*?» le domandò esterrefatto.

«Aspettiamo un bambino.» Kate aveva un tono calmo, e Joe si accorse subito che era felice, anche se preoccupata per come lui avrebbe reagito alla notizia.

«Da quanto tempo lo sai?» Si sentiva tradito perché glielo aveva tenuto nascosto.

«Da poco prima di Natale. Il bambino dovrebbe nascere ad agosto.»

«Mi hai ingannato!» esclamò lui balzando fuori dal letto come una furia. Lei non lo aveva mai visto così arrabbiato.

Rimase distesa sotto le coperte a guardarlo mentre camminava con aria tempestosa su e giù per la camera, scaraventava per terra tutto quello che gli capitava sotto mano e chiudeva con un tonfo la porta comunicante con il bagno. Era la reazione che temeva, non quella che sperava.

«Io non ti ho ingannato», mormorò.

«Perdio, se mi hai ingannato! Dicevi sempre di usare delle precauzioni.» In effetti lo aveva fatto per anni, salvo quando era stata sposata con Andy.

«È vero, usavo qualcosa, ma non deve avere funzionato. Sono cose che succedono.»

«Perché adesso? Quando ne abbiamo parlato qualche mese fa ti ho ripetuto che non volevo bambini. Tu, invece, quella sera sei tornata a casa e hai buttato il diaframma nel cesso. Te ne infischi fino a questo punto dei miei desideri?» Era profondamente offeso. Kate si accorse che le labbra le tremavano. Le esigenze di Joe erano in aperto conflitto con le sue.

«Certo che me ne importa, ma è stato un incidente. Non avrei potuto evitarlo. Possono succedere cose anche peggiori.» Secondo l'opinione di Joe, no. Lei non gli aveva dato ascolto, e d'un tratto, si sentiva intrappolato.

«Non molto. Accidenti, Kate. Devi liberartene. Io non lo voglio.»

«Joe, non stai parlando sul serio!» Era sconvolta, perché Joe pareva avere perso la testa.

«Invece sì. Non ho intenzione di avere un figlio alla mia età. Devi abortire.» Si lasciò cadere di schianto sul letto e la guardò con gli occhi scintillanti di rabbia. Lei era inorridita da quello che le stava dicendo.

«Joe, siamo sposati... è il nostro bambino... non cambierà niente nella nostra vita. Troverò una bambinaia e potrò continuare a viaggiare con te.»

«Non me ne importa, non lo voglio.» Mentre la fissava sempre più furibondo sembrava un pargoletto di cinque anni incaponito e capriccioso.

«Non abortirò», rispose allora lei calma. «È già successo una volta, e ho perso nostro figlio. Non ne ucciderò un altro.» Era successo undici anni prima, ma lei ricordava perfettamente quei momenti terribili, il dolore e la disperazione che aveva provato.

«Mi ucciderai se avrai quel bambino. E stai mettendo a repentaglio il nostro matrimonio. Gli stress non ci mancano. E poi, sei proprio tu a dire che non ci sono mai; adesso comincerai a piagnucolare in continuazione perché io non sarò a casa e non starò con nostro figlio. Cristo, se è questo che volevi, dovevi sposare un altro, o rimanere la moglie di Andy. A quanto pare lui ha un figlio ogni volta che guarda una donna.» Kate rimase ferita da questo commento.

«Io voglio essere sposata con te, Joe, l'ho sempre voluto. Questo non è giusto. Non è stata colpa mia», anche se era proprio quello che desiderava. Ma ormai lui si stava convincendo che fosse riuscita a concepire quel bambino con qualche trucco, e niente di quello che lei potesse dire sarebbe riuscito a convincerlo del contrario.

Dopo qualche minuto spense la luce e rotolò su un fianco, voltandole le spalle. La mattina dopo, quando Kate si alzò Joe se n'era già andato. Lei si sentì male pensando alla sua reazione, ma suo marito parlava sul serio, perché quella sera tirò di nuovo in ballo l'argomento. Era felice che lei non fosse stata colpita da una malattia grave, come aveva temuto in un primo momento, ma per quanto lo riguardava quanto a orrore e disperazione una notizia del genere veniva subito dopo quella di un tumore al cervello.

«Ho riflettuto su quello che hai detto ieri sera, Kate, a proposito... sai, della gravidanza...» Faticava persino a chiamarlo «bambino», e parlandole teneva gli occhi fissi sul piatto, come se non volesse nemmeno guardarla. Eppure per un attimo lei si illuse che fosse sul punto di intenerirsi e si scusasse per essersi comportato in quel modo. «Più ci ho pensato, oggi, più ho capito che per noi è la cosa sbagliata. Lo so che ti sconvolge, ma credo davvero che dovresti porre fine alla faccenda. È la soluzione migliore per noi due e per Reed e Stephanie. Rimarranno già abbastanza confusi quando Andy e la sua nuova moglie ne avranno uno, se l'avessimo anche noi si convincerebbero che nessuno li ama più e diventerebbero nevrotici e gelosi.» Era l'argomentazione migliore che fosse riuscito a trovare, ma ci mancò poco che Kate non gli ridesse in faccia.

«Sembra che gli altri bambini riescano a sopravvivere anche quando hanno dei fratellini», gli rispose. Era decisa a non lasciarsi influenzare, ma non voleva che quella storia le costasse il matrimonio. Adesso Joe era più calmo della sera precedente, ma non certo più felice dell'annuncio che gli aveva dato.

«I loro genitori non sono divorziati.»

«Joe... non ho intenzione di abortire», ribadì. «Non lo farò. Ti amo. E voglio avere il nostro bambino.»

Lui non aprì più bocca e rimase nel suo studio fino al momento di andare a letto. Il giorno seguente partì per il viaggio di un mese in Europa. Prima di andarsene non la salutò nemmeno, e uscì con aria imbronciata.

Passò una settimana prima che la chiamasse, cosa insolita da parte sua. In quei giorni non aveva fatto che rimuginare sulla questione, sentendosi sempre più inquieto e agitato; Kate, da parte sua, si rese conto che doveva lasciarlo stare.

Quando le telefonò da Madrid aveva un tono pratico e vagamente depresso. Le domandò come stessero lei e i bambini, poi le raccontò quello che stava facendo. Ma la conversazione durò solo pochi minuti, poi le disse che l'avrebbe richiamata presto. Invece la cercò solo tre volte in tutto, e Kate sapeva che quando fosse tornato si sarebbe fermato a casa solo due giorni perché poi sarebbe dovuto ripartire per Hong Kong e il Giappone, dove sarebbe rimasto altri venti giorni. Si era di nuovo lanciato nella sua sfrenata corsa al successo.

Il 1° febbraio Joe rientrò a New York. Al suo arrivo i bambini erano già a letto; Kate stava guardando la televisione in soggiorno, e sentendolo entrare trasalì. Passò qualche minuto prima che lui la raggiungesse, e quando lo fece fu a passo lento. Non l'aveva nemmeno avvisata dell'ora in cui sarebbe atterrato.

«Come stai?» Era un saluto freddo, dopo un mese di rarissimi contatti con la sua famiglia, quindi Kate giunse alla conclusione che fosse ancora arrabbiato. Tutto questo le stava facendo tornare in mente l'atmosfera di gelo che si era creata fra lei e Andy quando aveva rifiutato di concedergli il divorzio, tanto che improvvisamente si sentì cogliere dal terrore che Joe volesse mettere la parola fine al loro matrimonio per colpa della gravidanza. Sarebbe stato pazzesco, ma lei cominciava a domandarsi se le avrebbe mai perdonato quello che era successo, che fosse stata colpa sua o no.

«Io sto bene. E tu?» gli rispose guardinga, mentre lui si sedeva nella poltrona che le stava di fronte.

«Stanco.» Il viaggio era stato lungo.

«È andato tutto bene?» Era una settimana che non gli parlava, ed era talmente felice di vederlo che gli avrebbe volentieri buttato le braccia al collo, ma non ne aveva il coraggio.

«Più o meno. E di te cosa mi racconti?» Le lanciò un'occhiata enigmatica, e lei sospirò. Non era difficile immaginare quello che voleva sapere.

«Non ho deciso per l'aborto, se è questo che intendi», replicò evitando di guardarlo. La loro era una battaglia di due volontà concentrata su una vita ancora minuscola, e a Kate sembrava una situazione molto triste. «Ti avevo detto che non l'avrei fatto.»

«Lo so», borbottò soltanto Joe, poi si alzò, attraversò la stanza e andò a sedersi vicino a lei. Le circondò le spalle con un braccio e la attirò a sé. «Non capisco perché tu voglia questo bambino.» Sembrava esausto e triste, ma non più arrabbiato con lei, e Kate si sentì sollevata.

«Perché ti amo, stupidone», gli rispose con voce strozzata, rannicchiandosi contro di lui. Aveva sentito terribilmente la sua mancanza e si era torturata per l'angoscia ricordando le sue sfuriate.

«Anch'io ti amo. Credo che sia una stupidaggine per noi, ma penso che se deve proprio andare così, riuscirò a convivere anche con questo. Solo, non aspettarti che io gli cambi i pannolini o che cammini su e giù a cullarlo tutta la notte quando piange. Sono vecchio, Kate, e il sonno per me è una necessità.» La guardò con un sorrisetto amaro, e lei ricambiò il suo sguardo, incredula. Lo amava tanto, e anche quando tuonava e si infuriava, alla fine Joe faceva sempre la cosa giusta.

«Tu non sei vecchio.»

«Invece sì che lo sono.» Non volle confessarglielo, ma era andato a riflettere in una chiesa, a Roma. Non era religioso, però quando ne era uscito aveva deciso di lasciarle tenere il bambino, visto che per lei era così importante. «Ti prego di non svenirmi di nuovo fra le braccia. Perdio, mi hai quasi fatto venire un infarto. Come ti senti oggi?» le domandò premuroso.

«Bene.» Era enormemente sollevata, ma non ebbe il coraggio di riferirgli che, secondo il ginecologo, stava ingrossando talmente in fretta che a parer suo sarebbero anche potuti nascere due gemelli. Joe aveva stentato ad accettare l'idea di un figlio, e lei non riusciva a immaginare come l'avrebbe presa se avesse saputo che potevano essere due.

Andarono in cucina e Kate si mise a chiacchierare, tutta animata, di quello che aveva fatto, chi aveva visto e dov'era stata. A Joe piaceva molto ascoltarla, anche quando era stanco. Amava infinitamente la sua energia, l'espressione dei suoi occhi e quella del suo viso, ma soprattutto quello che gli faceva provare. Lei aveva sempre la capacità di portare un brivido di eccitazione nella sua vita, ed era stato così fin dalla prima volta che l'aveva vista.

Parlarono a lungo, seduti al tavolo, e quando finalmente andarono in camera erano tornati gli amici di sempre. In quell'ultimo mese Joe aveva sentito profondamente la sua mancanza, esattamente come lui era mancato a Kate. Non riusciva ancora a immaginare che cosa significasse avere un bambino, ma se doveva averne uno, tanto valeva che fosse con lei.

Una volta a letto lui la prese fra le braccia e la tenne stretta. Gli piaceva il contatto della sua pelle, morbida come la seta, e rimase stupefatto quando, facendole scorrere lentamente la mano sul ventre, sentì un piccolo rigonfiamento tondo. Kate gli voltava le spalle, quindi non poteva vederlo in faccia, ma mentre crollava addormentato Joe sorrideva.

21

JOE rimase in Oriente e in California per gran parte di febbraio, e alla fine del mese Kate prese un aereo per andargli incontro a Los Angeles. Lui era di ottimo umore, il viaggio era andato bene e aveva realizzato grandi cose. Quando vide Kate si meravigliò che avesse messo su tanto peso.

«Sei ingrassata», osservò scherzando.

«Grazie tante.» Era felice di rivederlo, e tutto andava per il meglio. Ma non gli aveva ancora detto che, secondo il dottore, avrebbe potuto aspettare due gemelli.

Joe non l'aveva mai vista in gravidanza, e di tanto in tanto si sentiva a disagio con lei. Aveva sempre paura che le capitasse un altro svenimento, non si sentisse bene o si facesse male. Era talmente preoccupato all'idea di fare all'amore con lei, che Kate gli rise in faccia.

«Va tutto bene, Joe, e anch'io mi sento bene.» Lui non voleva che guidasse la macchina, la rimproverava quando ballava, e a suo giudizio non avrebbe neanche dovuto nuotare. «Non ho nessuna intenzione di starmene a letto per i prossimi sei mesi.»

«Invece è quello che farai se te lo dico io.» Ma, a dispetto dei suoi timori, dedicarono più tempo del solito a fare l'amore. Quel breve viaggio a Los Angeles si trasformò per tutti e due in una specie di luna di miele. Malgrado la presenza del bambino, o forse proprio per quel motivo, Joe si accorse di sentirsi ancora più vicino a Kate, come se la loro intimità fosse cresciuta.

Quando rientrarono a New York, Joe rimase un paio di settimane a casa, poi ripartì. Kate stava cominciando ad abituarsi anche a questo, si teneva occupata con i figli e faceva visita alle amiche. Non solo, ma la gravidanza le dava anche uno scopo, qualcosa cui pensare. Non vedeva l'ora che il bambino nascesse. Il parto era previsto per la fine di agosto, ma sarebbe potuto avvenire anche prima, se erano veramente due gemelli. D'altra parte, però, fino a quel momento, per quanto fosse già molto grossa, il ginecologo non aveva ancora udito due battiti cardiaci, ma soltanto uno. In ogni caso l'aveva avvertita che non escludeva di doverla obbligare a rimanere a letto per gli ultimi due mesi.

A marzo nacque il bambino di Andy. Kate mandò un regalo accompagnato da un bigliettino di congratulazioni. Lui sembrava felice quando andava a prendere Reed e Stephanie, come se gli anni trascorsi insieme non fossero mai esistiti. E anche a lei sembrava una persona conosciuta tanti anni prima. Lo ricordava meglio se tornava con la memoria al periodo in cui erano stati soltanto amici. Pensare al loro matrimonio era troppo doloroso per entrambi.

Ad aprile Joe era a Parigi, quando Andy telefonò a Kate, nel tardo pomeriggio di un venerdì. Secondo gli accordi, sarebbe toccato a lui andare a prendere Reed per accompagnarlo nella casa di vacanza che aveva preso per la famiglia nel Connecticut perché passasse il fine settimana con loro, ma gli era capitato un impegno improvviso di lavoro. Julie e la piccolina non stavano bene, quindi nemmeno lei poteva recarsi in città al suo posto.

«Forse potresti metterlo sul treno, Kate. E Julie potrebbe andare a prenderlo a Greenwich. Io tornerò a casa molto tardi.»

A lei non sembrava una buona idea, e Reed ne rimase deluso. Gli piaceva moltissimo andare a Greenwich. Allora Kate, dopo avere parlato con il figlio, richiamò Andy e si offrì di accompagnarlo in macchina. Si trattava di un viaggio di due ore fra andata e ritorno, il tempo era bello, faceva caldo e, con Joe lontano, lei non aveva nient'altro da fare.

«Sei sicura? Mi dispiace davvero costringerti a fare una cosa del genere.» Kate era incinta di cinque mesi, ma stava benissimo.

«Sarà divertente. Mi darà qualcosa di cui occuparmi.» Reed era tutto eccitato quando Kate andò a dirglielo, prima di affidare Stephanie alla baby-sitter. Lei sarebbe tornata troppo tardi, quindi non era il caso di portare anche la bambina con sé. Partirono alle sei e lei assicurò alla baby-sitter che sarebbe tornata per le otto. A Parigi era mezzanotte, e Joe le aveva già telefonato.

All'andata incontrarono un po' di traffico, e arrivarono a casa di Andy alle sette e un quarto. Julie aveva fra le braccia la bambina, che soffriva di diarrea, ed erano entrambe raffreddate. La piccola somigliava moltissimo a Andy, e anche un po' a Reed. Kate diede un bacio al figlio prima di lasciarlo con la matrigna. Julie le offrì qualcosa da mangiare, ma lei voleva rientrare subito in città. Risero insieme, pienamente d'accordo sul fatto che Kate era diventata enorme. Ogni giorno si convinceva sempre più che sarebbero nati due gemelli.

«Oppure un elefantino», aggiunse Kate con un'ultima risata, poi risalì in macchina. Abbassò il finestrino e accese la radio. Era una serata calda, e guidare le faceva piacere. Alle otto meno un quarto imboccò l'autostrada. Ma a mezzanotte, la baby-sitter telefonò a Greenwich. Kate non era ancora arrivata.

Fu Julie che andò a rispondere. La ragazza sembrava preoccupata. In un primo momento aveva pensato che forse la signora avesse deciso di fermarsi lungo la strada per fare una visitina a un'amica, ma a questo punto temeva che le fosse successo qualcosa. Ecco perché si era decisa a chiamare gli Scott: voleva sapere se per caso Kate si fosse fermata da loro. Non ne era molto convinta, ma le sembrava ugualmente che valesse la pena di fare un tentativo. Julie si mostrò meravigliata che Kate non fosse già rientrata. Non aveva nessuna idea di quali fossero i suoi piani; da lei era rimasta solo pochi minuti dopo averle affidato Reed. Allora si girò verso Andy, già mezzo addormentato, per domandargli se l'ex moglie gli avesse detto qualcosa in merito, ma lui scosse la testa.

«Probabilmente ha incontrato degli amici e si è fermata a mangiare qualcosa con loro a New York. Ha detto che Joe è via.» E Andy sapeva che lei usciva spesso per conto proprio.

«Però, adesso che ci penso, non era vestita per andare a cena fuori», obiettò Julie. Infatti Kate aveva addosso una gonna di cotone e un camiciotto di linea sciolta, i capelli raccolti in una coda di cavallo e ai piedi aveva un paio di sandali.

«Magari è andata al cinema», disse Andy mentre si riaddormentava. Julie, invece, raccomandò alla ragazza di richiamarla se Kate non fosse tornata a casa. L'aveva sempre trovata molto simpatica, e non aveva motivi di rancore nei suoi confronti. Sapeva che aveva fatto soffrire terribilmente suo marito riprendendo la sua relazione con Joe, ma adesso che si era risposato sembrava che Andy avesse preso le cose con molta più filosofia. Non solo, ma era grata a Kate di averlo lasciato libero, perché lui si sentiva immensamente felice.

La mattina dopo alle sette la baby-sitter ritelefonò, e questa volta Andy cominciò a preoccuparsi sul serio.

«Certo che non è da lei», spiegò alla moglie mentre riagganciava. Reed era al pianterreno a fare colazione, e non voleva farglielo sapere. «Adesso provo a chiamare la pattuglia della Stradale di servizio per vedere se ieri sera è successo qualcosa sull'autostrada di Merritt.» Kate guidava bene e non c'era ragione di pensare a un incidente d'auto, ma non si poteva mai sapere con sicurezza.

Aspettò per quelle che gli sembrarono ore che la polizia rispondesse al telefono e descrisse Kate e la sua automobile. Di solito usava una station wagon per portare in giro i bambini, una macchina solida e robusta. L'agente impiegò moltissimo a tornare in linea.

«Abbiamo avuto un scontro frontale a Norwalk ieri sera alle otto e un quarto. Una station wagon Chevrolet e una berlina Buick. La persona al volante della Buick è rimasta uccisa, e quella che guidava la Chevy era priva di sensi quando l'abbiamo tirata fuori. Sesso femminile, trentadue anni, ma qui non c'è nient'altro che possa servire a descriverla. L'hanno portata all'ospedale alle dieci. Ci sono volute due ore per tirarla fuori dalla macchina.» Era tutto quello che sapeva, ma era più che abbastanza. Andy riferì tutto a Julie mentre componeva il numero dell'ospedale che il poliziotto gli aveva fornito. Mentre attendeva una risposta si accorse che le mani gli tremavano.

L'infermiera del pronto soccorso gli riferì che Kate era lì, sempre priva di conoscenza e in condizioni critiche. L'ospedale non era stato in grado di parlare con nessuno quando avevano chiamato il suo numero di casa la sera prima, a mezzanotte passata. A quell'ora probabilmente la baby-sitter doveva essere addormentata. Andy guardò la moglie con aria grave.

«È grave, ha una ferita alla testa e una gamba rotta.»

«E il bambino?» mormorò Julie, provando una gran pena per lei.

«Non lo so. Non hanno detto niente.» Intanto si era vestito per andare all'ospedale.

«Non dovresti avvertire Joe?» gli domandò.

«Vediamo prima quello che trovo.»

Ci volle mezz'ora perché Andy raggiungesse con la macchina l'ospedale, e quando entrò nella camera rimase inorridito da quello che vide. Kate aveva la testa nascosta da un'enorme fasciatura, una gamba ingessata e, a quanto poté notare appena entrato, perché aveva il lenzuolo tirato fino al petto, il ventre completamente piatto. Dunque non lo sapeva ancora, ma aveva perso il bambino. Andy si sentì salire le lacrime agli occhi, le si avvicinò e le prese una mano con tutta la delicatezza possibile. Gli era bastato guardarla per sentirsi affacciare alla memoria un'infinità di ricordi. Nei primissimi tempi della loro unione, quanti giorni felici avevano avuto!

Quando lui uscì dalla stanza Kate era ancora in coma. Parlò con il medico, il quale lo informò che non sapevano se sarebbe sopravvissuta. Per un po' il rischio che non ce la facesse non poteva essere escluso.

Andy rimase in sala d'aspetto per ore e ore, e gli venne in mente la nascita di Reed, quando aveva aspettato un giorno intero torturandosi al pensiero di Kate. Questa volta, però, era molto peggio. Subito dopo averla vista Andy telefonò alla baby-sitter a New York, pregandola di mettersi subito in contatto con Joe.

«Non so come, signor Scott», gli rispose lei scoppiando in lacrime. «Mi pare che la signora Allbright abbia il nome del suo albergo, ma non so dove sia. Di solito è lui che la chiama.»

«Non sa in che città si trova?» Certo che era una vita pazzesca, pensò Andy, con un marito sempre in giro per il mondo. Ma sapeva benissimo che Kate era disposta a fare qualsiasi cosa pur di stare con Joe, ora come in passato.

«No, non lo so», rispose la ragazza continuando a piangere. «A Parigi, credo. Mi pare che la signora avesse detto così. Ha telefonato ieri.»

«Crede che oggi richiamerà?»

«Può darsi. Ma non telefona tutti i giorni.» Andy si accorse di odiarlo per quelle che considerava le sue mancanze nei confronti di Kate. Lei meritava di avere qualcuno che ne avesse cura, la proteggesse e la coprisse di premure, non una specie di commesso viaggiatore che correva in giro per il pianeta.

Concluse la telefonata dicendo alla baby-sitter che se Joe si fosse fatto vivo avrebbe dovuto spiegargli le condizioni in cui Kate si trovava e l'ospedale in cui l'avevano ricoverata. Poi le raccomandò di non muoversi di un passo dal telefono, giorno e notte. Purtroppo, non poteva nemmeno chiamare gli uffici di Joe, perché era il fine settimana. Al punto in cui stavano le cose il marito non avrebbe potuto fare niente per lei, ma sarebbe stato bello se le fosse stato vicino.

«E... e il bambino? Sta bene?» gli domandò la ragazza guardinga. Ci fu una lunga pausa.

«Non lo so.» Gli parve che non fosse compito suo dirle che era morto. Toccava a Joe saperlo per primo.

Terminata la conversazione, Andy chiamò i genitori di Kate, i quali si lasciarono prendere dal panico. Lui li avvertì che li avrebbe tenuti informati su ogni eventuale sviluppo della situazione, ma loro gli risposero che sarebbero partiti per New York il più presto possibile. Poi telefonò anche a Julie e la pregò di mettersi in macchina con i bambini per andare a prendere Stephanie, ma di lasciare la baby-sitter in città, nel caso Joe si fosse fatto sentire.

«E lei come sta?» gli domandò la moglie, accorgendosi di sentirsi unita a Kate da uno strano legame.

«Abbastanza male», rispose Andy, quindi tornò nella camera di Kate, dove rimase fino alle sei passate. A quell'ora ritelefonò a New York, ma di Joe non c'era traccia.

Per tutta la notte lui e Julie fecero a turno a telefonare all'ospedale, e ai bambini non dissero niente. Reed aveva intuito che doveva essere successo qualcosa di brutto, ma era stato contento di giocare tutto il pomeriggio all'aperto. Il padre gli aveva spiegato soltanto che la mamma era andata via per un paio di giorni. Quanto alla settimana successiva, con Julie si erano trovati d'accordo di non mandarlo a scuola e di tenerlo a Greenwich.

Kate non riprese conoscenza né il sabato né la domenica, e Joe non chiamò mai. Adesso ad assisterla c'erano i suoi genitori, distrutti. Le sue condizioni non peggiorarono, ma non migliorarono neanche: continuava a rimanere in sospeso fra la vita e la morte.

Il giorno dopo la prima cosa che Andy fece fu telefonare all'ufficio di Joe. Hazel, la segretaria, lo informò che il signor Allbright si stava trasferendosi dalla Francia alla Spagna e gli assicurò che l'avrebbe sentito in giornata, qualche ora più tardi. Lui le spiegò la situazione, e la donna rimase sconvolta, quindi gli promise che avrebbe fatto tutto il possibile per cercare di rintracciare Joe al più presto.

Ma Andy non ebbe più sue notizie fino alle cinque del pomeriggio. Joe aveva cambiato i suoi piani e lasciato un messaggio a Madrid. Nessuno era riuscito a mettersi in contatto con lui, e Hazel non aveva potuto raggiungerlo nell'albergo di Parigi perché Joe lo aveva già lasciato. Secondo lei doveva trovarsi in viaggio per Londra, ma non ne era sicura. In ogni caso gli aveva lasciato un messaggio in ciascuno degli alberghi di tutta Europa dove lui alloggiava abitualmente. Finalmente il martedì pomeriggio lo trovarono; Joe spiegò alla segretaria di avere rinunciato ad andare in Spagna e di essersi preso un fine settimana di vacanza che aveva trascorso nella Francia del Sud su una barca, di conseguenza non aveva avuto modo di telefonare a Kate. Appena arrivato in albergo a Londra aveva trovato il messaggio di Hazel.

«Cos'è successo?» Non immaginava con quanta insistenza tutti avessero cercato di rintracciarlo e non sospettava certo che fosse successo qualcosa a sua moglie. Dapprima pensò che Hazel fosse agitata per qualche improvviso problema di lavoro, ma lui non aveva nessuna fretta di scoprirlo. Era rilassato e disteso dopo i due giorni in barca a vela, e non gli andava l'idea di rovinarsi quel po' di serenità con una cattiva notizia.

«Si tratta di sua moglie», gli rispose la segretaria andando dritta al nocciolo della questione, e gli descrisse l'incidente, poi gli spiegò che si trovava in condizioni critiche in un ospedale del Connecticut, e che Andy Scott le aveva telefonato per informarla dell'accaduto.

«Che cosa stava facendo nel Connecticut?» Non aveva ancora assimilato completamente la gravità della situazione, e aveva fatto una domanda assurda.

«Credo che venerdì sera dovesse accompagnare Reed in qualche posto. È successo sulla strada del ritorno, e lei era sola.»

A poco a poco le cose cominciarono a farsi chiare e poté valutarle meglio. «Devo tornare immediatamente», disse subito, ma a quell'ora era troppo tardi per trovare un aereo, e purtroppo non ne aveva a disposizione nessuno di quelli della società. Questa volta aveva viaggiato con i voli di linea, cosa che gli capitava di rado. «Farò quello che posso. In ogni modo non credo che riuscirò ad arrivare prima di domani pomeriggio. Ha il numero dell'ospedale?» Hazel glielo diede e Joe provò subito a chiamarlo. Quando riaggandò rimase seduto, immobile, con gli occhi fissi nel vuoto. Non riusciva a credere a quello che gli avevano riferito. La vita di sua moglie era appesa a un filo, e aveva perso i bambini: Kate aspettava due gemelli. Ma lui, seduto sull'orlo del letto al *Claridge*, non riusciva a pensare a nient'altro che a quello che avrebbe fatto se lei fosse morta.

22

ALLE sei del pomeriggio di mercoledì Joe arrivò all'ospedale di Greenwich. Erano passati cinque giorni dall'incidente. Kate era attaccata a un respiratore e nutrita con una sonda. Non aveva ripreso i sensi, anche se i medici pensavano che la ferita alla testa avesse avuto un piccolo miglioramento. La tumefazione era diminuita, e questo era un buon segno. I genitori di Kate erano tornati nel motel poco distante dove alloggiavano per riposare. Quando Joe entrò in camera, vicino al letto c'era Andy Scott. I due uomini si scambiarono una lunga occhiata, e Joe poté leggere facilmente negli occhi dell'altro tutto quello che pensava sul suo conto.

«Come sta?» domandò facendole una carezza su una mano.

«Sempre lo stesso, più o meno», rispose Andy a denti stretti.

Era così pallida... a Joe sembrava morta, ma Andy gli spiegò che proprio quel pomeriggio pareva un po' migliorata. Lui non aveva messo piede nel suo studio tutta la settimana, non gli pareva giusto lasciare Kate sola, e Julie aveva già il suo bel daffare, dovendosi occupare di tutti i bambini. Dopo che avevano avuto notizie di Joe e si erano messi in contatto con lui, la baby-sitter aveva raggiunto Julie per darle una mano.

Joe notò subito il suo ventre piatto, e provò un tuffo al cuore sapendo che cosa avrebbe significato per lei. Già da parte sua, in quegli ultimi tempi aveva cominciato a sentirsi un po' più emozionato pensando al bambino, ma a questo punto non gli importava più di niente, tranne che di Kate.

«Grazie per essere stato qui con lei», disse educatamente a Andy che, dopo essere andato a prendere la giacca, si preparava ad andarsene. Al capezzale di Kate c'era un'infermiera che li stava osservando. Non riusciva a capire quali fossero i loro rapporti con la paziente, ma si intuiva subito che fra quei due non doveva correre molta simpatia.

Appena prima di lasciare la camera Andy si fermò e domandò a bassa voce a Joe: «Si può sapere dove diavolo eri? Nessuno è riuscito a trovarti per quattro giorni.» Joe aveva delle responsabilità, una moglie incinta e due figliastri. Andy non riusciva assolutamente concepire come fosse possibile dileguarsi in quel modo, tanto che si domandò se per caso avesse un'altra donna. Ma non lo conosceva: lui era fatto così, e niente poteva cambiarlo. Kate ci si era abituata, ma a volte anche per lei era duro rassegnarsi a una situazione del genere. Joe si faceva vivo quando era pronto a farlo, e a volte non la chiamava per giorni. Andy non avrebbe mai fatto una cosa del genere a sua moglie e ai suoi figli.

«Ero in barca», rispose Joe gelido. A lui sembrava una spiegazione adeguata. «Sono rientrato appena l'ho saputo», ma anche lui si sentiva a disagio al pensiero che Kate fosse ricoverata in un ospedale da cinque giorni senza averlo avuto vicino. Solo che non aveva nessuna voglia di rispondere delle proprie azioni a un tipo come Andy Scott. Ormai non erano più faccende che lo riguardassero: per lui Kate doveva essere soltanto la madre dei suoi figli. «E i suoi genitori? Lo sanno?» domandò ancora Joe. Non aveva nemmeno pensato a chiederlo ad Hazel, quando le aveva telefonato.

«Sono qui», gli spiegò Andy. «Hanno preso una camera in un motel.»

«Grazie per il tuo aiuto», ripeté Joe, come se volesse mandarlo via.

«Chiamaci, se possiamo fare qualcosa», concluse Andy e uscì dalla stanza. Joe si sedette accanto a Kate. L'infermiera lasciò il suo posto e si diede da fare al lavabo vicino alla porta, in modo che lui potesse rimanere solo per un po' con sua moglie. La guardò, profondamente turbato. Non riusciva immaginare di perderla. Per quanto strani i loro rapporti potessero sembrare alle altre persone, era profondamente innamorato di lei. Kate era la sua migliore amica, il suo conforto, il suo mentore, la sua allegria, la sua gioia, la sua coscienza, a volte, ma era sempre stata l'amore della sua vita.

«Kate, non lasciarmi...» sussurrò, mentre l'infermiera usciva dalla stanza fermandosi appena fuori della porta. «Per favore, piccola... torna indietro...» Rimase seduto vicino a lei per ore e ore, tenendole una mano, con le lacrime che gli scendevano a fiotti sulle guance.

Un dottore arrivò per controllare la fasciatura e a mezzanotte prepararono una branda per Joe, che aveva deciso di dormire lì. Non voleva trovarsi nella loro casa in città, se Kate fosse morta. Rimase sveglio tutta la notte continuando a osservarla. Poi, alle quattro del mattino lei si riprese. Joe si era appena appisolato ma, nel momento in cui sentì il suo gemito, si mise a sedere di scatto sulla branda. L'infermiera le stava controllando gli occhi.

«Cosa succede?» le domandò. Ma la donna, che proseguiva nel controllo degli altri segni vitali, aveva lo stetoscopio infilato nelle orecchie e non poteva sentirlo. Poi Kate si lasciò sfuggire un altro gemito e, sempre con gli occhi chiusi, girò la testa verso Joe. Fu come se nelle cupe profondità dell'inconscio avesse capito che era lì con lei. «Piccola, sono io... sono qui vicino a te... apri gli occhi.» Ma questa volta lei rimase muta, e Joe tornò alla sua branda. Eppure continuava ad avere una strana sensazione, come se qualcuno lo osservasse, come se lei potesse sentirla sotto la pelle. Era terrorizzato al pensiero che potesse morire. Purtroppo non sempre volevano le stesse cose, ma non per questo la amava di meno. La differenza stava nel fatto che il punto focale della sua esistenza era diverso da quello di lei, e aveva sempre pensato che Kate fosse riuscita ad accettarlo. E poi, non riusciva a capire perché, ma si sentiva in colpa per quell'incidente. Non l'avrebbe confessato a nessuno, ma continuava a dirsi che lui avrebbe dovuto essere lì, presente. Non aveva avuto nessun presentimento di quello che le era successo, non lo aveva mai neanche immaginato per quei due splendidi giorni passati sulla barca dell'amico, un inglese, aviatore come lui, suo ex commilitone in guerra. Eppure aveva pensato molto a Kate e al bambino che stavano per avere.

Non riuscì più a chiudere occhio per tutta la notte e alle sei si alzò e si lavò i denti e la faccia. Era appena tornato vicino al letto di Kate quando lei si mosse lievemente e, aprendo gli occhi, lo fissò. Joe si accorse che gli mancava quasi il respiro.

«Così va meglio», riuscì a dirle, e le sorrise, sentendosi travolgere dal sollievo come da un'ondata. «Bentornata fra noi.» Lei si lasciò sfuggire un suono sommesso che sembrava quasi un sospiro, poi richiuse di nuovo gli occhi. Joe aspettò con ansia che l'infermiera tornasse per informarla che Kate si era svegliata, ma prima che la donna ricomparisse lei lo guardò di nuovo e, facendo uno sforzo enorme, provò a parlargli. Non sembrava meravigliata di vederlo lì.

«Cos'è successo...» Aveva una voce tanto fievole che la sentiva appena, ma lui si chinò e accostò il viso a quello della moglie per non perdere nemmeno una parola.

«Hai avuto un incidente», le rispose, parlando anche lui pianissimo, senza sapere perché. Forse non voleva frastornarla con un tono troppo alto.

«Reed sta bene?» Ricordava di essere stata in macchina con lui, ma non quello che era capitato durante il viaggio di ritorno.

«Lui sta bene.» Intanto pregava in cuor suo che Kate non gli domandasse ancora del bambino. «Adesso cerca di prendere le cose con calma, tesoro. Io sono qui con te, vedrai che ogni cosa andrà per il meglio.» E si augurava con tutto se stesso che fosse la verità.

Lei aggrottò la fronte, continuando a guardarlo, come se cercasse di capire quello che aveva appena detto. «Perché sei qui?... Sei lontano...»

«No, per niente. Sono proprio qui. Sono tornato.»

«Perché?» Evidentemente Kate non immaginava la gravità delle sue ferite, e forse era meglio così. Poi notò che la mano di lei si spostava istintivamente verso il ventre e cercò di fermarla, ma lei fu più veloce. Sbarrò gli occhi e lo guardò, e prima che lui potesse dire qualcosa, un fiotto di lacrime le scese dagli occhi.

«Amore, non...» riuscì soltanto a mormorare mentre le baciava la mano. «Ti prego, tesoro...»

«Dov'è il nostro bambino?» sussurrò Kate con voce strozzata, poi, aggrappandosi a lui, emise un suono che aveva qualcosa di animalesco, una specie di lungo gemito acuto e straziante. Joe allungò le braccia per stringerla a sé, stando molto attento a non farle male alla testa. Kate aveva capito quello che era successo e non c'era niente che lui potesse fare per consolarla. Ma almeno era viva.

Quando rientrò nella camera, l'infermiera era seguita dal medico; entrambi furono molto contenti di vedere che la paziente aveva ripreso conoscenza. Subito dopo Joe uscì nel corridoio per parlare con il dottore, e questi lo informò che non si poteva ancora sciogliere la prognosi. Kate aveva riportato una grave commozione cerebrale, la frattura alla gamba era molto brutta, inoltre era aveva avuto una forte emorragia quando aveva perso i gemelli. Aggiunse che prevedeva una lunga convalescenza, forse di parecchi mesi, prima che la si potesse considerare guarita. Non solo, ma temeva anche che non potesse più avere bambini: i danni che aveva subito erano considerevoli. Ma, secondo Joe, quello era il minore dei mali; era molto più preoccupato per sua moglie. In ogni caso lui non voleva altri figli, soprattutto se fosse stato rischioso per la salute di Kate.

Quando lei si rese conto di avere abortito rimase così sconvolta che dovettero darle un sedativo. Joe partì per New York: voleva andare in ufficio e passare da casa a prendere il necessario non solo per Kate, ma anche per sé. Alle cinque del pomeriggio era di nuovo a Greenwich. I genitori di Kate se ne stavano andando proprio in quel momento. Elizabeth Jamison si rifiutò di parlargli, e Clarke aveva le lacrime agli occhi quando si girò verso di lui.

«Avresti dovuto essere qui, Joe», disse soltanto, e lui non si azzardò a discutere. Anzi, quelle parole furono per lui come una coltellata al cuore. Capiva quello che provavano, anche se quel comportamento gli sembrava poco ragionevole. Era stata una stramaledetta sfortuna che Kate avesse avuto quell'incidente. Lui era nel suo pieno diritto di fare tutti i viaggi d'affari che gli parevano necessari, anche se magari non rientrava fra questi anche lo scomparire per giorni con una moglie incinta a casa. D'altra parte, lui credeva che Kate stesse bene, e poi, anche se fosse stato a New York non sarebbe cambiato niente, salvo che forse non le avrebbe permesso di mettersi in macchina per andare nel Connecticut. Ma non poteva essere lì a proteggerla ogni ora del giorno. Gli esami che erano stati fatti avevano rivelato che al volante dell'altra macchina c'era un uomo completamente ubriaco. Era una cosa che sarebbe potuta succedere ovunque, in qualsiasi momento, anche se Joe fosse stato in macchina con lei. Pensava che lo considerassero un facile capro espiatorio perché era lontano, ma lui non poteva avere tutto sotto controllo: era soltanto il marito di Kate, non Dio.

Alla fine della settimana Joe ottenne l'autorizzazione di trasferire Kate in un ospedale di New York. Così per lui sarebbe stato più facile andare a trovarla, inoltre pensava che se le amiche fossero andate a farle visita, sarebbe servito a tirarla un po' su di morale. Ma lei era così depressa che si rifiutava di vedere chiunque. E a lui aveva detto che voleva morire.

Passò il fine settimana all'ospedale con Kate, e chiacchierarono con Reed al telefono, ma dopo lei non fece che piangere. Era in condizioni spaventose, tanto che Joe, anche se non volle ammetterlo con nessuno, provò un vero sollievo quando, la settimana seguente, dovette partire per Los Angeles e rimanerci tre giorni. Si sentiva totalmente incapace di esserle di aiuto. Questa volta, però, telefonò ogni poche ore per controllare come stesse.

Quando Kate tornò a casa era la fine di aprile. Camminava con le stampelle e le avevano fatto un'ingessatura più ridotta; quanto alla testa, era guarita completamente, anche se soffriva ancora di emicrania. All'inizio di maggio le tolsero il gesso. Sembrava tornata quella di prima, anche se era molto dimagrita, però la donna dalla quale Joe arrivava ogni sera non era più quella che aveva sposato, come se la luce splendente che lui aveva sempre visto irradiare dal suo spirito si fosse spenta. Era quasi sempre stanca e depressa, non voleva uscire e piangeva spesso. Lui non sapeva più che cosa fare per lei, che di rado gli rivolgeva la parola e dimostrava un totale disinteresse per tutto quello che Joe diceva. Vederla in quelle condizioni lo stava facendo impazzire.

A giugno i bambini andarono a stare con Andy e Julie per un mese, ma questo servì soltanto a peggiorare le cose, perché Kate venne a sapere che Julie era di nuovo incinta. Dopo la perdita dei due gemelli lei non faceva altro che disperarsi per quello che non poteva più avere.

«Magari è meglio così, siamo troppo vecchi per avere altri figli», provò a osservare Joe, cercando di aiutarla a farsene una ragione. «Avremo più tempo l'uno per l'altra, e tu potrai viaggiare di più con me.» Ma lei non aveva più nessuna voglia di andare da nessuna parte. Joe si offrì di condurla in Europa, oppure sulla costa occidentale, però non riuscì a convincerla.

Per due mesi tentò con ogni mezzo di risollevarle il morale, poi fece quello in cui riusciva meglio. Scappò. Stare con lei era troppo difficile. Era come se lo accusasse, come avevano fatto anche tutti gli altri, di non essere stato lì. E Joe non ce la faceva più a sopportarla. L'antico demone del senso di colpa gli era di nuovo alle calcagna. Partiva per un viaggio appena possibile, e ce n'era bisogno, perché era rimasto a casa con Kate molto tempo e i suoi affari cominciavano a presentare qualche difficoltà. Quando ricominciò ad andare in giro per il mondo aveva ormai i nervi a fior di pelle. A casa non facevano che litigare, era un incubo che pareva non dovesse avere mai fine. E se anche lui non voleva che le cose andassero in quel modo, non sapeva più come ritrovare la Kate di un tempo, che sembrava essersi smarrita chissà dove, lasciando il posto a una donna che insisteva a respingerlo e allontanarlo.

Joe viaggiò continuamente per tre mesi. Alla fine dell'estate, ogni volta che lui tornava a casa si sentivano due estranei. Kate andò a Cape Cod con i genitori e i bambini, e Joe non li raggiunse, rimase a Los Angeles. Era sicuro che Elizabeth avesse molto da dire in proposito, ma ormai non gliene importava più niente. Per anni era stata odiosa con lui, e adesso Joe non sentiva più alcun obbligo di dimostrare qualcosa a lei, e nemmeno a sua figlia. Era tornato, era stato lì, aveva fatto tutto il possibile, eppure anche questo non era sembrato abbastanza.

A settembre rimase due settimane a New York. Sperava che Kate stesse meglio, ma quando le disse che sarebbe partito per il Giappone lei ebbe una crisi di nervi.

«Di nuovo? Si può sapere quando rimarrai un po' qui?» Ormai si stava trasformando in un'arpia. Joe si pentì addirittura di essere tornato.

«Ci sono quando hai bisogno di me, Kate. Sono stato a casa tutto il tempo che ho potuto. Se vuoi venire con me, sei sempre la benvenuta, lo sai.» La sua voce aveva una sfumatura fredda e distaccata.

«Non ne ho nessuna voglia.» Kate era irrequieta, scontenta, sempre pronta al litigio e al battibecco, e questo non faceva che peggiorare la situazione. «Quando tornerai?» gli domandò in tono velenoso, e per la prima volta Joe ebbe l'impressione che avrebbe potuto odiarla. Non voleva arrivare fino a quel punto, ma lei non gli lasciava altra scelta. Capiva che fosse sconvolta per la morte dei gemelli, ma adesso a poco a poco stava uccidendo lui, e sembrava che cominciasse a morire lei stessa. La cosa peggiore era che Kate lo voleva con la forza della disperazione, aveva bisogno che lui le rendesse la vita migliore, ma si ritrovava talmente chiusa nelle sue angosce da non sapere più come riprendere i contatti con il marito e ritrovare l'armonia di una volta. Quando avrebbe voluto che succedesse, la disperazione e la rabbia che provava ottenevano soltanto lo scopo di allontanarlo sempre di più. Non erano più capaci di ritrovarsi reciprocamente, eppure tutto quello che Kate voleva era Joe. Non aveva mai smesso di amarlo; la persona che odiava veramente era se stessa. Continuava a lambiccarsi il cervello, a rivedere con gli occhi della memoria mille e mille volte il momento in cui si era messa al volante della macchina, e quello dell'incidente, domandandosi perché quella sera si fosse offerta di accompagnare Reed a Greenwich. Se non l'avesse fatto, ora i bambini sarebbero già nati. Così, invece, lei non avrebbe mai avuto un figlio da Joe. Lui era stato fermo in proposito, e le aveva detto che non voleva più tentare niente di simile. Kate lo detestava per questo, e quando non riusciva a trovare le parole per esprimere il suo dolore, diventava una furia e se la prendeva con lui. Erano diventati due estranei, due nemici, che vivevano sotto lo stesso tetto, sotto il quale lui stava di rado.

Nel mese di ottobre Joe rimase a casa per soli quattro giorni. Le sue assenze davano a Kate la sensazione di essere abbandonata, disperata e tradita, servivano solo a rinfocolare la sua rabbia, e non le era certo di aiuto sua madre, che continuava ad aizzarla contro il marito. Per quanto riguardava Elizabeth, infatti, lui la stava solo usando, gli faceva comodo una donna che fosse sua moglie soltanto di nome. Kate cominciava a pensare che lui non le volesse più bene, e invece di dimostrargli tutto il suo amore per farlo tornare quello di prima, era capace soltanto di sbattergli la porta in faccia. Dopo un po' Joe non provò nemmeno più a cercare l'approccio giusto nei suoi confronti. Dall'incidente non avevano più fatto all'amore, e ormai erano passati sei mesi. Lui ne aveva più che abbastanza.

«Kate, mi stai uccidendo», cercò di spiegarle con tutta

la dolcezza possibile. Era a casa per il fine settimana, e lei intuiva, e non sbagliava, che provava una gran voglia di scappare. «Non posso, ogni volta che torno a casa, trovarmi in questa situazione. Devi cercare di superarla. Capisco che è una cosa terribile avere perso i gemelli, ma io non voglio perdere noi. Hai due bambini meravigliosi, perché non puoi accontentarti di loro ed essere felice? Perché non vieni a Los Angeles con me? Sono mesi che non esci di casa.» Si lambiccava il cervello in cerca della soluzione migliore per costringerla a riprendersi.

«Io non voglio andare in nessun posto», gli rispose seccamente, allora lui assunse lo stesso tono tagliente per replicare. Aveva tentato di essere paziente, ma non era servito a niente, salvo a mandarlo su tutte le furie e a farlo soffrire.

«Ah, no? Tu vuoi soltanto startene qui seduta, a piangerti addosso, vero? Bene, per l'amor di Dio, Kate, vedi di crescere, accidenti! Io non posso rimanere qui in continuazione vicino a te a tenerti la mano. Non posso riportare indietro quelle due creaturine, e chissà, forse è stato meglio così, forse era destino che noi non dovessimo avere figli. È stata una decisione di Dio, non nostra.»

«In ogni caso, era quello che volevi, o sbaglio? Tu volevi che io abortissi, in modo da non doverti prendere il fastidio di tornare a casa più di dieci minuti al mese. E non venire a raccontarmi tutto quello che hai fatto per me, o che sono fortunata, o di chi è stata la decisione di far morire i miei bambini... non raccontarmi un accidenti di niente, Joe, perché tu non sei mai qui. Ci hai messo cinque maledettissimi giorni per tornare, quando tutti credevano che io ormai fossi in punto di morte. Come osi farmi una scenata come questa, sostenere che devo crescere? Tu sei sempre lontano, a far volare quei tuoi stramaledetti aerei, e a spassartela su e giù per il mondo mentre io rimango qui con i

miei bambini. Forse sei tu quello che dovrebbe crescere!»
A guardare Joe si sarebbe detto che Kate lo avesse preso a schiaffi, tanto che non rispose. Se ne andò di casa sbattendosi la porta alle spalle e quella notte dormì al *Plaza*. Quanto a Kate, riuscì soltanto a buttarsi sul letto a piangere. Gli aveva detto proprio tutto quello che non avrebbe mai voluto dirgli. Ma si sentiva talmente infelice e disperata, e soffriva così tanto, sempre, per la sua lontananza... Lo voleva più di qualsiasi altra cosa al mondo, voleva che lui le suggerisse la via giusta da imboccare, la soluzione da seguire, e lo detestava perché non poteva farlo. Non poteva riportarle i suoi gemelli, non poteva rimanerle accanto, non poteva far girare all'indietro le lancette dell'orologio. Continuava a desiderarlo, ma sapeva che comportandosi in quel modo l'avrebbe allontanato da sé per sempre. Non aveva nemmeno nessuno con cui parlarne. Era come se sei mesi prima fosse precipitata in un buco nero e non trovasse più il modo di uscirne. Sapeva di dover fare tutto da sola, ma non sapeva come.

Il giorno seguente Joe tornò, ma solo il tempo necessario per preparare una valigia e partire per Los Angeles. Quanto a Kate, il solo fatto di vedergli preparare il bagaglio la gettò nel panico. Lui era gelido, e si capiva che faceva di tutto per controllarsi.

«Ti telefonerò», le disse senza perdere la calma. Non sapeva che cos'altro aggiungere. Era convinto che Kate lo odiasse, e lei non sapeva come spiegargli che odiava se stessa. Gli aveva detto cose così terribili ed era stata così scostante e insolente con lui che per la prima volta stava cominciando a domandarsi se sarebbero mai stati capaci di ritrovarsi. Si sentiva sopraffatto e non era mai stato tanto solo e infelice.

Rimase a Los Angeles un mese, decidendo di continuare a dirigere di lì i suoi affari. Si fece persino raggiungere in aereo da Hazel per non essere costretto a tornare a casa. Quando finalmente ci mise di nuovo piede si era vicini alla festa del Ringraziamento. Aprì la porta con cautela, e trasalì quando Reed gli volò fra le braccia.

«Joe! Sei tornato!» Fu felice di rivedere il bambino. Lui e la sua sorellina erano una delle cose che amava di più di Kate, particolarmente in quei giorni, e quando stava lontano soffriva di non averli vicino.

«Mi sei mancato, campione!» gli rispose con un grande sorriso. E gli era mancata anche Kate. Molto più di quanto si fosse aspettato, ecco perché era lì. «Dov'è la mamma?»

«È fuori. È andata al cinema con gli amici. Lo fa tante volte.» Reed aveva cinque anni e adorava Joe. Era triste quando partiva, e sua madre piangeva tutto il tempo che lui rimaneva via. Adesso era molto tempo che piangeva. Stephanie, invece, aveva tre anni e in quel momento stava dormendo.

Quando Kate rientrò dal cinema si meravigliò di vederlo. Sembrava più calma di quando lui se n'era andato, tanto che la prese fra le braccia, sia pure con una certa circospezione. Non sapeva mai quando, e fino a che punto lei volesse aggredirlo. Ormai non si parlavano nemmeno molto spesso al telefono.

«Mi sei mancata», le disse Joe sincero.

«Anche tu mi sei mancato», rispose Kate e si aggrappò a lui, scoppiando in lacrime.

«Mi mancavi anche prima che partissi», aggiunse Joe, e lei capì.

«Non so che cosa mi sia successo, forse ho battuto la testa più forte di quanto credessi.» A parte i guai che le erano capitati, c'era sua madre che continuava a influenzarla. Lui avrebbe voluto che Kate rompesse i rapporti, ma sapeva di non poterle chiedere una cosa simile.

Questa volta Kate stava molto meglio, e finalmente entrambi cominciarono a sentirsi un po' più sereni. Decisero di rimanere a casa durante le vacanze e di rinunciare anche al solito viaggio a Boston per passare il Ringraziamento con Clarke ed Elizabeth. Joe pensava che non se la sentiva di affrontare una prova del genere, ma si guardò bene dal confessarlo a Kate; si limitò a osservare che sarebbe stato bello rimanere lì insieme, e lei si dichiarò subito d'accordo. Per Joe fu un sollievo enorme. Ma non ebbe fortuna, perché tre giorni prima della festa del Ringraziamento ricevette un cablogramma dal Giappone con il quale lo avvisavano che nella filiale locale della sua azienda le cose stavano andando a rotoli e insistevano perché andasse immediatamente a sistemare tutto di persona. Non era certo quello che desiderava, ma si rese conto che per non mettere a repentaglio i futuri rapporti di lavoro sarebbe dovuto partire. Però detestava l'idea di doverlo dire alla moglie.

Quando lo fece, lei non gli nascose di essere dispiaciuta. «Non puoi dire a quella gente che qui da noi è la festa del Ringraziamento? È importante, Joe.» Era sull'orlo delle lacrime. Fecero di tutto perché non scoppiasse una delle solite discussioni, anche perché da qualche tempo le cose stavano andando meglio.

«Anche i miei affari sono importanti, Kate», obiettò lui con voce pacata.

«Quest'anno ho bisogno che tu sia qui. Tutto questo è difficile per me. Non lasciarmi sola.» Era la preghiera di una bambina angosciata, una bambina che aveva perso il padre perché si era suicidato, e di una donna che da poco tempo aveva perduto due bambini desiderati con tutte le sue forze. Ma Joe si aspettava che Kate si comportasse da persona adulta.

«Vuoi venire con me?» Lei scosse la testa.

«Non posso lasciare i bambini il giorno del Ringraziamento, che cosa penserebbero?»

«Che hai bisogno di fare un viaggio con me. Mandali dagli Scott.» Ma lei non voleva, voleva solo passare quel giorno di festa a casa con loro e con lui. Tentò tutto il possibile per convincerlo a rinunciare al viaggio, e Joe continuò a cercare di farle capire che avrebbe voluto stare con lei, ma era obbligato a partire. «Tornerò nel giro di una settimana. Te lo prometto.» Ma per Kate quella non era la soluzione giusta. La mattina della partenza di Joe. Sembrava una bambina, seduta nel grande letto matrimoniale a piangere. «Kate, non farmi questo. Te l'ho detto, non ho scelta. Non è onesto da parte tua farmi sentire in colpa. Cerca di comportarti in modo che le cose vadano come devono andare fra noi, nel modo migliore.» Lei annuì, si soffiò il naso e lo baciò prima che se ne andasse. Voleva capire a tutti i costi, essere ragionevole, ma si sentiva ugualmente abbandonata, così andò a Boston con i bambini.

Andò a finire che Joe rimase assente il doppio del previsto. Questa volta durante il viaggio di ritorno non si fermò in California, ma quando arrivò a New York Kate si mostrò glaciale. Nei quindici giorni della sua assenza Elizabeth Jamison era stata abilissima a lavorarsi la figlia per convincerla che suo marito si comportava vergognosamente nei suoi confronti. Era come se volesse distruggere a tutti i costi quello che Joe e Kate avevano.

Joe non le chiese scusa, rinunciò a fornire spiegazioni, non si difese per essere stato lontano tutto quel tempo. Era stanco di continuare con quel giochetto. Comunque, quella sera lui si divertì con i bambini, poi andò a letto e si mise a leggere tranquillamente. Voleva dare a Kate l'opportunità di calmarsi e di adattarsi di nuovo alla situazione. Capiva che il suo modo di vivere, fatto di continue partenze e arrivi, le creava molte difficoltà e che a volte le occorreva del tempo per ritrovare l'umore di prima e dimostrargli di nuovo quanto lo amasse, soprattutto se Elizabeth aveva continuato ad attizzare il suo malumore.

Quando Kate lo raggiunse le parlò del Giappone e si comportò come se tutto andasse per il meglio. A volte serviva, soprattutto se lui riusciva a controllarsi e a non reagire nel modo sbagliato. Ma era difficile perché, dopo un viaggio molto lungo, arrivava sempre stanchissimo. In ogni modo cercò di essere paziente, per quanto gli era possibile. C'era stato un miglioramento nei loro rapporti, e ci teneva che tutto continuasse in quella direzione. Purtroppo, invece, cominciava a capire di avere perso terreno mentre era lontano. Le vacanze, le feste, erano importanti per lei e la sua famiglia, e per loro il fatto che non fosse stato presente il giorno del Ringraziamento significava moltissimo, molto più che per lui. In realtà si era trattato semplicemente di un viaggio d'affari ma purtroppo era stato costretto a farlo nel momento sbagliato. Per Kate era stato come uno schiaffo in faccia o, peggio, come se Joe le avesse fatto capire che non la amava quanto lei credeva, o forse non la amava per niente. Ci aveva pensato sua madre a insistere per convincerla.

Nei giorni successivi le acque si calmarono un po', e Joe rimase a casa per oltre due settimane. Andarono tutti insieme a comprare un albero di Natale e lo decorarono. Fu quella la prima volta che vide di nuovo Kate allegra e serena come ai vecchi tempi. La sua vivacità di spirito era finalmente ricomparsa. Quell'anno era stato difficile per tutti, per lei in modo particolare, ma finalmente ne era venuta fuori, e Joe cominciava a vedere un po' di luce davanti a loro, dopo tutto quel buio. Finalmente qualcosa stava cambiando.

Tre giorni prima di Natale gli telefonarono per informarlo che sarebbe dovuto andare a Los Angeles, ma non se ne preoccupò particolarmente: non si sarebbe fermato molto, perché si trattava di partecipare solo a una serie di riunioni in un'unica giornata, poi avrebbe ripreso un aereo per tornare a casa. Promise di arrivare per la vigilia di Natale. Kate non reagì: quello fino a Los Angeles sembrava a entrambi un viaggetto da niente. Al momento della partenza di Joe era distesa e ben disposta e, una volta tanto, lui non si sentì in colpa perché la lasciava sola. Quella mattina fecero persino all'amore.

A Los Angeles tutto filò liscio. A New York, invece, le cose andavano meno bene; da quando Joe era partito non aveva smesso di nevicare e la mattina della vigilia di Natale la città fu colpita da una delle più violente tormente di neve della sua storia. Lui, però, continuava a sentirsi fiducioso di poter atterrare ugualmente e di arrivare a casa in tempo, invece l'aeroporto di Idlewild venne chiuso e il suo volo annullato pochi minuti prima del decollo. Nessuno poteva farci niente. Joe era bloccato.

Tornò a casa e telefonò a Kate, la quale si mostrò comprensiva. A New York il tempo non era cambiato, e in Central Park c'erano oltre sessanta centimetri di neve fresca.

«Va bene, tesoro. Capisco», rispose a Joe, che si sentì decisamente sollevato. Kate non voleva certo che lui rischiasse la vita, né che fosse costretto ad atterrare lontano, a Chicago oppure a Minneapolis, e di lì a prendere un treno per New York. Non aveva senso. Gli promise di spiegarlo ai bambini. Passarono ugualmente un bel Natale. Ma quando Kate ci ripensò, a festa finita, si rese conto che nei tre anni in cui era stata sposata con Joe, due volte su tre lui aveva mancato quell'appuntamento. Poi, il giorno di Natale, quando spiegò ai genitori che suo marito era bloccato a Los Angeles, Elizabeth commentò: «Naturalmente». Bastò perché tutto diventasse difficile per Kate. In fondo, doveva sempre cercargli delle scuse per giustificare la sua assenza nelle occasioni importanti per tutti, e in particolare per lei.

Qualche volta arrivava perfino a domandarsi se lui evitasse intenzionalmente quei giorni di festa insieme perché da bambino erano sempre stati deprimenti per lui. Ma, qualunque fosse il motivo, lei soffriva. L'unico al quale sembrava che non importasse niente era Reed: per lui Joe non sbagliava mai.

Visto che era bloccato a Los Angeles, Joe decise di fermarsi a sbrigare altro lavoro e tornò a casa una settimana più tardi, per Capodanno. Sarebbero dovuti uscire con un gruppo di amici, ma quando Kate vide com'era stanco annullarono tutto e andarono a letto. Non le parve giusto costringerlo a mettersi lo smoking e a uscire. Purtroppo, la loro vita era così.

Festeggiarono il loro anniversario, poi tutto ricominciò. Joe rimase assente per buona parte di gennaio, una metà di febbraio, tutto marzo, tre settimane di aprile e tutto il mese di maggio. Kate se ne lamentò più di una volta, e a giugno, quando provò a fare un po' di conti, arrivò alla conclusione che in sei mesi erano stati insieme venti giorni. Cominciava a chiedersi se lui lo facesse per evitarla; le pareva inconcepibile che una persona dovesse stare perennemente lontano da casa, e decise di dirglielo. Di quel discorso Joe colse soltanto le critiche e Kate gli apparve come una madre che aveva amaramente deluso. Pensò che forse era impossibile portare avanti il lavoro e contemporaneamente adattarsi alle esigenze di sua moglie: lei continuava a rifiutare di capire che il suo lavoro era fatto così, e che a lui piaceva. Quell'anno Kate lo seguì solo in un paio di viaggi.

Joe era esasperato, non ne poteva più di sentirsi ripetere sempre le stesse cose, di provare sempre lo stesso senso di colpa. E lei, da parte sua, era stanca di non averlo mai vicino. Lo amava più che mai, e dopo l'incidente che li aveva allontanati avevano saputo riavvicinarsi, ma adesso alla loro unione mancava la vivacità di un tempo. Joe aveva quarantacinque anni ed era al culmine della carriera; Kate sapeva che tutto sarebbe continuato in quel modo per altri vent'anni e sarebbe andato peggio, forse molto peggio, prima di migliorare.

«Io voglio stare con te, Joe», gli disse con tristezza a giugno quando lui tornò per qualche giorno. Ma ormai era un ritornello anche troppo familiare. Kate avrebbe voluto trovare un compromesso in modo da poter stare insieme di più, ma lui aveva troppe cose per la testa per trovare il tempo di discuterne. Il giorno dopo era già ripartito per Londra, evitando di avvertirla che per il resto dell'anno avrebbe viaggiato sempre più frequentemente. Ormai sembrava che nessuno dei due avesse più voglia di lottare.

Del resto, a quel punto non si trattava più di combattere ciascuno la propria battaglia, ma di accettare quello che avevano. E, all'infuori dei sentimenti che provavano l'uno per l'altro, da sedici anni, non avevano più abbastanza tempo per godersi la compagnia reciproca o per costruire qualcosa insieme. Joe ormai da molto tempo aveva smesso di cercare di convincerla a seguirlo nei suoi viaggi: i bambini erano ancora piccoli e avevano bisogno della mamma, e lui sapeva che per almeno altri quindici anni Kate avrebbe trovato difficile accettare di lasciarli.

A luglio lei lo raggiunse in California con i bambini. Joe li accompagnò a Disneyland, poi Joe li portò tutti a fare un volo su uno stupendo aereo nuovo, un modello che aveva appena costruito. Ma erano a metà del soggiorno quando lui dovette partire perché c'era un'emergenza da risolvere a Hong Kong, e di lì andò direttamente a Londra, mentre Kate portava i figli a Cape Cod. Per tutta l'estate Joe non si fece vedere. Non sopportava più Elizabeth, quindi disse chiaro e tondo alla moglie che non avrebbe più messo piede da quelle parti. Del resto, quell'anno tornarono a casa prima del solito perché Clarke era gravemente malato. Fu solo verso la metà di settembre che le loro strade si incrociarono di nuovo. Lui tornò a casa per venti giorni, ma questa volta, quando Kate lo vide, capì che qualcosa era cambiato. In un primo momento pensò che si trattasse di un'altra donna, ma dopo la prima settimana intuì che la realtà era molto peggiore: Joe non ce la faceva più a continuare in quel modo, e alla fine aveva scelto la fuga. Lo scotto da pagare per amare lei, o una qualsiasi altra persona, era davvero troppo alto.

Era stato travolto e trascinato altrove dalle esigenze della sua carriera, perché ormai gli aerei da lui progettati e fabbricati dominavano l'industria aeronautica internazionale. Joe aveva creato un mostro che li aveva divorati entrambi. Ma a quel punto lui aveva capito di dover fare una scelta: il mondo che aveva creato per se stesso, oppure Kate. Nel momento in cui lei se ne rese conto e lo guardò negli occhi, ebbe l'impressione che l'aria intorno a loro fosse diventata gelida. La cosa peggiore era che si amavano ancora, ma ormai Joe aveva spiccato il volo, allontanandosi così tanto che non lei avrebbe più avuto modo di raggiungerlo, perché aveva scoperto che non gli era possibile avere tutto ma, principalmente, che non poteva dare alla moglie ciò di cui aveva bisogno e che meritava.

Aveva riflettuto l'intera estate, e quando la rivide a New York si sentì straziare il cuore ma intuì di essere sicuro. La risposta era arrivata dopo molto tempo perché le domande erano troppo difficili. Se lei gli avesse chiesto se la amasse ancora, lui sarebbe stato costretto a rispondere di sì. Ma la madre di Kate aveva visto giusto: quello che aveva voluto da sua figlia e si era illuso di poter dividere con lei era un sogno impossibile.

Ci vollero giorni per trovare il modo di confessarglielo, ma alla fine ci riuscì. La sera prima di partire per Londra, dove intendeva acquistare una piccola compagnia aerea inglese, vide Kate sdraiata nel letto vicino a lui e capì che non sarebbe mai più potuto tornare da lei. Forse avrebbe preferito spararle piuttosto che dirle quelle parole, ma se non altro perché la amava, capiva di dover riacquistare la propria libertà e restituirle la sua.

«Kate.» Sentendosi chiamare si girò, e comprese tutto prima ancora che lui aprisse bocca. In quei venti giorni aveva visto nei suoi occhi un'ombra che la terrorizzava, così si era sforzata di non fare niente che potesse provocarne il malumore, aveva cercato di farsi piccola piccola, di stare alla larga, di non mandarlo su tutte le furie. Da mesi non litigavano più, ma ormai non c'entravano i bisticci, era qualcosa di radicato in lui: voleva dalla vita più di quello che fosse disposto a dividere con Kate. Nei sedici anni in cui l'aveva amata aveva dato quello che aveva e che poteva dare, adesso pretendeva per sé quello che rimaneva. E non voleva più chiedere scusa, né dare spiegazioni, né essere costretto a consolarla. Sapeva quanto lei si sarebbe sentita abbandonata, ma non gliene importava più.

Kate sembrava una cerbiatta sul punto di essere uccisa.

Joe trasse un respirò profondo e si buttò a capofitto. Anche se avesse aspettato un altro momento non avrebbe migliorato le cose, che anzi non potevano che andare peggio. Ci sarebbero stati il giorno del Ringraziamento, Natale, l'anniversario, le vacanze e le festività delle quali a lui non importava niente, e poi di nuovo l'estate a Cape Cod. Aveva avuto ragione fin dal principio: non si sarebbe mai dovuto sposare né avere dei figli, nemmeno quelli di lei, per quanto fosse arrivato a provare un vero affetto per loro. Ma non amava nessuno abbastanza da viverci insieme.

«Ho intenzione di lasciarti, Kate», disse così piano che lei non riuscì quasi a sentirlo. Lo guardò con gli occhi sbarrati, pensando di avere capito male. Già da qualche giorno aveva intuito che qualcosa stava per succedere, ma aveva pensato che si trattasse di un viaggio lungo del quale Joe aveva paura di parlarle.

«Che cosa?» Per un attimo le sembrò di essere sull'orlo della pazzia, come se il mondo si fosse messo a girare vorticosamente sfuggendo al suo controllo. Non era possibile che lui avesse pronunciato quelle parole, ma l'aveva fatto.

«Ho detto che ho intenzione di lasciarti.» Joe si accorse di non avere la forza di guardarla, perché Kate continuava a fissarlo. «Non ce la faccio più ad andare avanti così.» Si sforzò di riportare gli occhi su di lei e si sentì quasi rabbrividire, osservando la sua espressione. Era la stessa che le aveva letto negli occhi quando aveva scoperto che i suoi bambini erano morti, e probabilmente la stessa che aveva assunto da bambina quando il padre si era ucciso. Rifletteva l'annientamento totale, la sensazione di sentirsi definitivamente abbandonata. Di nuovo, Joe si accorse di essere dilaniato dal senso di colpa per quello che stava per farle.

«Perché?» riuscì soltanto a mormorare lei. Si sentiva come se un bisturi le avesse trafitto il cuore, come se Joe glielo avesse strappato dal petto. Non riusciva quasi a respirare. «C'è un'altra donna?» Ma prima ancora che lui rispondesse si rese conto che si trattava di qualcosa di diverso, qualcosa che Joe non voleva e non aveva mai voluto. Il dono che lei gli aveva dato dal profondo del cuore non era più quello che suo marito desiderava. Era semplice, almeno per lui.

«Non c'è nessun'altra. Non ci siamo più nemmeno noi. Avevi ragione, io sono via tutto il tempo. La verità è che non posso essere qui, e tu non puoi essere con me.» Il prezzo da pagare per l'amore era troppo alto: doveva provare dei sentimenti, invece non voleva provare niente.

«Tutto qui? Se potessi stare con te vorresti rimanere sposato con me?» Kate stava riflettendo convulsamente sull'eventualità di dividere in parti uguali con Andy l'impegno dei bambini. Avrebbe fatto qualunque cosa fosse necessaria, anche se significava rinunciare al tempo che dedicava a loro... ma non voleva perdere Joe. Lui, però, scosse lentamente la testa. Doveva essere onesto, e lui stava barattando l'onestà con l'amore.

«Non si tratta di quello, Kate. Ma di me, e di chi voglio essere da adulto. Sono cresciuto. Tua madre aveva ragione, e anch'io, credo: gli aerei vengono prima di tutto il resto. Forse è per quello che lei mi ha sempre odiato tanto e non ha avuto fiducia in me, perché sapeva che io, in realtà, sono proprio così. Non ho fatto che nasconderlo a entrambi, ma soprattutto a me stesso. Io non posso essere quello di cui hai bisogno, ma sei abbastanza giovane per trovare qualcun altro.»

«Stai parlando sul serio? E lo dici con questo tono, come se niente fosse? Io amo te, Joe. Ti amo da quando avevo diciassette anni, e non ci si butta dietro le spalle un sentimento del genere per andare per i fatti propri.» Cominciò a piangere, ma lui non tentò di consolarla. Avrebbe soltanto peggiorato le cose, o almeno così pensava.

«A volte devi andare per i fatti tuoi. A volte ti devi guardare bene in faccia e capire chi sei, quello che vuoi e che cosa non hai. Io non ho quello che occorre per stare con te, o con chiunque altra, e sono stanco di sentirmi in colpa per questo.» Era sicuro che non si sarebbe mai più sposato.

«Non m'importa quanto tempo rimani lontano», disse Kate ragionevole, «posso tenermi occupata con i bambini. Joe, non puoi buttare via tutto così. Io ti amo... i bambini ti vogliono un bene incredibile... Preferisco essere sposata con te piuttosto che con qualsiasi altro uomo.» Ma lui non poteva dire altrettanto, lui voleva la libertà più di tutto il resto, la libertà di continuare a costruirsi un impero, di progettare aerei eccezionali, la libertà di non amarla più. Proprio quell'estate si era accorto che nell'ultimo anno aveva solo finto, e non voleva fare una cosa del genere a Kate, né a se stesso. Aveva odiato le telefonate che le faceva, la necessità di essere lì con lei, di trovare pretesti quando non poteva tornare per fare le cose che per lei significavano molto. Le aveva dato quasi quattro anni, ed era più che abbastanza.

Kate rimase seduta, quasi sotto choc, e quando Joe finì di parlare ricominciò a piangere. Conoscendosi e conoscendo tutto quello che aveva sempre provato con lui, intuiva di averlo già perso, forse addirittura da anni. Un giorno lui era sgattaiolato via e lei non se n'era nemmeno accorta, e ora Joe intendeva raccogliere le sue cose e andarsene, senza portarla con sé. Non riusciva a immaginare come avrebbe trascorso il resto della sua vita. Morire, ecco quello che si augurava. Dopo avere visto realizzati i propri sogni, per quanto a volte fosse stato difficile, non c'era nient'altro per lei. Era come se qualcuno fosse andato ad avvisarla che Joe era morto, e in un certo senso era la verità. Lui aveva preferito il lavoro e il successo all'amore, e a Kate sembrava una scelta miserabile.

«Tu e i bambini potete rimanere in questo appartamento quanto volete. Io mi trasferisco in California per il resto dell'anno.» Già quella mattina aveva domandato ad Hazel se fosse disposta ad andare a vivere a Los Angeles; lei aveva i nipotini a New York, ma aveva pensato che sarebbe stato un cambiamento divertente. In ogni caso, non supponeva neppure lontanamente che Joe meditasse di lasciarsi dietro la moglie, e per sempre.

Kate era stravolta. «Hai già deciso tutto? E quando?»

«Probabilmente molto tempo fa. Credo di averlo già saputo quest'estate, e appena sono tornato a New York ho pensato che fosse il momento giusto. Non ha senso tirare le cose per le lunghe.» Che cos'era successo? E lei, che cosa aveva fatto? Come e quanto lo aveva deluso? Era impossibile credere che gli avesse fatto qualcosa di terribile. La verità era un'altra: Kate non aveva fatto niente, se non sposarlo. Quella era l'unica cosa che Joe non voleva, anche se si era convinto del contrario. Ma si era sbagliato. Si era sentito attirare da lei come una falena dalla fiamma, ma alla fine aveva preferito il cielo invece del suo calore, ed era volato via.

Kate, sdraiata a vicino a lui, pianse silenziosamente tutta la notte accarezzandogli i capelli, guardandolo dormire. Se fosse stato qualsiasi altro uomo, lo avrebbe giudicato pazzo, ma c'era qualcosa di molto freddo e calcolato in tutto quello che Joe le aveva detto. Era l'unico modo che conoscesse per salvarsi, e le fece venire in mente la fine del loro rapporto nel New Jersey, anni prima. Non sapendo che cos'altro fare, Joe alzava la guardia contro i propri sentimenti e scappava. Sapeva di poter fare a meno di lei e la congedava. Era la cosa più crudele che le avessero mai fatto. Ai suoi occhi, le ragioni che Joe le aveva esposto non erano sufficienti a giustificare la decisione di strapparsela dal cuore.

Appena cominciò ad albeggiare Kate si alzò, si lavò la faccia, poi tornò sotto le coperte. Quando Joe si svegliò era accanto a lei, come sempre, ma non disse niente, si girò semplicemente su un fianco e scese dal letto.

Quando uscì di casa per prendere il volo per Londra le disse addio con parole caute e misurate. Non voleva darle farle speranze, illuderla che avrebbe cambiato idea; di proposito non aveva mai fatto all'amore con lei durante la sua permanenza a New York.

«Ti amo, Joe», disse, e per un attimo lui rivide davanti a sé la ragazza con l'abito da ballo celeste e i capelli rosso cupo. I suoi occhi erano gli stessi di quella sera, ma quando li fissò vi lesse una sofferenza indicibile. «Ti amerò sempre», gli mormorò, rendendosi conto che lo vedeva per l'ultima volta.

«Abbi cura di te», rispose lui piano rivolgendole una lunga occhiata. Era difficile lasciarla andare; a modo suo, l'aveva amata come meglio poteva. Non come Kate aveva amato lui, ma nel modo migliore che conoscesse. Per lei, forse, sarebbe stato abbastanza, ma non per Joe. La cosa singolare era che lui voleva meno, non di più. «Avevo ragione, sai», aggiunse mentre Kate lo fissava cercando di imprimersi nella memoria ogni particolare di quel volto che adorava. «Era un sogno impossibile. Lo è sempre stato.»

«Non doveva esserlo», ribatté guardandolo con gli occhi azzurri pieni di fuoco. Perfino in quel momento, nonostante la sua sofferenza, era bellissima. «Potremmo ancora averlo.» Le sue parole erano giuste, e Joe lo sapeva, ma non lo interessavano più.

«Io non lo voglio, Kate», rispose crudelmente, perché voleva che capisse. Non poteva farle ancora del male.

Lei tacque e Joe uscì chiudendosi la porta alle spalle.

23

DOPO avere lasciato Kate, Joe partì per la California, dove rimase sei mesi; successivamente si trasferì a Londra per altri cinque. Le offrì una somma altissima come rendita, che lei rifiutò garbatamente. Aveva il proprio patrimonio, e da lui non voleva ricevere niente. Tutto ciò che aveva desiderato per sedici anni era stato essere sua moglie e lo aveva ottenuto, ma solo per quattro anni. Quello era il massimo che Joe Allbright avesse da dare, o almeno così pensava quando se n'era andato.

Lei gli aveva dato tanto dolore, gli aveva inflitto un tale senso di colpa che non aveva potuto fare altro che fuggire. L'aveva desiderata più di qualsiasi altra cosa, l'aveva amata al di là di quanto aveva sognato che fosse possibile, le aveva dato più di quanto sapeva di essere in grado di dare. Eppure, nonostante tutto, per lei non era stato abbastanza. Negli anni della loro unione coniugale sentiva che Kate aveva voluto da lui di più, sempre di più. Questo lo aveva terrorizzato, e aveva fatto riaprire tutte le antiche ferite. Ogni volta che la ascoltava gli pareva di sentire la voce della cugina dirgli che era un bambino perfido e insopportabile, che continuava a deluderla profondamente. Era il demone al quale aveva cercato di sfuggire per tutta la vita, e nemmeno il suo lavoro era riuscito a proteggerlo da tutto questo. E poi, c'era anche un lato egoistico nella sua scelta: non aveva più voglia di darsi da fare per andare incontro alle esigenze di qualcun altro, voleva vedere soddisfatte soltanto le proprie.

Ci vollero mesi perché Kate riuscisse a capire quello che era successo. Ormai la domanda di divorzio era stata inoltrata e loro erano separati da quasi un anno. Durante quel periodo Joe si era rifiutato di rivederla, però di tanto in tanto telefonava per sapere come stessero lei e i bambini. Intanto Kate non aveva fatto che vagare attonita per la casa. La parte più difficile era imparare a vivere di nuovo senza di lui. Era come imparare a vivere senz'aria.

Continuava a riflettere, cercando di capire quale fosse stata la parte che lei aveva avuto. E a poco a poco cominciò a vedere la luce. Dapprima confusamente, poi in modo sempre più chiaro riuscì a capire che la sua smania di cercarlo, di volerlo vicino, di desiderare più tempo da passare con lui lo aveva gettato nel panico. Senza averne l'intenzione, lo aveva spaventato. Non sapendo in quale altro modo trattarla e continuare il loro rapporto, Joe non era riuscito a pensare a nient'altro salvo a darsela a gambe. Non avrebbe mai voluto farle uno scherzo simile ma, alla fine, aveva capito che se fosse rimasto con lei le avrebbe fatto ancora più male. E lo avrebbe fatto anche a se stesso.

All'inizio Kate riusciva a pensare solo a ciò che aveva perduto quando lui l'aveva lasciata, e per mesi la sua disperazione non aveva avuto vie d'uscita. Pensava anche al padre perso da bambina, e a primavera ebbe un altro colpo durissimo: la morte di Clarke.

Esattamente come aveva già fatto anni prima, Kate si chiuse in un mondo tutto suo. Si addormentava piangendo, e il senso di solitudine che provava era schiacciante. Ma con il passare del tempo riuscì piano piano a rimettersi in piedi, a dare di nuovo un senso alla propria vita.

Joe le aveva suggerito di andare a Reno per affrettare le pratiche del divorzio, ma lei le aveva eseguite a New York, sapendo che ci sarebbe voluto più tempo. Era l'atto finale con il quale tentava di rimanere ancora aggrappata a lui. Gli si aggrappava, ma ormai anche quello era un filo che si stava rapidamente assottigliando. In realtà, di Joe non le rimaneva più niente, se non il nome.

Sarebbe stato difficile dire quando il cambiamento si verificò in lei. Non fu un risveglio improvviso, quanto piuttosto un lento e arduo sentiero tortuoso in salita lungo il fianco di una montagna verso la maturità. A mano a mano che, giorno dopo giorno, si arrampicava su per quella montagna, Kate diventava più forte. Le cose che una volta l'avevano disperatamente spaventata adesso sembravano meno minacciose. Aveva perso talmente tanto che alla fine l'abbandono di Joe era diventato una specie di mostro che aveva saputo affrontare e sconfiggere completamente da sola. Di tutte le cose che la terrorizzavano, perdere l'uomo che amava era stata la peggiore. Ma era successo, l'aveva superato, e continuava a vivere.

I suoi figli furono i primi a notare quel cambiamento, molto prima che lei stessa se ne accorgesse. Rideva più spesso, e le salivano le lacrime agli occhi meno facilmente. Li accompagnò a fare un viaggio a Parigi, e quando Joe le telefonò al suo ritorno per avere loro notizie, nella sua voce colse qualcosa di diverso. Effimero, impalpabile, tanto che perfino lui avrebbe avuto difficoltà a dargli una spiegazione. Ma Kate non sembrava più terrorizzata o disperata di essere sola. A Parigi aveva fatto molte passeggiate, sui boulevard o nei labirinti di stradine secondarie, pensando a lui. Joe si era ben guardato dal riprendere i contatti e aveva tutte le intenzioni di non rivederla mai più, anche se aveva preso di nuovo un appartamento a New York e ci abitava.

«Sembri contenta, Kate», le disse piano. E non poté fare a meno di domandarsi, a dispetto di se stesso, se nella sua vita ci fosse un uomo nuovo. Lo avrebbe voluto per lei, eppure nello stesso tempo sperava di no. Da parte sua, aveva preferito non legarsi: non voleva trovarsi invischiato in un'altra relazione. Forse lo avrebbe evitato per sempre, si ripeteva. Del resto, per lui era più semplice stare solo, ma per mesi aveva sentito la mancanza di Kate e del calore che aveva portato nella sua vita. Però era sicuro che fare un altro tentativo, o anche soltanto rivederla, gli avrebbe tarpato di nuovo le ali.

«Sì, credo di essere contenta», rispose Kate. «Dio solo sa perché! Mia madre mi sta facendo impazzire, soffre talmente di solitudine senza Clarke! La settimana scorsa Stephanie si è tagliata i capelli e sembra pelata, e Reed giocando a baseball con un suo amico si è fatto saltare via i due denti davanti.»

«Mi sembra che sia tutto normale.» Joe rise. Aveva quasi dimenticato come fosse vivere con loro, ma una parte di sé non voleva respingere quei ricordi. Come faceva Kate ogni mattina, anche lui pensava a quando loro due si svegliavano nello stesso letto. Da un anno non toccava una donna.

Lei aveva cominciato a frequentare altri uomini, con i quali usciva di tanto in tanto a cena, ma non sapeva risolversi ad andare oltre. In confronto a Joe erano ombre sbiadite. Non riusciva a immaginare un legame con qualcun altro. Quanto tornava a casa la sera, era un sollievo infilarsi a letto da sola. E, a dire il vero, stare sola non le sembrava più qualcosa di minaccioso, anzi, stava diventando comodo e piacevole; aveva i figli e gli amici. Si era trovata ad affrontare una perdita enorme, ma non era morta, e lentamente si stava rendendo conto che niente l'avrebbe mai più spaventata così. Adesso vedeva tutto molto più chiaramente, capiva come dovesse essere stata terrificante la vita coniugale per Joe, e avrebbe voluto dirgli quanto ne era dispiaciuta. Ma sapeva che ormai era troppo tardi perché qualcosa per lui potesse cambiare.

Un mese più tardi, un giorno stava scrivendo tranquillamente nel diario che teneva da qualche tempo, quando Joe la chiamò per parlarle di alcuni particolari del divorzio. Lei aveva continuato a rifiutare le sue offerte di denaro. Clarke le aveva lasciato metà del suo patrimonio. Joe le propose di farle mandare certi documenti dal proprio avvocato, perché riguardavano una proprietà terriera che lui aveva appena venduto. Voleva che Kate firmasse una rinuncia a ogni diritto in merito. Lei accettò, ma per un attimo la sua voce prese una strana intonazione.

«Ti rivedrò mai, un giorno?» gli domandò, e sembrava smarrita. Continuava a soffrire atrocemente per la mancanza di Joe, del suo odore, del contatto della sua pelle, per non poterlo vedere e accarezzare, ma ormai aveva accettato il fatto che lui se n'era andato per sempre dalla sua vita. Anche se non sarebbe morta, era pur sempre come avere perduto una parte essenziale di sé, un braccio, una gamba, o il cuore. Comunque, ormai si era rassegnata.

«Pensi che dovremmo vederci?» ribatté lui, esitante. Per oltre un anno l'aveva giudicata pericolosa, perché aveva paura di innamorarsi di nuovo di lei; in quel caso la loro danza di morte sarebbe ricominciata. Era un rischio che non si sentiva più disposto a correre. «Probabilmente non è una buona idea», aggiunse prima che Kate potesse rispondergli.

«Probabilmente no», ammise lei. E questa volta non sembrò devastata dalla realtà, non c'era disperazione nella sua voce, nessun sottile rimprovero che lo facesse sentire in colpa. Sembrava in pace con se stessa, calma. Poi Joe riprese a parlarle degli ultimi progetti. Quando la telefonata si concluse, lui scoprì che qualcosa lo rodeva. Non l'aveva mai sentita parlare in quel modo, con quel tono. D'un tratto sembrava cresciuta. Non solo, ma si rese conto che Kate era andata avanti per la sua strada. Finalmente aveva trovato la libertà. E se aveva perduto lui, aveva scoperto la quiete dello spirito. Aveva affrontato la peggiore delle sue paure, fissato i suoi mostri dritto negli occhi e, in qualche modo, era riuscita a fare la pace non solo con se stessa ma anche con lui, e a continuare con la propria vita. Aveva rinunciato al suo sogno.

Quella notte, Joe rimase sveglio a lungo, pensando a lei, e la mattina si disse che era stato poco gentile da parte sua non provare almeno a rivedere i bambini. Loro non avevano colpa se il matrimonio fra lui e Kate non aveva funzionato. E si accorse che lei non lo aveva mai rimproverato per questo, non gli aveva tenuto rancore per nessun motivo in quell'ultimo anno. Non gli aveva chiesto niente. Benché fosse precipitata nell'abisso di cui aveva sempre avuto paura, invece di aggrapparsi a lui per sopravvivere o di strangolarlo, aveva mollato tutto. Questa riflessione lo lasciò disorientato, e andando in ufficio, quel giorno, non seppe domandarsi altro, all'infuori del perché questo era successo. Non poteva fare a meno di pensare che una spiegazione ci fosse: Kate si stava aggrappando a un altro uomo. Doveva essere così. Però verso la fine del pomeriggio la chiamò di nuovo. Il documento di cui le aveva parlato era ancora lì, sulla sua scrivania. Si era dimenticato di consegnarlo alla segretaria, il giorno prima, perché glielo mandasse.

Quando telefonò, fu lei a rispondere. Joe aveva sempre provato una certa trepidazione ogni volta che la chiamava: sapeva che un giorno all'altro capo del filo avrebbe sentito una voce maschile. Kate gli parve un po' impacciata, anche se serena.

«Oh... ciao... scusami... ero nella vasca.» Bastarono queste parole a fargli affiorare alla memoria immagini che da mesi cercava di scacciare. Non voleva più pensare a lei in quel modo, non ce n'era motivo. Era finita, doveva essere così.

A sentire la sua voce, Kate sembrava così innocua, era difficile convincersi che poco più di un anno prima, avesse rappresentato una minaccia tanto orribile. Finalmente il ricordo del dolore e del senso di colpa che aveva provato stavano cominciando a sbiadire.

«Ieri mi sono dimenticato di mandarti quel documento da firmare», disse in tono di scusa cercando di non pensare a lei nuda con il ricevitore in mano. Si domandò se si fosse avvolta in un asciugamano o se avesse messo una vestaglia. Guardava dalla finestra, ma non vedeva altro che Kate. «Farò un salto a lasciartelo.» Avrebbe potuto farlo recapitare da un fattorino o spedirlo per posta, lo sapevano entrambi. Ma lei, sorridendo, gli rispose con un tono apparentemente casuale.

«Vuoi salire un momento, quando passi?» Ci fu una lunga pausa mentre Joe ci pensava. L'istinto gli diceva di interrompere la comunicazione, riattaccare, e darsela a gambe per resistere a tutte le attrattive di Kate, sulle quali da molto tempo non posava gli occhi. Non la voleva far entrare di nuovo nella sua vita, eppure lei c'era ancora, non se n'era mai andata. Ed era ancora sposato con lei.

«Io... uh... è una buona idea? Rivederci, voglio dire.» Una vocina nel cervello continuava a ripetergli di scappare.

«Non vedo perché no. Credo di essere all'altezza della situazione. E tu?» Tanto valeva che gli avesse detto: «Io sono superiore a te». Joe non poteva saperlo, ma Kate non lo era affatto, anzi era persuasa che non lo sarebbe mai stata. Ma non era il caso di farglielo capire.

«Suppongo che non ci sarebbe niente di male», rispose Joe, assumendo di nuovo il tono distaccato di poco prima. Ma adesso sembrava che Kate non ci badasse più. Lui non la spaventava come una volta. Ormai non poteva lasciarla, l'aveva già lasciata.

Ma la cosa più importante di tutte era che, finalmente, si sentiva in grado di comprendere chi fosse veramente Joe, e anche se non lo avesse mai più rivisto, il problema non esisteva. Sapeva che lo avrebbe sempre amato, che sarebbe sempre stato il metro sul quale misurare gli altri uomini. Era il più grande e il migliore, l'unico che avesse sinceramente amato, l'unico che si era rassegnata a non poter avere. Sapere questo, e che in parte era colpa sua se l'aveva perduto, era stato un duro colpo da superare, ma alla fine ce l'aveva fatta. Da ciò che era successo era uscita non distrutta, ma più forte. E a Joe Kate non sembrava più la moglie che aveva abbandonato, ma una vecchia amica molto amata. Improvvisamente sentì per lei uno struggimento che non provava da tanto tempo.

«Quando vuoi passare?» gli domandò Kate gentilmente.

«Quando saranno a casa i bambini?» replicò sentendosi più solo di quanto non si sentisse da molti mesi. D'un tratto era lui che misurava in pieno lo strazio di averla persa, e non era sicuro di saperne la ragione. Perché proprio adesso? Fino a quel momento era riuscito a proteggersi benissimo.

«Questa settimana sono da Andy», gli rispose lei in tono di scusa. «Magari se ci trattiamo con educazione, senza tirarci addosso i soprammobili, potresti tornare a trovarli un'altra volta.» Joe si accorse che stava ridendo di lui.

«Sì, mi piacerebbe», disse tutto contento. Improvvisamente si sentì giovane e stupido, ma poi si affrettò a ricordare a se stesso quanto Kate potesse essere pericolosa. Per un momento pensò che forse, tutto sommato, era meglio mandarle quelle carte tramite un fattorino. Ma lei continuò a parlare con la massima calma, perché era calma.

«Facciamo per le cinque?»

«Cinque cosa?» cominciava a lasciarsi prendere dal panico. Aveva paura di rivederla. E se lo avesse incolpato perché fra loro era andato tutto male? E se gli avesse detto che era un bastardo? E se lo avesse accusato di averla abbandonata? Ma lei rideva, e la sua voce non rivelava niente di tutto questo.

«Le cinque del pomeriggio, sciocco. Mi sembri un po' frastornato. Va tutto bene?»

«Sì, va tutto bene. E vanno bene anche le cinque del pomeriggio. Non mi fermerò molto.»

«Lascerò la porta aperta», disse lei canzonatoria. «Non sarai nemmeno costretto a sederti.» Capiva che Joe stava cominciando ad avere paura, ma non il perché. Non le era mai venuto in mente che lui potesse essere nervoso all'idea di rivederla. Perché lo amava comunque, e in ogni caso. La sua vulnerabilità e le sue paure glielo facevano amare ancora di più. L'unico rimpianto era non poter far partecipare anche lui a quell'amore, perché non gliene sarebbe mai stata offerta l'occasione, e aveva i suoi dubbi che l'avrebbe rivisto dopo quel pomeriggio. Una volta che il documento della rinuncia a ogni diritto fosse stato firmato, Joe non avrebbe più avuto ragione di rivederla.

«Ci vediamo alle cinque», confermò lui con il tono asciutto dell'uomo d'affari, e mentre appoggiava la cornetta sulla forcella Kate sorrise. Era assurdo continuare ad amare un uomo che voleva divorziare da lei, non aveva senso, ma niente lo aveva mai avuto nella loro esistenza. Lei aveva trentaquattro anni e finalmente era cresciuta; provava una gran tristezza quando si rendeva conto che la donna che aveva sposato Joe in realtà era solo una bambina spaventata. Un errore nei confronti di entrambi. Kate aveva voluto solo che lui la compensasse di tutto il dolore provato quando era piccola, ma era impossibile che potesse riuscirci e lei, mentre piangeva sulla propria sorte, non era mai stata capace di curarsi le ferite. Erano stati come due bambini impauriti dal buio, e tutto quello che Joe aveva saputo fare era scappare il più lontano possibile. Nonostante questo, lei lo amava, e guardarsi a fondo nell'anima le era servito molto.

Joe arrivò alle cinque in punto con i documenti in mano. Dapprima sembrò imbarazzato, e questo ricordò a Kate la prima volta che si erano visti. Si guardò bene dall'andare oltre le distanze di sicurezza, accogliendolo in casa, e non fece alcun tentativo di avvicinarsi a lui. Si misero seduti a chiacchierare tranquillamente dei bambini, del lavoro di Joe, di un nuovo aereo che intendeva progettare. Era un suo sogno da molto tempo. I sogni di Kate, invece, si erano concentrati soltanto su di lui. Si meravigliò accorgendosi di quanto fosse facile amarlo così com'era, seduto lì vicino a lei, a poco a poco ma sempre più disinvolto e animato.

Era lì da quasi un'ora quando Kate gli offrì un drink, e lui sorrise. Anche solo vederlo le scaldava il cuore. Le sarebbe piaciuto alla follia buttargli le braccia al collo e dirgli che lo avrebbe sempre amato, ma non ne avrebbe avuto il coraggio, così rimase immobile al suo posto ad ammirarlo come un bellissimo uccello che poteva guardare ma non toccare. Se lo avesse fatto, sapeva che lui sarebbe volato via. Le aveva già offerto quella possibilità più di una volta, e lei era riuscita soltanto a ferirlo. Quell'occasione non si sarebbe mai più presentata. Adesso poteva solo amarlo in silenzio e augurargli ogni bene. Era abbastanza, ed era tutto quanto le rimaneva da offrirgli, tutto ciò che Joe avrebbe accettato da lei.

Quando lui se ne andò erano quasi le otto. Kate aveva firmato i documenti, quindi si meravigliò quando il giorno dopo lui le ritelefonò. Anche in questa occasione sembrava a disagio, ma subito diventò più disinvolto, anche se ci mancò poco che si strozzasse mentre balbettava le poche parole necessarie per invitarla a pranzo. Lei ne rimase molto stupita. Non poteva sapere che la sua immagine lo aveva ossessionato tutta la notte.

Kate, adesso, aveva tutto ciò che Joe aveva sempre amato in lei, e non lo aveva spaventato. Però non era sicuro se tutta quell'indipendenza che aveva appena trovato fosse un trucco oppure, più semplicemente, se fosse lui stesso che voleva notare nel suo carattere qualcosa che gli piaceva. Ma intuiva che in Kate qualcosa era cambiato profondamente, e l'aura che le sentiva intorno non era più fatta di bramosia o colpevolezza o sofferenza o bisogno, ma di calore e di pace con lui e con se stessa, e si stava domandando se avrebbero potuto essere amici.

«A pranzo?» Kate non nascose la sorpresa. Ma dopo avere continuato per un po' la conversazione si rese conto che era una proposta accettabile. L'unica sua paura era di innamorarsi ancora più profondamente di Joe. Non aveva niente da perdere. Poteva solo rischiare di soffrire più di prima, ma adesso aveva fiducia in lui, più di quanta ne avesse mai avuta, e sapeva che dipendeva dal fatto che aveva trovato la fiducia in se stessa. Era pronta ad affrontare tutto quello che la vita le avrebbe presentato? Anche questa era una novità, e Joe se n'era accorto.

Due giorni dopo pranzarono insieme al *Plaza*, e durante il fine settimana successivo andarono a fare una passeggiata nel parco. Parlarono del disastro che avevano combinato e di come le cose sarebbero potute andare e non erano andate. Finalmente Kate colse l'opportunità di chiedergli scusa. Avrebbe voluto farlo da mesi, e adesso era grata di avere l'occasione di spiegargli quanto rimpiangesse di avergli causato tanto dolore.

«Lo so, sono stata una sciocca, Joe. Non capivo. Continuavo ad aggrapparmi a te, e più lo facevo, più tu avevi voglia di scappare. Non so come ho fatto a non accorgermene, mi ci è voluto molto tempo per rendermene conto. Vorrei essere stata più furba.» Considerando fino a che punto lui era terrorizzato dal senso di colpa e dalla forza del legame che lo univa a lei, era un miracolo che avesse resistito così tanto.

«Anch'io ho commesso i miei errori», replicò onestamente lui. «Ed ero innamorato di te.» Kate si sentì tremare il cuore, perché non le era sfuggito che Joe aveva parlato al passato. Ma anche questo era giusto, non le piombava addosso come una sorpresa. Doveva essere un'aberrazione che non sapeva spiegarsi il fatto che lei, invece, continuasse ad amarlo, per quanto sentisse che, dopo tutto quello che era successo, non meritava più che le venisse offerta un'altra occasione.

Quando tornarono a casa, Joe vide Reed e Stephanie per la prima volta dal giorno in cui se n'era andato. E loro, appena se lo trovarono davanti, scoppiarono in strilli di gioia. Fu un pomeriggio felice, e Kate rimase serena e in pace per molto tempo. Voleva convincersi che avrebbero potuto essere amici. Rientrando a casa propria, Joe cercò di convincersi della stessa cosa.

La loro amicizia continuò per i due mesi successivi. Di tanto in tanto uscivano a cena, oppure il sabato a pranzo. La sera della domenica Kate preparava la cena per lui e i bambini, e quando Joe partiva, Kate pensava a lui, ma senza farne una tragedia come quando vivevano insieme. Anzi, non era più una tragedia in nessun senso. Non capiva più che cosa provassero l'uno per l'altra, ma di qualunque sentimento si trattasse per due mesi lo avevano nascosto dietro la maschera dell'amicizia, e andava bene così a entrambi.

Era un piovoso pomeriggio di sabato, e i bambini si trovavano nel Connecticut da Andy, quando Joe si presentò inaspettatamente a portarle in prestito un libro di cui avevano parlato la settimana precedente. Lei lo ringraziò e gli offrì una tazza di tè. Non era tutto quello che lui voleva da Kate, ma non riusciva a immaginare come percorrere a poco a poco quel ponte che dall'amicizia avrebbe potuto portarli a qualcosa di nuovo.

Sapevano che era impossibile tornare dove erano stati una volta. Se si fossero azzardati ad andare avanti, doveva essere per arrivare altrove.

Invece tutto avvenne in un modo straordinariamente naturale. Kate aveva appena versato il tè in una tazza quando, alzando lo sguardo, vide che Joe le era vicinissimo. Lasciò che lei posasse la teiera, poi la attirò dolcemente a sé.

«Sarebbe una follia, Kate, se ti dicessi che ti amo ancora?» Lei trattenne il fiato.

«Sicuramente», gli rispose piano, rannicchiandosi contro di lui e cercando di non ricordare le cose che non potevano più condividere. «Sono stata tremenda nei tuoi confronti», aggiunse piena di rimorso.

«E io sono stato un imbecille. Mi sono comportato come un bambino. Avevo paura.»

«Anch'io», gli confessò piano mentre lo abbracciava. «Come siamo stati stupidi... vorrei avere capito allora quello che capisco adesso. Ti ho sempre amato», riprese con un filo di voce, accorgendosi che si sentiva più vicina a lui di quanto non fosse mai stata da oltre un anno.

«Ti ho sempre amata.» Tenendola stretta, Joe adesso sentiva contro la guancia il contatto dei suoi capelli morbidi come la seta. «La verità è che non sapevo come affrontare la situazione. Sapessi come mi sentivo sempre in colpa, e quello mi faceva venire una gran voglia di scappare lontano da te.» Tacque per un momento, poi continuò. «Sei davvero convinta che abbiamo imparato qualcosa, Kate?» Ma sapevano entrambi che era così. Non avevano più paura.

«Tu sei meraviglioso così come sei, e io posso amarti proprio così come sei», disse Kate con un sorriso, «che tu sia qui o no. Il fatto che tu parta e vada lontano non mi fa più paura. Vorrei essermi comportata diversamente», proseguì in tono addolorato.

Lui non le rispose, invece la baciò. Si sentiva sicuro con lei, probabilmente per la prima volta da quando si erano conosciuti. Rimasero lì in piedi in cucina e continuarono a baciarsi, poi senza dirle una sola parola, Joe le mise un braccio intorno alle spalle e si avviarono verso la camera da letto. Fu solo a quel punto che lui la guardò, incerto. Gli faceva affiorare alla memoria talmente tanti ricordi...

«Non sono sicuro di quello che sto facendo qui... probabilmente siamo due pazzi... e io non so neanche come farei se dovessimo combinare un altro disastro... eppure ho questa curiosa sensazione... credo che questa volta sarà diverso», sussurrò Joe.

«Non avrei mai pensato che mi avresti dato di nuovo la tua fiducia.» Gli occhi di Kate erano immensi mentre lo guardava.

«Neanch'io», rispose Joe, e la baciò ancora. Adesso si fidava di lei. Finalmente Joe non correva più rischi con lei, né Kate con lui. Non avevano mai cessato di amarsi, l'unico pensiero terrificante era quanto fossero andati vicino a perdersi per sempre. Si erano spinti fin sull'orlo del precipizio, ma poi si erano fermati. La mano della provvidenza era stata buona con loro.

Joe passò il fine settimana con Kate, e quando i bambini tornarono a casa furono contentissimi di trovarlo ancora lì.

Il resto si sistemò tranquillamente, senza difficoltà, come se lui non se ne fosse mai andato. Già da qualche mese aveva venduto l'appartamento in città in cui avevano vissuto a lungo insieme, quindi si trasferì da Kate per qualche tempo, ma presto comprarono una casa insieme e ci andarono ad abitare.

Joe partiva per i suoi viaggi, e a volte rimaneva assente per intere settimane di fila. Ma a lei non importava. Parlavano al telefono, e lei era felice. E anche Joe lo era. Questa volta il loro matrimonio funzionava, e quando scoppiavano una discussione o un litigio, finivano sempre come fuochi d'artificio che illuminavano con il loro bagliore il cielo ma venivano presto dimenticati. Appena Joe era tornato ad abitare con lei avevano annullato senza clamore la richiesta di divorzio.

Avevano avuto una bella vita, e ormai erano passati quasi diciassette anni da quando avevano tentato di vivere separati. Non avevano sbagliato a fidarsi un'ultima volta l'uno dell'altra: gli anni trascorsi insieme da allora in poi avevano dimostrato che avevano avuto ragione.

Quando i figli se n'erano andati di casa loro avevano avuto più tempo per stare insieme. Kate viaggiava con lui, ma si sentiva sempre a proprio agio se restava sola. Nella sua esistenza non c'erano altri demoni. Avevano anche pagato un duro scotto nei primi anni della loro unione, ma alla fine era servito a farli sentire grati per quello che avevano imparato. Nei loro ultimi anni Joe era stato abbastanza vicino a Kate, e questo era tutto ciò che lei voleva da lui. Le ferite, finalmente, si erano rimarginate.

Erano stati benedetti da un grande dono, un amore raro, un legame tanto forte che perfino loro stessi, stupidi com'erano stati, non avevano avuto la capacità di recidere. La tempesta aveva infuriato, ma la casa che si erano costruiti era rimasta salda in mezzo alle intemperie. Joe e Kate si ca-

Epilogo

IL funerale di Joe si svolse con la pompa e la cerimonia che gli erano dovute. Kate aveva pensato a tutto, fin nei minimi particolari. Era stato il suo ultimo dono per lui. Mentre si allontanava da casa con Stephanie e Reed a bordo di una limousine, guardando dal finestrino aveva pensato a tutto quello che Joe era stato per lei. Tornò con il pensiero a Cape Cod, alla guerra, al periodo che avevano passato nel New Jersey, quando lui aveva cominciato a gettare le basi di quello che sarebbe stato il suo impero. A quel tempo sapeva così poco di lui, mentre adesso avrebbe potuto dipingere il suo ritratto con mille sfumature. Lo conosceva meglio di chiunque altro, e le pareva inconcepibile che se ne fosse andato per sempre.

Quando scese dalla macchina con i figli si accorse che il panico cominciava a stringerle l'anima come una morsa. Che cosa avrebbe fatto adesso per il resto della sua esistenza? Come avrebbe potuto vivere senza di lui? Diciassette anni prima, a metà del tempo che avevano vissuto insieme, si erano visti concedere una tregua, e lei aveva rischiato di perderlo. E se l'avesse perduto, come sarebbe stata diversa la sua vita! Anche Joe aveva riconosciuto più di una volta che sarebbe stata una perdita terribile per entrambi.

La chiesa era affollata di funzionari d'alto rango e di personaggi importanti. Il governatore avrebbe ricordato il defunto con un discorso e il presidente aveva detto che avrebbe fatto il possibile per assistere alle esequie, ma alla fine aveva mandato il vicepresidente, dato che in quel periodo si trovava in Medio Oriente e, anche se si trattava di Joe, il viaggio sarebbe stato troppo lungo. Ma aveva spedito un telegramma a Kate.

Lei e i suoi figli presero posto nel primo banco, mentre una marea di gente riempiva la chiesa. Kate sapeva che c'erano anche Andy e Julie. Sua madre era morta quattro anni prima. Scorse anche per un attimo, in lontananza, Anne, la vedova di Lindbergh, quando entrò con un tailleur e un cappello nero, ancora in lutto strettissimo anche lei. Sembrava un'ironia della sorte che i due più grandi piloti di tutti i tempi fossero morti a pochi mesi di distanza l'uno dall'altro. Era una perdita pesante per il mondo intero, ma lo era ancora di più per Kate.

I funzionari dell'ufficio di Joe l'avevano aiutata a organizzare la cerimonia e il servizio funebre fu toccante, come lo furono le parole pronunciate in ricordo di Joe. Mentre stringeva i suoi figli per mano, Kate sentiva le lacrime che le scendevano lente sulle guance. Ricordò il funerale del padre, e l'espressione remota, devastata dal dolore, della madre. Alla fine era stato Joe che aveva saputo guarire il cuore, che le aveva aperto gli occhi e le aveva insegnato tante cose, su se stessa e sulla vita.

Le persone che erano venute a rendere omaggio a Joe si tirarono indietro in silenzio quando Kate seguì lentamente la bara attraverso la chiesa, lungo la navata principale, e rimase a guardarla mentre la sistemavano sul carro funebre. Il profumo delle rose era intenso. In silenzio, a testa china, risalì sulla limousine per il viaggio fino al cimitero, mentre un migliaio di persone sfilava lentamente fuori della chiesa. Dai discorsi che erano stati fatti in suo onore, avevano sentito sul conto di Joe molte cose che gran parte di loro già sapevano, perché si era parlato delle sue imprese eccezionali, dei suoi atti di eroismo, dei grandi risultati ottenuti, del suo genio, del modo in cui aveva cambiato l'aeronautica. Avevano detto tutte le cose che Joe avrebbe avuto piacere di sentir dire su di sé. Ma Kate era l'unica nella sua vita che lo avesse conosciuto come realmente era. E, nonostante tutti i dolori e i dispiaceri che si erano dati nei primi anni, avevano vissuto una vita che aveva portato a entrambi una gioia immensa. La sicurezza di sapere tutto questo le dava un vago senso di conforto, però continuava a non riuscire a immaginarsi senza di lui.

Stephanie e Reed scambiarono qualche parola a bassa voce, in macchina, durante il tragitto fino al cimitero, senza disturbare la mamma. Kate era immersa nei suoi pensieri, mentre vedeva sfrecciare la campagna nel gelo dell'inverno e riviveva tutti i ricordi. L'arazzo della loro vita era stato colorito e sontuoso al di là di quanto avessero immaginato.

Al cimitero andarono soltanto lei e i figli. Kate aveva voluto trovarsi lì sola con loro e con quello che Joe aveva lasciato nei loro cuori. Essendoci stata un'esplosione a bordo dell'aereo, quella che seppellivano era una cassa vuota. Un gesto finale di rispetto, come disse un sacerdote pronunciando poche parole di benedizione, poi se ne andò. E fu sempre per rispetto nei confronti della madre che Stephanie e Reed si allontanarono, tornando verso la limousine, e la lasciarono sola.

«Come farò, Joe?» mormorò mentre, immobile in piedi, guardava la bara. Dove sarebbe andata? Come avrebbe potuto vivere senza rivederlo? Era un po' come ritornare la bambina di un tempo, e infatti Kate aveva la sensazione che le antiche ferite ricominciassero a farla soffrire. Rimase lì a lungo, pensando a lui. A un certo momento fu come se sentisse la sua presenza lì, vicino a lei. Era l'uomo che aveva sempre sognato, l'eroe di cui si era innamorata quando era ancora una ragazzina, che aveva aspettato di veder tornare dalla guerra, che aveva quasi perduto e poi ritrovato diciassette anni prima. Erano stati molti i miracoli avvenuti nella loro vita comune, ma Joe era stato il migliore di tutti. E capì, lì ferma davanti alla sua tomba, che Joe aveva portato il suo cuore via con sé. Non ci sarebbe mai stato nessun altro come lui. Lui le aveva insegnato tutte le lezioni importanti della vita, aveva guarito le sue ferite, e lei aveva fatto la stessa cosa con quelle di Joe. Aveva saputo toccare la sua anima sino in fondo. Le aveva insegnato non soltanto ad amare, ma anche il valore della libertà, le aveva insegnato a lasciarlo andare, e lui era sempre tornato a casa.

Adesso capiva che questa era la libertà finale, definitiva, l'ultimo volo di Joe lontano da lei. Doveva lasciarlo andare di nuovo. Così facendo, non l'avrebbe mai perso.

«Vola, tesoro mio», mormorò. «Vola... Ti amo...» disse prendendo una rosa bianca e posandola sulla cassa che avrebbero seppellito con il suo nome. E mentre compiva quel gesto sentì che le sue paure scomparivano: Joe non sarebbe mai stato lontano da lei, avrebbe volato, come aveva sempre fatto, nei suoi cieli, che lei potesse vederlo o no. Le aveva dato tutto quanto le era necessario per continuare ad andare avanti senza di lui. Quello che aveva avuto da lui ora lo portava con sé, esattamente come Joe si era portato via con sé il meglio di lei. La danza era finita, ma non avrebbe mai avuto fine.

L'autrice

Danielle Steel è la scrittrice più popolare del mondo, con più di 580 milioni di copie vendute in 47 Paesi. Dal 1981 è sempre presente nella classifica dei bestseller del *New York Times* con almeno un libro, ed è addirittura entrata nel Guinness dei primati per esserci rimasta 381 settimane consecutive, primato da lei stessa successivamente battuto. Autrice di oltre 70 bestseller internazionali, ha anche scritto un memoir, *Brilla una stella*, dedicato alla vita del figlio Nick, scomparso prematuramente.
www.daniellesteel.com

Superbestseller

S. King, *L'incendiaria*
S. Casati Modignani, *Saulina (Il vento del passato)*
D. Steel, *Cose belle*
S. Sheldon, *La congiura dell'Apocalisse*
S. King, *Christine - La macchina infernale*
D. Steel, *Il cerchio della vita*
S. Casati Modignani, *Lo splendore della vita*
M. Higgins Clark, *Le piace la musica, le piace ballare*
S. Sheldon, *E le stelle brillano ancora*
D. Steel, *Il caleidoscopio*
D. Steel, *Zoya*
S. King, *Scheletri*
S. King, *La metà oscura*
D. Steel, *Daddy - Babbo*
M. Higgins Clark, *La Sindrome di Anastasia*
S. Casati Modignani, *Il Cigno Nero*
D. Steel, *Messaggio dal Vietnam*
M. Higgins Clark, *In giro per la città*
S. Casati Modignani, *Come vento selvaggio*
S. King, *Quattro dopo mezzanotte* (Volume primo)
D. Steel, *Batte il cuore*
S. King, *Quattro dopo mezzanotte* (Volume secondo)
D. Steel, *Nessun amore più grande*
M. Higgins Clark, *Un giorno ti vedrò*
S. King, *Cose preziose*
D. Steel, *Gioielli*
G. Pansa, *Ma l'amore no*
S. Sheldon, *Nulla è per sempre*
S. King, *Il gioco di Gerald*
D. Steel, *Star*
M. Higgins Clark, *Ricordatevi di me*
S. King, *Il Miglio Verde*
D. Steel, *Le sorprese del destino*
M. Higgins Clark, *Domani vincerò*
S. King, *Dolores Claiborne*
S. Sheldon, *Giorno & notte*
D. Steel, *Scomparso*
G. Pansa, *Siamo stati così felici*
S. Casati Modignani, *Il Corsaro e la rosa*
M. Higgins Clark, *Un colpo al cuore*
D. Steel, *Il regalo*
N. Sparks, *Le pagine della nostra vita*
S. King, *Incubi & deliri*
D. Steel, *Scontro fatale*
M. Higgins Clark, *Bella al chiaro di luna*
S. Casati Modignani, *Caterina a modo suo*
D. Steel, *Cielo aperto*
G. Pansa, *I nostri giorni proibiti*
D. Steel, *Fulmini*
R. Bachman (S. King), *L'occhio del male*
M. Higgins Clark, *Una notte, all'improvviso*
M. Higgins Clark, *Testimone allo specchio*
D. Steel, *La promessa*
D. Steel, *Cinque giorni a Parigi*
G. Pansa, *La bambina dalle mani sporche*
S. Sheldon, *Una donna non dimentica*
S. Casati Modignani, *Lezione di tango*
S. King, *Desperation*
R. Bachman (S. King), *I vendicatori*
S. King, *Riding the bullet - Passaggio per il nulla* (Libro + CD)
D. Steel, *Perfidia*
S. King, *Mucchio d'ossa*
D. Steel, *Silenzio e onore*
M. Higgins Clark, *Sarai solo mia*
S. Sheldon, *Dietro lo specchio*
D. Steel, *Il ranch*
G. Pansa, *Ti condurrò fuori dalla notte*
D. Steel, *La lunga strada verso casa*
D. Steel, *Il fantasma*
M. Higgins Clark, *Ci incontreremo ancora*
S. King, *Insomnia*
N. Sparks, *Le parole che non ti ho detto*
G. Pansa, *Il bambino che guardava le donne*

S. Casati Modignani, *Vaniglia e cioccolato*
S. King, *Rose Madder*
D. Steel, *Un dono speciale*
R. Bachman (S. King), *L'uomo in fuga*
M. Higgins Clark, *Accadde tutto in una notte*
D. Steel, *Dolceamaro*
R. Bachman (S. King), *La lunga marcia*
S. King, *La bambina che amava Tom Gordon*
S. Sheldon, *L'amore non si arrende*
S. King, *Cuori in Atlantide*
N. Sparks, *Un cuore in silenzio*
M. Higgins Clark, *Prima di dirti addio*
D. Steel, *Immagine allo specchio*
M. Higgins Clark e C. Higgins Clark, *L'appuntamento mancato*
D. Steel, *Forze irresistibili*
S. King e P. Straub, *La casa del buio*
D. Steel, *Le nozze*
M. Higgins Clark, *Sapevo tutto di lei*
S. King, *L'acchiappasogni*
S. Casati Modignani, *Vicolo della Duchesca*
D. Steel, *Aquila solitaria*
M. Higgins Clark, *Dove sono i bambini?*
D. Steel, *Granny Dan - La ballerina dello zar*
S. Casati Modignani, *6 aprile '96*
N. Sparks, *I passi dell'amore*
D. Steel, *La casa di Hope Street*
D. Steel, *Un uomo quasi perfetto*
M. Higgins Clark e C. Higgins Clark, *Ti ho guardato dormire*
S. King, *Tutto è fatidico*
D. Steel, *Atto di fede*
M. Higgins Clark, *La seconda volta*
S. Sheldon, *Hai paura del buio?*
D. Steel, *Brilla una stella*
N. Sparks, *Come un uragano*
M. Higgins Clark, *Una luce nella notte*
S. King, *Buick 8*
D. Steel, *Il bacio*
N. Sparks, *Un segreto nel cuore*
D. Steel, *Il cottage*
S. Casati Modignani, *Qualcosa di buono*
M. Higgins Clark, *Quattro volte domenica*
D. Steel, *Una preghiera esaudita*
B. Mills, N. Sparks, *Il bambino che imparò a colorare il buio*
S. Sheldon, *Una stella continua a brillare*
N. Sparks, *Quando ho aperto gli occhi*
S. King, *Torno a prenderti*
D. Steel, *Tramonto a Saint-Tropez*
M. Higgins Clark, *La notte mi appartiene*
S. King, *La storia di Lisey*
M. Higgins Clark, *La figlia prediletta*
N. Gardner, *Un amico come Henry*
M. Higgins Clark, *Dimmi dove sei*
N. Sparks, *Come la prima volta*
D. Steel, *Un angelo che torna*
S. Casati Modignani, *Rosso corallo*
S. Sottile, *Più scuro di mezzanotte*
E. Segal, *Love Story*
S. Foster, *A spasso con Ollie*
M. Higgins Clark, *Due bambine in blu*
A. Thomas, *Sempre con me*
M. Higgins Clark, *Ho già sentito questa canzone*
N. Sparks, *Il posto che cercavo*
A. Caprarica, *Gli italiani la sanno lunga... o no?!*
J. Fletcher & D. Bain, *La Signora in Giallo - Assassinio nel vigneto*
J. Fletcher & D. Bain, *La Signora in Giallo - Caffè, tè e il delitto è servito*
J. Fletcher & D. Bain, *La Signora in Giallo - Long drink con delitto*
R.J. Waller, *I ponti di Madison County*
J. Fletcher & D. Bain, *La Signora in Giallo - Omicidio in primo piano*
J. Fletcher & D. Bain, *La Signora in Giallo - Brandy & pallottole*
J. Fletcher & D. Bain, *La Signora in Giallo - Manhattan & omicidi*
A. Caprarica, *Dio ci salvi dagli inglesi... o no?!*
L. Dalby, *La mia vita da geisha*

J.P. Sasson, *Schiave*
J.P. Sasson, *Dietro il velo*
B. Mahmoody con W. Hoffer, *Mai senza mia figlia*
P. Gregory, *Caterina la prima moglie*
J. Fletcher & D. Bain, *La Signora in Giallo - Una recita quasi perfetta*
G. Musso, *Perché l'amore qualche volta ha paura*
S. Casati Modignani, *Singolare femminile*
N. Sparks, *Ogni giorno della mia vita*
S. Johnson, *Chi ha spostato il mio formaggio?*
G. Pansa, *La Grande Bugia*
C.J. Sansom, *L'enigma del gallo nero*
C.J. Sansom, *I sette calici dell'eresia*
B. Taylor Bradford, *La voce del cuore*
B. Taylor Bradford, *Come un angelo*
B. Taylor Bradford, *L'uomo giusto*
B. Taylor Bradford, *Un posto per me nel tuo cuore*
B. Taylor Bradford, *Una promessa dal passato*
B. Taylor Bradford, *Gli imprevisti del cuore*
B. Taylor Bradford, *L'amore non può attendere*
B. Taylor Bradford, *Le maree del destino*
G. Pansa, *Prigionieri del silenzio*
G. Pansa, *Sconosciuto 1945*
O. Bowden, *Assassin's Creed - Rinascimento*
R. Cook, *Fattore di rischio*
D. Koontz, *Il bravo ragazzo*
D. Steel, *Il miracolo*
H. Bashir con D. Lewis, *La bambina di sabbia*
S. King, *Cell*
V. Della Valle, G. Patota, *Viva il congiuntivo!*
D. Safier, *L'orribile karma della formica*
J. Grogan, *Io & Marley*
L. Kahney, *Nella testa di Steve Jobs*
S. Casati Modignani, *Il gioco delle verità*
L.V. Rigler, *Shopping con Jane Austen*
L. Gounelle, *L'uomo che voleva essere felice*
A. Fortier, *La chiave del tempo*
S. Sheldon, *Se domani verrà*
M.J. Losier, *Come funziona la Legge d'Attrazione*
V. Myron con B. Witter, *Io e Dewey*
M. Dooley, *L'arte di far accadere le cose*
S. King, *Le notti di Salem*
G. Sims, *Portami con te*
A. Walker, *Il colore viola*
V. Varesi, *Il fiume delle nebbie*
M. Gamba, *Vermicino. L'Italia nel pozzo*
T.R. Smith, *Bambino 44*
I. Sundaresan, *La Principessa Indiana*
J. Fletcher & D. Bain, *La Signora in Giallo - Fuochi d'artificio con cadavere*
G. Cooper, *Omero gatto nero*
M. Higgins Clark, *Prendimi il cuore*
J. Stepakoff, *Regalami le stelle*
N. Sparks, M. Sparks, *Tre settimane, un mondo*
G. Pansa, *I figli dell'Aquila*
A. Gavalda, *Vorrei che da qualche parte ci fosse qualcuno ad aspettarmi*
A. Gavalda, *Io l'amavo*
S. Bambarén, *Vela bianca*
S. Bambarén, *Stella*
S. Bambarén, *Serena*
S. Bambarén, *Il vento dell'oceano*
D. Steel, *Il viaggio*
F. Petrizzo, *Memorie di una cagna*
E. Chabrol, *Una sposa conveniente*
M. Rizzoli, *Perché proprio a me?*
N. Sparks, *Ho cercato il tuo nome*
A. Gavalda, *Insieme, e basta*
B. Taylor Bradford, *Una donna contro*
V. Varesi, *La casa del comandante*
A. Caprarica, *C'era una volta in Italia*
M. Hack, V. Domenici, *Notte di stelle*
S. King (R. Bachman), *Blaze*
M. Higgins Clark e C. Higgins Clark, *Furto al Rockefeller Center (Il ladro di Natale)*
P. Delerm, *La prima sorsata di birra*

Finito di stampare nel gennaio 2012
presso la Mondadori Printing S.p.A.
Stabilimento N.S.M. di Cles (TN)
Printed in Italy